废名全集

第八卷

论著（三）

陈建军／编

武汉出版社

（鄂）新登字 08 号

图书在版编目（CIP）数据

废名全集.第八卷,论著.三/陈建军编.— 武汉:武汉出版社,2023.10
ISBN 978-7-5582-6071-1

Ⅰ.①废… Ⅱ.①陈… Ⅲ.①废名（1901-1967）—全集 Ⅳ.①I217.2

中国国家版本馆CIP数据核字（2023）第096933号

编　　者:陈建军
责任编辑:杨建文
助理编辑:王　玥
封面设计:刘福珊
督　　印:方　雷　代　湧
出　　版:武汉出版社
社　　址:武汉市江岸区兴业路136号　　　邮　　编:430014
电　　话:(027)85606403　　85600625
http://www.whcbs.com　　E-mail:whcbszbs@163.com
印　　刷:湖北新华印务有限公司　　　　经　　销:新华书店
开　　本:880 mm×1230 mm　　1/32
印　　张:15.75　　　　字　　数:340千字
版　　次:2023年10月第1版　　2023年10月第1次印刷
定　　价:980.00元（全套十卷）

版权所有·翻印必究
如有质量问题,由本社负责调换。

废名

废名(右二)与吉林大学教师合影

废名(左二)指导学生论文

《跟青年谈鲁迅》,中国青年出版社 1956 年 7 月版

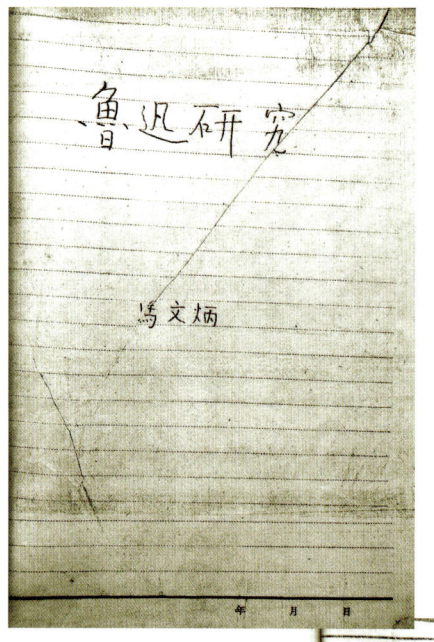

《鲁迅研究》手稿封面

《鲁迅研究》手稿

目 录

第八卷 论著(三)

跟青年谈鲁迅 ………………………………………… (1)
 为什么要研究鲁迅和怎样研究鲁迅 ………………… (3)
 鲁迅的少年时代 ……………………………………… (10)
 鲁迅在日本 …………………………………………… (21)
 辛亥革命与鲁迅 ……………………………………… (27)
 五四运动 ……………………………………………… (33)
 鲁迅的第一篇小说 …………………………………… (40)
 分析"阿Q正传" ……………………………………… (49)
 鲁迅怎样写杂感 ……………………………………… (70)
 鲁迅的杂文是诗史 …………………………………… (77)
 共产主义者鲁迅 ……………………………………… (89)
 鲁迅与现实主义传统 ………………………………… (95)
 鲁迅对文学形式和文学语言的贡献 ………………… (98)
 鲁迅的艺术特点 ……………………………………… (104)
 鲁迅怎样对待文化遗产和民族形式 ………………… (108)
 向鲁迅学习 …………………………………………… (112)

鲁迅的小说 …………………………………………………… (117)
  鲁迅的"狂人日记" ………………………………………… (119)
  "药" ………………………………………………………… (131)

鲁迅研究 …………………………………………………… (161)
  引言 ………………………………………………………… (163)
  一　鲁迅彻底地反对封建文化 …………………………… (164)
  二　鲁迅是最早对写普通话最有贡献的人 ……………… (180)
  三　鲁迅期待炬火和自己不以导师自居 ………………… (195)
  四　鲁迅的政治路线和文艺实践 ………………………… (202)
  五　鲁迅早期思想里的矛盾和中国新民主主义革命现实
     在鲁迅作品的反映 …………………………………… (240)
  六　鲁迅重视思想改造 …………………………………… (257)
  七　鲁迅确信无产阶级文学 ……………………………… (264)
  八　鲁迅的局限性的表现 ………………………………… (267)
  九　"狂人日记" …………………………………………… (271)
  十　"药" …………………………………………………… (301)
  十一　"阿Q正传" ………………………………………… (331)
  十二　"祝福" ……………………………………………… (378)
  十三　"伤逝" ……………………………………………… (392)
  十四　学习鲁迅和研究鲁迅的方法 ……………………… (404)

"孔乙己" …………………………………………………… (409)
读"论阿Q" ………………………………………………… (425)
"阿Q正传" ………………………………………………… (428)
关于"阿Q正传"研究 ……………………………………… (486)

跟青年谈鲁迅

共 15 章,1953 年 1 月 17 日完稿,1955 年 8 月修改、补充。中国青年出版社 1956 年 7 月初版,同年 11 月第 2 次印刷,署名冯文炳。

为什么要研究鲁迅和怎样研究鲁迅

我们真应该来研究鲁迅。毛主席在《新民主主义论》里告诉我们:"鲁迅的方向,就是中华民族新文化的方向。"我们如果真正懂得了这句话,换句话说,我们如果对鲁迅有了正确的认识,那对我们自己真不知要增加多大的力量,给了我们多大的修养!原来我们做的这项工作,正是马克思列宁主义联系中国实际的一个生动的课题。

鲁迅在他的青年时代,受严复翻译的《天演论》的影响非常大。鲁迅的《狂人日记》,在五四运动前夕,对于当时一切进步的知识分子,其影响更是非常之大的。大家到这时真真感到中国给封建统治太久了,封建道德是吃人的东西,非推翻它不可。这么一件大事,确实是给一篇《狂人日记》提醒了的。严复翻译的《天演论》只是使中国少数知识分子警惕起来,怕中国要受"淘汰",因为"优胜劣败"是"天演公例"。这种思想当时并不能摇撼中国的封建文化,一般国粹主义者照样鄙视"夷人"。孙中山领导了辛亥革命,中国也确实推翻了满清统治,但正如毛主席说的,"三民主义是和教育界、学术界、青年界没有多大联系的"。鲁迅的《狂人日记》,是首先在文艺界竖立起反封建的旗帜,使中国教育界、学术界、青年界有了礼教吃人的认识,从而有推翻旧道德的要求。《狂人日记》于一九一八年在《新青年》杂志上发表,在五四运动前一年。它的影响,只是由于时代的限制,在当时还不可能普及到工农群众中去。

鲁迅在当时是个反封建的革命的战士,他迫切希望中国革命,他认为社会进步关键在于个性解放,他相信进化,将来会比现在好。(封建主义是不相信进化的,一切是今不如古,旧礼教是道德最好的标准!)但由于时代的限制,他同一般生物进化论者一样,在那时候还不懂得马克思列宁主义,不知道革命是阶级斗争。在半封建半殖民地的中国,革命爱国主义者鲁迅在五四前后要求个性解放,相信进化论,其启蒙作用、反封建作用还是非常之大的。但也因看不见革命的道路而仿〔彷〕徨,他的第一部小说集叫做"呐喊",第二部小说集便叫做"仿〔彷〕徨",用屈原"路漫漫其修远兮,吾将上下而求索"的话作了卷头语。这是一九二四年至一九二六年的事。这期间鲁迅在北京孤军奋斗,坚决同那些与帝国主义北洋军阀相勾结的反动知识分子作斗争。其实"十月革命一声炮响,给我们送来了马克思列宁主义",一九二一年中国共产党已经成立了。鲁迅彷徨的日子也并不久,一九二七年在广州看见大屠杀以后他觉悟了,他开始认识"只信进化论的偏颇"。《二心集》上《关于小说题材的通信》,是答两个青年的,信上有这样的话:"然而两位都是向着前进的青年,又抱着对于时代有所助力和贡献的意志,那时也一定能逐渐克服自己的生活和意识,看见新路的。"这是他当时向两位小资产阶级青年作家说的话,鲁迅自己已逐渐转变到无产阶级的立场上来了。他也一定"逐渐克服自己的生活和意识",所以他看见"新路"。这便是"吾将上下而求索"的过程,是革命的实践。在《二心集》

序言上他对自己便有了科学的论断:"只是原先是憎恶这熟识的本阶级,毫不可惜它的溃灭,后来又由于事实的教训,以为惟新兴的无产者才有将来,却是的确的。"鲁迅便这样走进了无产阶级的阵营。自此以后一直到死,便是毛主席在《新民主主义论》里所说的中国文化革命的第三个时期,这时期国民党反动政权对中国共产党发动了两种"围剿",军事"围剿"之外又是文化"围剿",毛主席一面说"共产党在国民党统治区域内的一切文化机关中处于毫无抵抗力的地位",一面说"共产主义者的鲁迅,却正在这一'围剿'中成了中国文化革命的伟人"。

根据以上所说,所以我们应该研究鲁迅,鲁迅与五四运动有那么大的关系,鲁迅与中国共产党与中国新民主主义革命有那么大的关系。"鲁迅的方向,就是中华民族新文化的方向。"

怎样研究鲁迅呢？一句话,要用马克思主义的阶级观点和历史分析方法。

我们还是以《狂人日记》为例。《狂人日记》在中国文化革命运动中起了那么大的反封建作用,它叫一向听惯了"仁义道德"的中国人忽然发生反省,一下子就相信"仁义道德"正是"吃人"的护身符,这是因为中国已经发生了资本主义经济,中国社会已逐渐改变了它的性质,不是完全的封建社会,进步的知识分子,尤其是青年学生界,到这时很容易接受进化论,要求个性解放,鲁迅的振臂一呼,就使得天下响应了。谁都不能否认,中国文化革命史上鲁迅的这一篇声讨封建文化的檄文是要大书特书的。这就是说,提倡进化论和要求个性解放,在历史上反封建运动启蒙时期是革命的。可是,在半殖民地半封建社会的中国,中国人民的最强大的敌人是国外帝国主义和国内封建买办资产阶级的反动统治,中国问题只有中国共产党的成立与工人运动的展开才能获得解决,什么个性解放的话头在革命实践当中只能算是空谈。一九二一年至一九二七年期间,便是毛主席所谓中国文化革命第二个时期,其时中国在南方已经煽起了伟大的农民革命斗争,马克思列宁主义与中国革命实践结合的指导思想是毛主席的理论。像鲁迅的《狂人日记》那样的议论,鲁迅自己便说:"现在倘再发那些四平八稳的'救救孩子'似的议论,连我自己听去,也觉得空空洞洞了。"(《答有恒先生》)"救救孩子"是《狂人日记》最后的一句话。岂但空空洞洞,像"书上写着这许多字,佃户说了这许多话,却都笑吟吟的睁着怪眼睛看我。我也是人,他们想要吃我了!"的话,从农民革命斗争看来,还嫌敌我不分哩,把统治阶级的历史与被剥削的"佃户"混为一谈。然而我们不能用这样的阶级观点来低贬《狂人日记》的价值,那样就不符合历史观点了。我们要记住《狂人日记》是在五四文化革命的前夕写的,当时国内的人们还不可能用阶级观点来看问题,而它在反对封建礼教运动当中是建立了伟大的功劳的。我们便这样来研究鲁迅,就是把作品创作的年代和作品在当时所起的作用联系起来看,不是用现在的理论水平来批评它。这是运用历史分析方法。

当我们运用历史分析方法的时候,我们已掌握了阶级观点。必须掌握阶级观点,才能正确地运用历史分析方法。我们更须说明阶级观点。阶级观点是马克思主义武装我们的头脑的法宝,我们用来研究鲁迅,真真是一个生动的课题,我们将发现鲁迅的思想原来是伟大的毛主席的理论的旁证。毛主席在一九二六年写了《中国社会各阶级的分析》,以科学的预见规定了中国革命的路线,后来的事实证明中国革命便是遵循这条伟大的路线取得胜利,它的主要意义是工人阶级为领导,最广大和最忠实的同盟军是农民。从总结中国过去历史的经验说,便是原来有的农民起义,加上现代有的先进的阶级即工人阶级的领导,结果中国历史乃发生了质变。革命,更包括了建设。我们大家现在再回头来学习毛主席这一篇最早的文章,《中国社会各阶级的分析》,才体会到什么叫做科学的预见性。鲁迅在一九二五年写了几篇杂文,都是关心中国的未来的,从过去整个历史谈起,迫切要求中国革命,要求革命后的建设。我们举《再论雷峰塔的倒掉》为例。鲁迅先写了一篇《论雷峰塔的倒掉》,那是拿雷峰塔的倒掉来比喻中国封建社会的溃灭,他一听说杭州雷峰塔倒掉了,便写了这一篇优美的文章,"现在,他居然倒掉了,则普天之下的人民,其欣喜为何如?"鲁迅真是兴会淋漓。后来因为报纸上一篇通信里说,"雷峰塔之所以倒掉,是因为乡下人迷信那塔砖放在自己的家中,凡事都必平安,如意,逢凶化吉,于是这个也挖,那个也挖,挖之久久,便倒了",他乃写《再论雷峰塔的倒掉》,明确地说出他对中国历史的看法。他说中国历史上有两种破坏,一种是"寇盗式的破坏",一种是"奴才式的破坏"。寇盗式的破坏"是狂暴的强盗,或外来的蛮夷","结果只能留下一片瓦砾,与建设无关";奴才式的破坏如乡下人的挖去雷峰塔砖,"结果也只能留下一片瓦砾,与建设无关"。"我们要革新的破坏者,因为他内心有理想的光。我们应该知道他和寇盗奴才的分别;应该留心自己堕入后两种。这区别并不烦难,只要观人,省己,凡言动中,思想中,含有借此据为己有的朕兆者是寇盗,含有借此占些目前(的)小便宜的朕兆者是奴才,……"鲁迅这些话,指出对革命有害的两种破坏,指出中国革命所需要的革新的、为了建设的破坏。这种理论,对于当时国内军阀的破坏和一般贪小便宜者的破坏,是具有战斗作用的。因此,这篇文章在当时是有它的现实意义的。但要是进一步问怎样进行建设的破坏,在这篇文章里就没有答复。鲁迅在当时还没有掌握马克思列宁主义,对这个问题不可能有具体的答复。只有毛主席在《中国社会各阶级的分析》里才解决了这个问题,以工人阶级为领导,以工农联盟为基础的革命,才能进行为了建设的破坏。这也就是说,半封建半殖民地的中国,它的革命的主力在哪里? 它的敌人究竟是谁? 必须要从阶级上分清敌我,然后革命才有目标,自己才有队伍! 我们于此格外懂得马克思列宁主义是行动的指南,毛主席《中国社会各阶级的分析》对中国革命的意义之重大! 从这里,我们肯定鲁迅的《再论雷峰塔的倒掉》的战斗作用,也指出他缺乏阶级观点的局限性。我们对于鲁迅在掌握马克思列宁主义以前的作品,就是这样来研究的。我们再要研究鲁迅在革命实践中,怎样由进化论和个性解放论转变到马克思列宁主义,认识到鲁迅真正的伟大。

以上是说怎样研究鲁迅。

在《热风》里鲁迅曾说:

> 所以我时常害怕,愿中国青年都摆脱冷气,只是向上走,不必听自暴自弃者(流)的话。能做事的做事,能发声的发声,[。]有一分热,发一分光,就令萤火一般,也可以在黑暗里发一点光,不必等候炬火。
>
> 此后如竟没有炬火,[。]我便是唯一的光。倘若有

了炬火,出了太阳,我们自然心悦诚服的消失,不但毫无不平,而且还要随喜赞美这炬火或太阳,〔;〕因为他照了人类,连我都在内。

这是五四前一年鲁迅的话,这话里充满着渴望革命、准备把自己的一切献给革命的精神。正像鲁迅说的,中华民族已经有了炬火,出了太阳,那便是毛主席指导中国革命的最正确的理论。中国在共产党和毛主席的正确领导下,由新民主主义革命而过渡到社会主义的建设。鲁迅如果活着,他该是怎样的欢喜,他一定领导我们学习中国共产党的党史和党的政策,学习毛主席的著作,说着:"太阳照了人类,连我都在内。"

鲁迅的少年时代

鲁迅,这是笔名。他的真姓名是周树人。母亲姓鲁,故用了这样的笔名。

鲁迅在《俄文译本阿 Q 正传自叙传略》开首第一句写道:"我于一八八一年生在浙江省绍兴府城里的一家姓周的家里。"在《英译本短篇小说选集自序》里有这样的话:"我生长于都市的大家庭里,从小就受着古书和师傅的教训。"同序里又说:"但我母亲的母家是农村,使我能够间或和许多农民相亲近。"这里告诉我们三件事,一、他生长在绍兴这个都市里;二、他小时所受的教育;三、他同农民亲近。

1

在《女吊》这一篇的开头,鲁迅这样写:

> 大概是明末的王思任说的罢:"会稽乃报仇雪耻之乡,非藏垢纳污之地!"这对于我们绍兴人很有光彩,我也很喜欢听到,或引用这两句话。……

这一篇《女吊》,是鲁迅最后写的文章,一九三六年九月十九—二十日写的,比作为遗嘱而写的那篇《死》还要后半个月。写的是复仇的"女性的吊死鬼"。一下笔便联想到"会稽乃报仇雪耻之乡,非藏垢纳污之地"这两句话,不,这两句话就是他写这篇文章的中心思想,要报仇,因为中国尚未解放,"女吊"乃是这个思想的形象化。他认为绍兴人"在戏剧上创造了一个带复仇性的,比别的一切鬼魂更美,更强的鬼魂。这就是'女吊'。"鲁迅在最后写这一篇文章,意义甚大,等于屈原的《国殇》,表现他不忘记绍兴,不忘记绍兴的人民,将复仇的真理记录下来,作为遗教。绍兴是他的故乡,实在除了被压迫者居住的地方,鲁迅是没有另外的故乡的。在他的小说《故乡》里,主要是写贫苦的农民闰土。他的文章里不着重写风景,但他真能写出地方的色彩,是充满了斗争意志的人民的地方。他怎能不爱这些人民,他怎能不爱这个地方!换句话说,鲁迅是爱中国呵!他在《女吊》里给我们介绍"目莲戏"开场的"起殇",他这样写:

> "起殇"者,绍兴人现已大抵误解为"起丧",以为就是召鬼,其实是专限于横死者的。《九歌》中的《国殇》云:"身既死兮神以灵,魂魄毅兮为鬼雄",当然连战死者在内。明社垂绝,越人起义而死者不少,至清被称为叛贼,我们就这样的一同招待他们的英灵。在薄暮中,十几匹马,站在台下了;戏子扮好一个鬼王,蓝面鳞纹,手执钢叉,还得有十几名鬼卒,则普通的孩子都可以应募。我在十余岁时候,就曾经充过这样的义勇鬼,爬上台去,说明志愿,他们就给在脸上涂上几笔彩色,交付

一柄钢叉。待到有十多人了,即一拥上马,疾驰到野外的许多无主孤坟之处,环绕三匝,下马大叫,将钢叉用力的连连刺在坟墓上,然后拔叉驰回,上了前台,一同大叫一声,将钢叉一掷,钉在台板上。我们的责任,这就算完结,洗脸下台,可以回家了,……

这里写得多么有声有色,是鲁迅心中的故乡,他怎能不爱它!读者又怎能不跟着他爱它!在中国革命胜利了的今天,农村中剥削阶级彻底消灭了,我们大家的思想意识都经过改造了,我们再来回头看看毛主席《在延安文艺座谈会上的讲话》以前的文艺作品,连古人的集子在内,像鲁迅这样生动有力的文章是不多的。我们读着能得到很大的教育,原因便在于他是革命爱国主义者,对中国人民寄以极大的希望,他的写作都是通过他的斗争意志的。像鲁迅这样的人才配得上叫做爱故乡。

我们还应该抄他写"女吊"的两段:

这之后,就是"跳女吊"。自然先有悲凉的喇叭;少顷,门幕一掀,她出场了。大红衫子,黑色长背心,长发蓬松,颈挂两条纸锭,垂头,垂手,弯弯曲曲的走一个全台,内行人说:这是走了一个"心"字。为什么要走"心"字呢?我不明白。我只知道她何以要穿红衫。看王充的《论衡》,知道汉朝的鬼的颜色是红的,但再看后来的文字和图画,却又并无一定颜色,而在戏文里,穿红的则只有这"吊神"。意思是很容易了然的;因为她投缳之际,准备作厉鬼以复仇,红色较有阳气,易于和生人相接近,……绍兴的妇女,至今还偶有搽粉穿红之后,这才上吊的。……

她将披着的头发向后一抖,人这才看清了脸孔:石灰一样白的圆脸,漆黑的浓眉,乌黑的眼眶,猩红的嘴唇。听说浙东的有几府的戏文里,吊神又拖着几寸长的假舌头,但在绍兴没有。不是我袒护故乡,我以为还是没有好;那么,比起现在将眼眶染成淡灰色的时式打扮来,可以说是更彻底,更可爱。不过下嘴角应该略略向上,使嘴巴成为三角形:这也不是丑模样。假使半夜之后,在薄暗中,远处隐约着一位这样的粉面朱唇,就是现在的我,也许会跑过去看看的,但自然,却未必就被诱惑得上吊。她两肩微耸,四顾,倾听,似惊,似喜,似怒,终于发出悲哀的声音,慢慢地唱道:

"奴奴本是杨家女,

呵呀,苦呀,天哪!(……)"

这真是"比别的一切鬼魂更美,更强的鬼魂",鲁迅是多么爱她!我们说鲁迅的《女吊》等于屈原的《国殇》,是就他们对祖国的忠诚说的,究其实鲁迅是人民革命时代的先觉,通过中国共产党,他已经知道人民的力量,有意借这一个女魂写出被压迫者复仇的美丽形象,告诉人民要争取胜利。这个美丽的形象是他的故乡绍兴给他的。

2

再说鲁迅小时所受的教育。在《朝华夕拾》里有一篇《五猖会》,从这篇文章里我们可以知道鲁迅七岁时读书的情形。一天清早,他家里的人正准备带他去看赛会,是坐船去。

> 昨夜预定好的三道明瓦窗的大船,已经泊在河埠头,船椅、〔,〕饭菜、〔,〕茶炊、〔,〕点心盒子,都在陆续搬下去了。我笑着跳着,催他们要搬得快。忽然,工人的脸色很谨肃了,我知道有些蹊跷,四面一看,父亲就站在我背后。
>
> "去拿你的书来。"他慢慢地说。
>
> 这所谓"书",是指我开蒙时候所读的《鉴略》。〔,〕因为我再没有第二本了。我们那里上学的岁数是多拣单数的,所以这使我记住我其时是七岁。
>
> 我忐忑着,拿了书来了。他使我同坐在堂中央的桌子前,教我一句一句地读下去。我担着心,一句一句地读下去。
>
> 两句一行,大约读了二三十行罢,他说:〈——〉
>
> "给我读熟。背不出,就不准去看会。"
>
> 他说完,便站起来,走进房里去了。
>
> 我似乎从头上浇了一盆冷水。但是,有什么法子呢?自然是读着,读着,强记着,——而且要背出来。
>
> 粤自盘古,生于太荒,

>首出御世,肇开混茫。

>就是这样的书,我现在只记得前四句,别的都忘却了;那时所强记的二三十行,自然也一齐忘却在里面了……

后来家里又把他送到书塾里去上学,这个书塾便是《朝华夕拾》里所描写的三味书屋。他这样描写他第一天上学的情形:

>出门向东,不上半里,走过一道石桥,便是我的先生的家了。从一扇黑油的竹门进去,第三间是书房。中间挂着一块匾道:三味书屋;匾下面是一幅画,画着一只很肥大的梅花鹿伏在古树下。没有孔子牌位,我们便对着那匾和鹿行礼。第一次算是拜孔子,第二次算是拜先生。

那时孩子第一次上学先要对着孔子牌位拜孔子,没有牌位心目中也依然当做有孔子牌位那样对着拜,拜了孔子再拜老师,所以鲁迅这样写。鲁迅在书塾里算是一个年龄较大的学生,在《朝华夕拾》第三篇《二十四孝图》里有这样的叙述:

>我们那时有什么可看呢,只要略有图画的本子,就要被塾师,就是当时的"引导青年的前辈"禁止,呵斥,甚而至于打手心。我的小同学因为专读"人之初性本善"读得要枯燥而死了,只好偷偷地翻开第一叶,看那题着"文星高照"四个字的恶鬼一般的魁星像,来满足

他幼稚的爱美的天性。昨天看这个,今天(也)看这个,然而他们的眼睛里还闪出苏醒和欢喜的光辉来。

这说的是他的"小同学",开蒙读《三字经》的同学,可见他自己年龄较大程度较高了。总之这是当时封建教育的一幅图画。

鲁迅在他的《二十四孝图》里是记他当时看二十四孝图的情形,其中他特别对"老莱娱亲"和"郭巨埋儿"两图发生反感,他这样记着:

> 我至今还记得,一个躺在父母跟前的老头子,一个抱在母亲手上的小孩子,是怎样地使我发生不同的感想呵。他们一手都拿着"摇咕咚"。这玩意儿确是可爱的,北京称为小鼓,盖即鼗也,朱熹曰:"鼗,小鼓,两旁有耳;持其柄而摇之,则两耳还自击,"咕咚咕咚地响起来。然而这东西是不该拿在老莱子手里的,他应该扶一枝拐杖。现在这模样,简直是装佯,侮辱了孩子。我没有再看第二回,一到这一叶,便急速地翻过去了。
>
> 那时的《二十四孝图》,早已不知去向了,目下所有的只是一本日本小田海僊所画的本子,叙老莱子事云:"行年七十,言不称老,常著五色斑斓之衣,为婴儿戏于亲侧。又常取水上堂,诈跌仆地,作婴儿啼,以娱亲意。"大约旧本也差不多,而招我反感的便是"诈跌"。无论忤逆,无论孝顺,小孩子多不愿意"诈"作,听故事也不喜欢是谣言,这是凡有稍稍留心儿童心理的都知道的。

接着另叙"郭巨埋儿"的事情云：

至于玩着"摇咕咚"的郭巨的儿子，却实在值得同情。他被抱在他母亲的臂膊上，高高兴兴地笑着；他的父亲却正在掘窟窿，要将他埋掉了。说明云，"汉郭巨家贫，有子三岁，母尝减食与之。巨谓妻曰，贫乏不能供母，子又分母之食。盍埋此子？"但是刘向《孝子传》所说，却又有些不同：巨家是富的，他都给了两弟；孩子是才生的，并没有到三岁。结末又大略相像了，"及掘坑二尺，得黄金一釜，上云：天赐郭巨，官不得取，民不得夺！"

我最初实在替这孩子捏一把汗，待到掘出黄金一釜，这才觉得轻松。然而我已经不但自己不敢再想做孝子，并且怕我父亲去做孝子了。家景正在坏下去，常听到父母愁柴米；祖母又老了，倘使我的父亲竟学了郭巨，那么，该埋的不正是我么？如果一丝不走样，也掘出一釜黄金来，那自然是如天之福，但是，那时我虽然年纪小，似乎也明白天下未必有这样的巧事。

在这篇文章的结末鲁迅还作着总结道：

彼时我委实有点害怕：掘好深坑，不见黄金，连"摇咕咚"一同埋下去，盖上土，踏得实实的，又有什么法子可想呢。我想，事情虽然未必实现，但我从此总怕听到

> 我的父母愁穷,怕看见我的白发的祖母,总觉得她是和我不两立,至少,也是一个和我的生命有些妨碍的人。

这些就是鲁迅做孩子时受封建教育的情况。封建教育给与孩子心灵上的毒害,从这里就可以明显地看出来。鲁迅在少年时期就非常敏感,也可从这里看出来。

鲁迅小时喜欢看图,喜欢看旧小说上面的"绣像",而且喜欢描画这些绣像,这件事我们也应该注意,因为这件事与后来鲁迅创作小说很有关系。鲁迅写小说的方法,当然吸收了外国小说的长处,但他对中国民间的艺术懂得特别深,而且酷爱其一点,即是不要背景。他在《我怎么做起小说来》这一篇文章里说道:"中国旧戏上,没有背景,新年卖给孩子看的花纸上,只有主要的几个人(但现在的花纸却多有背景了),我深信对于我的目的,这方法是适宜的,所以我不去描写风月,对话也决不说到一大篇。"鲁迅的小说正是"只有主要的几个人",以这几个人提出当时中国社会的问题。这个方法,在五四初期,一般的读者知其然不知其所以然。鲁迅自始至终"注意于中国旧书上的绣像和画本,以及新的单张的花纸"(《连环图画辩护》),他是有深意的,他爱好中国民间的艺术,他创造小说默默地有取于它,他做儿童时就喜欢过它。在《朝华夕拾》里有好几篇都写着鲁迅小时看图画的事,把那一个小孩子的欢喜的光辉完全保留在纸上。我们且抄《从百草园到三味书屋》这一篇里面的话:

> 我是画画儿,用一种叫作"荆川纸"的,蒙在小说的绣像上一个个描下来,像习字时候的影写一样。读的

书多起来,画的画也多起来;书没有读成,画的成绩却不少了,最成片段的是《荡寇志》和《西游记》的绣像,都有一大本。

所以我们谈到鲁迅小时所受的教育,他喜欢看图画这件事是应该加以注意的。

3

我们再说少年鲁迅同农民的关系。无疑的,我们研究鲁迅,了解这种关系是非常重要的。鲁迅生长在都市,后来又在南京四年,在日本七年多,他开始写小说的时候已是在北京住了六年,然而鲁迅主要的小说不是写都市,从鲁迅谈他自己创作的话来分析他的思想意识,他丝毫没有想到要表现产业工人。他关心"下层社会的不幸",这下层社会是中国的农村。他渴望中国革命,而本着他所熟悉的中国农村来看中国革命如何能成功,他便来写小说,用他自己的话,"提出一些问题而已"(《英译短篇自序》)。他从一开始就把问题放在农民身上,以及城市里小市民身上。他同五四新文学运动另外几个发起的人之所以不同,其关键便在于革命爱国主义者鲁迅关心农民,描写农民的生活。他从小就熟悉农村生活。"但我母亲的母家是农村,使我能够间或和许多农民相亲近",鲁迅这样说,是他自己指出这个意义。

在鲁迅的小说里,虽像《一件小事》那样写一个具有优秀品质的人力车夫,但主要的小说是写农民的。像《社戏》里面的人物是写得朴质可爱的,《社戏》便是鲁迅以他母亲的母家作为背景的农村故事。其中双喜，阿发，桂生，都是小孩子，我们且不谈，我们且来看鲁迅怎样写八公公和六一公公罢。一群小孩子荡着八公公的船夜里去看戏，戏看完了，归途上岸偷了罗汉豆到船舱里煮了吃，在六一公公的田里各人都偷了一大捧。"吃完豆（，）又开船，一面洗器具，豆荚豆壳全抛在河水里，什么痕迹也没有了。双喜所虑的是用了八公公船上的盐和柴，这老头子很细心，一定要知道，会骂的。"但到小说快要收结时，鲁迅这样写："第二天，我向午才起来，并没有听到什么关系八公公盐柴事件的纠葛，下午仍然去钓虾。"

对于六一公公，当他知道孩子们偷了他田里的豆，他认为这是请客，是应该的。这时"迅哥儿"在那里钓虾。"待到母亲叫我回去吃晚饭的时候，桌上便有了一大碗煮熟了的罗汉豆，就是六一公公送给母亲和我吃的。"鲁迅就是这样描写农民的朴质的善良的性格。

我们再说一件事，关于鲁迅小说的背景。据《社戏》里说，鲁迅母亲的母家是"临河的小村庄"。准此，我们有理由推定《风波》这篇小说里所写的小村庄便是它。这村里的航船七斤在革命时（辛亥革命）进城被人剪去了辫子。准此，我们有理由推定阿Q是这航船七斤的邻村人，因为《阿Q正传》里有记载："据传来的消息，知道革命党虽然进了城，倒还没有什么大异样，〔。〕……只有一件可怕的事是另有几个不好的革命党夹在里面捣乱，第二天便动手剪辫子，听说那邻村的航船七斤便着了道儿，弄得不像人样子了。"所以我们确实可以说，这一个农村，鲁迅母亲的母家，同鲁迅后来写小说是很有关系的，他在这里认识了许多农民。

鲁迅在日本

鲁迅生在中国旧式士大夫家庭里。在他十三岁以前,他的家庭是"小康人家"。他的祖父是清朝的一个进士。鲁迅十三岁那年,祖父因故下狱,同时他的父亲生了重病,家庭经济非常困难。《呐喊》自序里说:"我有四年多,曾经常常,——几乎是每天,出入于质铺和药店里,年纪可是忘却了,总之是药店的柜台(正)和我一样高,质铺的是比我高一倍,我从一倍高的柜台外送上衣服或首饰去,在侮蔑里接了钱,再到一样高的柜台上给我久病的父亲去买药。"鲁迅用了他所清楚记得的两样店铺的柜台给我们画了一个形象,说实在话,在旧日社会里有三件事城市里的小孩子不懂,即是药铺与当铺,再便是监狱。而鲁迅当时大约都经验过了。我们已经知道,鲁迅爱画画儿,曾把《荡寇志》和《西游记》的绣像描了一大本,这一大本,在那同一篇文章里他说:"后来,(因)为要钱用,卖给一个有钱的同窗了。"这无疑是出入于质铺和药店的时候。在他父亲故去之后,他在《朝华夕拾》里的一篇《琐记》里说:"我其时觉得有许多东西要买,看的和吃的。只是没有钱。"他并说这时家里已经没有东西可以变卖了。他并说这时他对城里人的脸"早经看熟,如此而已,连心肝也似乎有些了然。"可见他受的刺激之深。就在这时,他十八岁,他的母亲为他筹了八元旅费由他到南京去投考不要学费的学校,他考进了江南水师学堂。那时读书人还认为科举应试是正路,进学校叫做"学洋务",是被人瞧不起的。而鲁迅争取着走新的路。他在水师学堂学了一年,《琐记》里说,"总觉得不大合适,可是无法形容出这不合适来。现在是发见了大致相近的字眼了,'乌烟瘴气',庶几乎(其)可也。只得走开。"第二年他改入仍在南京的江南陆师学堂附设的矿路学堂。进这学堂的第二年,"总办是一个新党,他坐在马车上的时候大抵看着《时务报》"。这时,我们可以看见当时所谓"新学"对鲁迅的鼓舞了,在《琐记》里有这样的文章:

> 看新书的风气便流行起来,我也知道了中国有一部书叫《天演论》。星期日跑到城南去买了来,白纸石印的一厚本,价五百文正。翻开一看,是写得很好的字,开首便道:〈——〉
>
> "赫胥黎独处一室之中,在英伦之南,背山而面野,槛外诸境,历历如在机下。乃悬想二千年前,当罗马大将恺撒〔彻〕未到时,此间有何景物?计惟有天造草昧……"
>
> 哦!原来世界上竟还有一个赫胥黎坐在书房里那么想,而且想得那么新鲜?一口气读下去,"物竞""天择"也出来了,苏格拉第、〔,〕柏拉图也出来了,斯多噶也出来了。学堂里又设立了一个阅报处,《时务报》不待言,还有《译学汇编》,那书面上的张廉卿一流的四个字,就蓝得很可爱。

"你这孩子有点不对了,拿这篇文章去看去,抄下来去看去。"一位本家的老辈严肃地对我说,而且递过一张报纸来。接来看时,"臣许应骙跪奏……",那文章现在是一句也不记得了,总之是参康有为变法的;也不记得可曾抄了没有。

仍然自己不觉得有什么"不对",一有闲空,就照例地吃侉饼、〔,〕花生米、〔,〕辣椒,看《天演论》。

这文章是在吃辣椒看《天演论》后二十六七年写的,鲁迅还是情不自禁,写得多么喜悦,我们可以看出青年鲁迅当时是多么的欢欣鼓舞呵!星期日跑去买了本《天演论》来,一口气读下去,"物竞""天择"的问题都提出了,鲁迅这时对于中国的封建社会,一定是感到天翻地复〔覆〕,他一定是用了新的方法去思考了,就是资产阶级民主革命思想在他那里有了萌芽。他从始就不是一个改良主义者,同康有为等当时的"新党"不同,他同情康有为、严复,是对他们的进步性共鸣,康、严都是毛主席说的"先进的中国人",都曾经向西方国家寻找真理。鲁迅在后来的文章里对康有为总没有说过坏话,就是在写《花边文学》的时候还是同情他。在别人批评严复的翻译时,鲁迅又极力替严复辩护。他掌握了历史观点,同毛主席是不谋而合。

鲁迅一八九八年到南京,一九〇一年在矿路学堂毕业,一九〇二年由江南督练公所派赴日本留学。在南京四年之中,有一八九八年"戊戌维新变法",一九〇〇年义和团反帝斗争和八国联军攻陷北京,一九〇一年《辛丑条约》,这些事故对他的爱国思想起了多大的刺激,我们可想而知,他也就决定了他自己救国的道路,他的道路可以说是向日本人学习。如他自己在《自叙传略》上所说,他在南京本来是学开矿的,"但待到在东京的豫备学校毕业,我已经决意要学医了,原因之一是因为我确知道了新的医学对于日本的维新有很大的助力。"这就表示青年鲁迅认为要救中国就要学日本维新。"日本人向西方学习有成效,中国人也想向日本人学习",毛主席这样形容那时人们的心理,鲁迅正是如此。在选择维新的道路上,鲁迅同一般小资产阶级知识分子不同,先是他决意学医,二年之后又决意学文学,在当时很少有同调的。在他到仙台医学专门学校时,他说那里"还没有中国的学生"。他总有着较一般更为彻底的要求。他的出发点是在于"思想革命"。因为他革命的意识重,爱国的意识重,所以他学一种东西,从来没有单纯技术的要求,不论学医,或者学文学,都是为着救中国。他也同当时革命的知识分子一样,深深怀着民族革命的感情,一九○三年他在东京送照片给朋友,在照片上面题着"我以我血荐轩辕"的诗句。这里的"轩辕"是代表汉族,即为了革命(当时的革命要打倒满族所建立的政权)而献身的意思。在他从东京出发往仙台去,经过水户这驿站,他记住这个地方,因为"这是明的遗民朱舜水先生客死的地方"。这事在《朝华夕拾》里的《藤野先生》这篇文章里有着记载。一鳞一爪,我们可以看出鲁迅怎样的深心呵!他在东京听说革命志士徐锡麟、秋瑾被杀的消息,他悲痛已极,他一直不能忘记,到了写《狂人日记》写《药》的时候还要纪念他们!我们去翻《狂人日记》里"徐锡林"的名字罢,《药》里的"夏瑜"就是秋瑾的纪念罢!

他先在仙台学医,二年之后要改学文学,这原故他自己讲过好几次。那时正当日俄战争的时候,在《藤野先生》里面鲁迅这样记着：

> 但我接着便有参观枪毙中国人的命运了。第二年添教霉菌学，细菌的形状是全用电影来显示的，一段落已完而还没有到下课的时候，便影几片时事的片子，自然都是日本战胜俄国的情形。但偏有中国人夹在里边：给俄国人做侦探，被日本军捕获，要枪毙了，围着看的也是一群中国人；在讲堂里的还有一个我。
>
> "万岁！"他们都拍掌欢呼起来。
>
> 这种欢呼，是每看一片都有的，但在我，这一声却特别听得刺耳。此后回到中国来，我看见那些闲看枪毙犯人的人们，他们也何尝不酒醉似的喝采，——呜呼，无法可想！但在那时那地，我的意见却变化了。

这是隔了二十多年以后追述的话，他说着"无法可想"，是因为他的矛盾甚深，他还不能从阶级观点看问题，我们在此不作分析。我们只看那时那地，鲁迅以一个中国青年学生，在那一群拍掌欢呼的日本人当中又只有他一个中国人，他受了多么大的刺激呵！因了这一刺激，他认为中国人"麻木"，他学医的志愿变化了，他认为第一要著是改变国民的精神，"而善于改变精神的是，我那时以为当然要推文艺"，于是他弃医不学离开仙台到东京去提倡文艺运动。这个变化也是很不容易的，在那时他能把文艺看得那么重要，"当然要推文艺"。我们于此也可以看出，在他学医的同时，他已经接触了世界文学，世界文学上的革命爱国诗人已经给他以鼓动。从此资产阶级民主革命的欧洲文学，英国的拜伦、雪莱,德国的海涅,俄国的普希金、莱蒙托夫,波兰的显克微支,匈牙利的彼得斐,对他都发生了影响。鲁迅实在是一个诗人,不过在文艺形式上他应该向小说方面发展,所以在外国文学之中,他慢慢集中注意于小说,影响他最深的是俄国的果戈理和波兰的显克微支,在他们的作品里,讽刺的笔调,爱国的热诚,深深地感动了他。五四时期他在创作上的伟大贡献,这时候已经在酝酿中了,在他这里已经有了新文学的萌芽,即革命的民主的爱国的文学。

辛亥革命与鲁迅

孙中山所领导的辛亥革命属于资产阶级的民主革命,要把中国变成资产阶级的共和国。毛主席在《论人民民主专政》里告诉我们:"资产阶级的共和国,外国有过的,中国不能有,因为中国是受帝国主义压迫的国家。"我们现在个个人懂得毛主席的话,因为我们亲眼看见了伟大的革命胜利,受了教育,有了一定的政治知识。可是在辛亥革命当时,道理还在闷葫芦里。在一开始就认为辛亥革命失败了的人有,鲁迅是其一。为什么失败?鲁迅也只有苦闷,一时没有找到它的真正原因。

我们已经说过,鲁迅留学日本,很有学日本维新的意思。"帝国主义的侵略打破了中国人学西方的迷梦。很奇怪,为什么先生老是侵略学生呢?"毛主席现在这样向我们发问,可是鲁迅当时还正在老老实实用功做学生,不可能懂得帝国主义侵略的本质。这是一件事情。再一件事,因为外国资本主义的侵入,在十九世纪的六十年代,中国近代工业开始出现,换句话说,从鸦片战争以后,中国社会生长了一个新的阶级即工人阶级。当时马克思列宁主义还没有传到中国来,鲁迅自然不可能考虑到领导阶级的问题,辛亥革命失败的原因他归咎于农民以及一般小市民为"愚弱的国民",怀疑群众的力量。这便是鲁迅失望、苦闷的原因。同时他的革命爱国精神格外加深,可以说他长期处于一种孤独痛苦的心境当中。他在辛亥革命前两年回国。他同情辛亥革命,参加了革命团体(光复会),同时他讽刺辛亥革命。这个态度他在日本留学时就表现着。在《朝华夕拾》里面《范爱农》这一篇文章里,他记载着当时在东京的留日学生的情形,当然都是些小资产阶级革命知识分子,他自己也在内,听了徐锡麟被杀的消息,"人心很愤怒"。接着就有这么的句子:"照例还有一个同乡会,吊烈士,骂满洲。〔;〕"分明是讽刺的口吻了,说着"照例"。在同一篇文章里,叙到辛亥革命的前一年,他在绍兴做教员,会见了东京分别的范爱农,文字并不少,等到言入革命,真是说时迟那时快的样子,只是这么的两句:"忽然是武昌起义,接着是绍兴光复。"鲁迅不满的心情可想而知了。然而鲁迅的笑容也确实是可掬的,他接着这样写:

> 第二天爱农就上城来,戴着农夫常用的毡帽,那笑容是从来没有见过的。
> "老迅,我们今天不喝酒了。我要去看看光复的绍兴。我们同去。"
> 我们便到街上去走了一通,满眼是白旗。然而貌虽如此,内骨子是依旧的,因为还是几个旧乡绅所组织的军政府,什么铁路股东是行政司长,钱店掌柜是军械司长……。

他于一九一二年离开绍兴,同年往北京,以后长期在北京(直到一九二六年秋被迫南下)。《头发的故事》是他用小说体裁

写他一九二〇年在北京对双十节的感慨,我们且抄出这些来:

"我最佩服北京双十节的情形。早晨,警察到门,吩咐道'挂旗。〔!〕''是,挂旗!'各家大半懒洋洋的踱出一个国民来,撅起一块斑驳陆离的洋布。这样一直到夜,——收了旗关门;几家偶然忘却的,便挂到第二天的上午。

"他们忘却了纪念,纪念也忘却了他们。〔!〕

"我也是忘却了纪念的一个人。倘使纪念起来,那第一个双十节前后的事,便都上我的心头,使我坐立不稳了。

"多少故人的脸,都浮在我眼前。几个少年辛苦奔走了十多年,暗地里一颗弹丸要了他的性命;几个少年一击不中,在监牢里身受一个多月的苦刑;几个少年怀着远志,忽然踪影全无,连尸首也不知那里去了。——

"他们都在社会的冷笑恶骂迫害倾陷里过了一生;现在他们的坟墓也早在忘却里渐渐平塌下去了。

"我不堪纪念这些事。

"我们还是记起一点得意的事来谈谈罢。"

对于鲁迅确是有一件得意的事,便是辛亥革命剪了辫子,便是《头发的故事》的主题。说他是悲痛也可以,说他是讽刺也可以。

在北洋军阀时期住过北京的人,对《头发的故事》所描写的北京双十节的情形,虽然文字不多,现实的意义甚大,真只有鲁迅一鳞一爪反映出中国社会的面貌了。我们现在所特别注意的,是鲁迅对"国民"的态度,也就是鲁迅对"中国人"的看法。"中国人"三个字,常常出在鲁迅的笔下,在《呐喊》自序里叙述他在日本学医时看电影的事情,便是这样叙:"有一回,我竟在画片上忽然会见我久违的许多中国人了,一个绑在中间,许多站在左右,一样是强壮的体格,而显出麻木的神情。"这便是鲁迅在社会科学范围里头从生物进化论的观点看问题。《头发的故事》里面有一句话把他的意思完全说出来了,这话便是:"阿,造物的皮鞭没有到中国的脊梁上时,中国便永远是这一样的中国,决不肯自己改变一枝〔支〕毫毛!"我们现在知道,这种观点是错误的,但鲁迅说这话的心情是极其沉重的,他要用这话来刺激当时的人,使他们觉悟起来。因此,在这话里面含有他的革命爱国的深心。那篇小说里又说:"各家大半懒洋洋的踱出一个国民来,撅起一块斑驳陆离的洋布。"一句话把五色旗的中华民国完全写出来了。"每〔各〕家大半……踱出一个国民来,"鲁迅在这里确是深深地注意他们,希望他们,然而对他们无可奈何!总之鲁迅对辛亥革命失望了,他认为失败了。失败的原因便是"几个"有"远志"的人包办代替,而大多数的中国人"愚"。他并不认为包办代替是不对的,问题在大多数人的"愚"上。这少数与多数他都是爱的,他自己也在这数目当中,所以说"他们忘却了纪念,纪念也忘却了他们。〔!〕我也是忘却了纪念的一个人。"接着又说了这么一句:"我不堪纪念这些事。"谁读着都感觉着他的悲痛。

我们还应该注意《药》这一篇小说。这篇小说写出辛亥革命以前的社会情况,他以极沉痛的心情写出当时人民的愚蠢和麻木,写出革命志士不为人民所了解,深刻地暴露出封建统治的罪恶。小说的情节是,一个姓夏的孩子,名字叫瑜,因为要造反,给本家告了官,杀掉了。刑场明写着在"古□亭口"。有一个开茶馆的老头,他的儿子生了痨病,他相信人血可以治得好他儿子的病,于是杀夏瑜的刽子手同他做了这桩买卖,即是杀了革命党人拿这血蘸馒头卖给他做药。所以鲁迅深刻地用了《药》做小说的题目。"夏瑜"影射"秋瑾",在《且介亭杂文》里面有一篇《病后杂谈之余》,鲁迅曾叙出"轩亭口离绍兴中学并不远,就是秋瑾小姐就义之处",所以在《药》里写着"古□亭口"。从鲁迅的本意看来,革命是革命志士救国的事业,其本家要告官,出卖烈士,杀烈士,刽子手要做买卖,更卖烈士的血,这些是革命的敌人,然而中国人民怎么这样无知拿这血来医痨病呵!完全不知道革命这一回事呵!这有什么办法呵!在鲁迅真是一种深心,他精神上长期有着极重极重的负担,革命不是少数人的事!他给我们留了这么一篇作品,写出封建社会里无比的黑暗面,然而光明还应在未来,所以烈士的坟上有不知谁送来的花环。

问题实在是在于革命的力量上面。鲁迅的思想比辛亥革命当时一般知识分子深刻,他不以为满清皇帝倒了便百事大吉。他探索革命的力量。我们现在学习了马克思列宁主义,学习了毛主席的理论,问题便明若观火,俄国十月革命以后,像中国这样半殖民地半封建社会的国家,革命已不是旧民主主义的革命,而是新民主主义的革命,领导力量是工人阶级。鲁迅当时还不可能有明确的"阶级"观念,他只是注意了大多数的"中国人",即是农村里的农民与城市里的小市民。他感到要这些人觉悟有什么办法,除非"造物的皮鞭"落到这些人的脊梁上!这就是应用生物进化论观察社会问题者必然的结果,不能解决中国的革命问题。他深深知道中国封建的危害性,非革命不可,革命就是走西洋人的路,他还不知道那条路叫做资产阶级的路,领导权属资产阶级,在他仿佛是归小资产阶级知识分子领导似的,即是几个有远志的人。其实辛亥革命距离中国共产党成立时不过十年多,中国已经有了工人阶级,没有俄国十月革命,没有马克思列宁主义的输入,问题便提不出来了。也只有五四运动后中国共产党人才提得出问题来,即是阶级问题。有了工人阶级领导,则农民便是中国革命的强大力量了,小资产阶级、民族资产阶级也都是革命的力量。伟大的道理,今天对我们是一个常识,是因为中国共产党以血教育了我们,以胜利教育了我们,教我们懂得了什么才是科学,只有马克思列宁主义才是科学。

在今天我们提出"辛亥革命与鲁迅"这个问题,实在是一个爱国问题,意义深长。鲁迅当时那么寂寞,今天我们是举国欢腾了。

五四运动

一九一九年五月四日,中国人民反对帝国主义的凡尔赛和约,在北京发生了空前的爱国运动。只有辛亥革命可以同五四运动连在一块儿来说。辛亥革命是孙中山领导的旧民主主义革命,它的结果是失败了;五四运动是中国新民主主义革命的开始,由于中国新民主主义革命的胜利,使得中国历史改变了面貌,由半封建半殖民地的国家,变成了独立富强的人民民主的国家。这是事实,没有人不承认的。有一小部分的人,虽然承认这一个事实,就是孙中山所领导的中国革命失败了,中国共产党所领导的中国人民解放胜利了,但要说这个胜利的日子要从五四运动算起,他们认为心里不安,因为他们亲眼见过五四运动或者参加了这个运动,那时中国共产党还没有出世,从何而领导这个运动,把这个运动也归在中国共产党的事业项下呢?这样的看法是错误的,是机械地看问题,没有看到五四运动的性质。我们所说的"五四运动",并不是仅仅指一九一九年五月四日那一天的爱国运动,是包括从这种爱国运动发展到文学革命,发展到在中国展开反帝反封建运动。而这个反帝反封建运动,已经远远地超过了旧民主主义的辛亥革命,属于新民主主义革命范畴,是由中国共产党领导的。只有中国共产党领导的反帝反封建运动,才是五四运动的性质。毛主席在《新民主主义论》里告诉我们,"五四运动所以具有这种性质,是在当时中国的资本主义经济已有进一步的发展,当时中国的革命知识分子眼见得俄、德、奥三大帝国主义国家已经瓦解,英、法两大帝国主义国家已经受伤,而俄国无产阶级已经建立了社会主义国家,德、奥(匈牙利)、意三国无产阶级在革命中,因而发生了中国民族解放的新希望。五四运动是在当时世界革命号召之下,是在俄国革命号召之下,是在列宁号召之下发生的。五四运动是当时无产阶级世界革命的一部分。"在《论人民民主专政》里毛主席又说,"中国人找到马克思主义,是经过俄国人介绍的。在十月革命以前,中国人不但不知道列宁,斯大林,也不知道马克思,恩格斯。十月革命一声炮响,给我们送来了马克思列宁主义。十月革命帮助了全世界的也帮助了中国的先进分子,用无产阶级的宇宙观作为观察国家命运的工具,重新考虑自己的问题。走俄国人的路——这就是结论。一九一九年,中国发生了'五四'运动。一九二一年,中国共产党成立。"毛主席把中国共产党同他自己的经验都告诉了我们,也就是代表中国人民向全世界人民讲话,话都明明白白,五四运动是那么一种性质的革命运动。我们确实应该端正我们的认识,从我们对五四运动的看法可以考验我们自己的立场。

一部分人士受了资产阶级单纯技术观点的影响,把五四运动看成是单纯的文学革命,而他们心目中的文学革命是胡适提倡的。这种看法也是完全错误的。反革命分子胡适是美帝国主义的代言人,他在《新青年》上发表的《文学改良刍议》一类的文章,只是主张改文言为白话,只是形式上的改良。就是这种形式上的改良也不是胡适首先提出来的,早在他以前,已经有好多人提出这样的主张，并且也实行过了。到了五四运动时期，文学革命的问题已经不仅在形式上，更主要的是在内容上，在内容跟形式的配合上。像鲁迅的《狂人日记》那样强烈的反封建的内容，配合着新的形式，才是文学革命的代表作品。在前面我们已经指出，五四运动的性质是反帝反封建的革命运动。因此，把五四运动看成仅仅是文学革命，已经低估了这一运动的价值；要是把五四运动看成仅仅是反革命分子胡适领导的文学革命，更是完全错了。胡适是替帝国主义服务的，替反动的封建买办资产阶级服务的，他是革命的敌人。当五四运动发展到反帝反封建的革命运动时，胡适就打起反革命的旗帜，站到敌人一边去了。我们只要认清五四运动的性质，就能纠正这种错误的看法了。再说，以为五四运动就是文学革命运动，就是提倡改文言为白话，这正是胡适的话，胡适向来是这样厚颜无耻地替自己吹嘘的，他狂妄地把五四运动说成是他自己的功绩。为了抹杀五四运动的价值，他歪曲地认为这个运动的意义是离开政治的文化运动，其结果是在中国制造买办"学者"专门替帝国主义服务。伟大的中国共产党则从一开始就指出五四运动的性质是中国反帝反封建的革命运动，所以毛主席这样写着历史："十月革命一声炮响，给我们送来了马克思列宁主义。十月革命帮助了全世界的也帮助了中国的先进分子，用无产阶级的宇宙观作为观察国家命运的工具，重新考虑自己的问题。走俄国人的路——这就是结论。一九一九年，中国发生了'五四'运动。一九二一年，中国共产党成立。"五四运动的意义太大了，是中国历史新旧的转折点，几千年来的一个质变。

我们现在来看鲁迅对那时的文学革命是怎样的看法罢。鲁

迅在《自选集》自序里面说:

> 我做小说,是开手于一九一八年,《新青年》上提倡"文学革命"的时候的。这一种运动,现在固然已经成为文学史上的陈迹了,但在那时,却无疑地是一个革命的运动。
>
> 我的作品在《新青年》上,步调是和大家大概一致的,所以我想,这些确可以算作那时的"革命文学"。
>
> 然而我那时对于"文学革命",其实并没有怎样的热情。见过辛亥革命,见过二次革命,见过袁世凯称帝,张勋复辟,看来看去,就看得怀疑起来,……

这些话都说得非常坦白,合乎事实。他承认他自己的小说确可以算作那时的革命文学。也正因为有鲁迅这样的革命文学,那时的文学革命才无疑地是一个革命运动。照鲁迅的意思,他本来就有点怀疑。他总是把辛亥革命记在心里想问题的,他是爱国的,他是革命的,他憎恨张勋复辟,在另一篇文章里(《病后杂谈之余》)他也提起过,"张勋的姓名已经暗淡,'复辟'的事件也逐渐遗忘,我曾在《风波》里提到它,别的作品上却似乎没有见,可见早就不受人注意。"鲁迅说他"那时对于'文学革命',其实并没有怎样的热情",就正因为他深藏有爱国的热情,革命的热情,认为文学革命还不能够解决中国的革命问题,所以这样说。换句话说,鲁迅的思想中心,是放在半殖民地半封建社会的中国革命问题上面。在当时,他还提不出解决这个问题的方法,所以说对于文学革命没有怎样的热情。我们现在来看,鲁迅在五四运动里是一个最坚决最勇敢的反封建的战士,他的创作奠定了中国的文学革命,成了中国新文学史上的里程碑。鲁迅自己由于谦逊,也由于当时还没有掌握马克思列宁主义,因此,对自己在创作上的成就,估计是过低的。我们现在明确地认识到反革命分子胡适根本不配谈什么文学革命,像鲁迅当时写的小说跟杂文,才是展开文学革命运动的代表作品。在反帝反封建的五四运动里面,鲁迅成为勇敢的战士和启蒙者。

我们再看一九二七年二月十六日他在香港青年会讲演,题目为"无声的中国",编在《三闲集》里。

> 我现在所讲的题目是:"无声的中国"。
>
> 现在,浙江、陕西,都在打仗,那里的人民哭着呢还是笑着呢,我们不知道。香港似乎很太平,住在这里的中国人,舒服呢还是不很舒服呢,别人也不知道。
>
> 发表自己的思想、感情给大家知道的是要用文章的,然而拿文章来达意,现在一般的中国人还做不到。这也怪不得我们;因为那文字,先就是我们的祖先留传给我们的可怕的遗产。人们费了多年的工夫,还是难于运用。因为难,许多人便不理它了,甚至于连自己的姓也写不清是张还是章,或者简直不会写,或者说道:Chang。虽然能说话,而只有几个人听到,远处的人们便不知道,结果也等于无声。又因为难,有些人便当作宝贝,像玩把戏似的,之乎者也,只有几个人懂,——其实是不知道可真懂,而大多数的人们却不懂得,结果也等于无声。

文明人和野蛮人的分别,其一,是文明人有文字,能够把他们的思想,感情,借此传给大众,传给将来。中国虽然有文字,现在却已经和大家不相干,用的是难懂的古文,讲的是陈旧的古意思,所有的声音,都是过去的,都就是只等于零的。所以,大家不能互相了解,正像一大盘散沙。

将文章当作古董,以不能使人认识,使人懂得为好,也许是有趣的事罢。但是,结果怎样呢？是我们已经不能将我们想说的话说出来。我们受了损害,受了侮辱,总是不能说出些应说的话。拿最近的事情来说,如中〈、〉日战争,拳匪事件,民元革命这些大事件,一直到现在,我们可有一部像样的著作？民国以来,也还是谁也不作声。反而在外国,倒常有说起中国的,但那都不是中国人自己的声音,是别人的声音。

这不能说话的毛病,在明朝是还没有这样厉害的;他们还比较地能够说些要说的话。待到满洲人以异族侵入中国,讲历史的,尤其是讲宋末的事情的人被杀害了,讲时事的自然也被杀害了。所以,到乾隆年间,人民大家便更不敢用文章来说话了。所谓读书人,便只好躲起来读经,校刊古书,做些古时的文章,和当时毫无关系的文章。有些新意,也还是不行的;不是学韩,便是学苏。韩愈〈、〉苏轼他们,用他们自己的文章来说当时要说的话,那当然可以的。我们却并非唐〈、〉宋时人,怎么做和我们毫无关系的时候的文章呢。即使做得像,也是唐〈、〉宋时代的声音,韩愈〈、〉苏轼的声音,而不是我们现代的声音。然而直到现在,中国人却还要着这样的旧戏法。人是有的,没有声音,寂寞得很。——人会没有声音的么?没有,可以说:是死了。倘要说得客气一点,那就是:已经哑了。

要恢复这多年无声的中国,是不容易的,正如命令一个死掉的人道:"你活过来!"我虽然并不懂得宗教,但我以为正如想出现一个宗教上之所谓"奇迹"一样。

我们现在亲眼看见一次又一次的阶级斗争的伟大胜利,中国人已经"活过来"了,世界上到处倾听中国人的声音。但当时的情况完全不是这样,因此我们要注意鲁迅对语言文字的看法,跟政治结合起来看。真正的文学革命要注意"无声的中国"。我们看鲁迅从内地打仗说起,人民是笑呢还是哭,香港的中国人舒服呢还是不舒服,你是中国人你姓张还是姓章或者说道:Chang?这明明是对一般洋奴的讽刺!他把当时中国人不敢用文章来说话的原故更推到历史上去,归究于统治者对人民的杀害。"人是有的,没有声音,寂寞得很。——人会没有声音的么?没有,可以说:是死了。"这是多么沉痛的声音!这是鲁迅在殖民地香港的青年会上向中国人说话的声音!现在世界上到处倾听中国人的声音。人类奇迹的出现不是宗教,倒是科学,便是马克思列宁主义,在第二次世界大战之后,在解放了的国土的人民当中,这已经成了常识了。伟大的鲁迅,他当时已经看出问题的本质,要文学革命便要改变半殖民地半封建的中国,要改变"无声的中国"。那么五四运动的意义是中国共产党创造了新民主主义革命的事实。鲁迅在伟大的五四运动当中是启蒙者。

鲁迅的第一篇小说

1

我们在一开始就提到《狂人日记》，我们现在再来谈一谈《狂人日记》。

《狂人日记》是鲁迅的第一篇小说，也是中国新文学的第一篇创作，于一九一八年在《新青年》杂志上发表。《新青年》杂志在当时是以陈独秀为首在北京的几个进步的知识分子办的，是"文学革命"的发难者。就文学创作说，《狂人日记》是第一篇，在这以前有白话诗，所谓白话诗就是旧诗词的自由体，很难算是新文学，决不能吓倒旧文学。作这种白话诗的人自己信不过自己，其中成绩最好的马上又改做旧诗。不过当时的进步人士大家一致认识外国文学有力量。同时也一致承认中国历史上的章回小说是文学。到了鲁迅的《狂人日记》一出现，大家耳目一新了，相信中国新文学的前途了，因为婴儿已经诞生了。《狂人日记》以新的内容跟新的形式出现，才是真正的新文学作品。它的内容是强烈地反封建，形式则采取俄国果戈里的《狂人日记》和中国艺术不用背景的描写手法。最重要的它对旧的东西能起革命的作用、摧毁的作用。《狂人日记》实在是"显示了'文学革命'的实绩",奠定了中国新文学的基础,同时是中国革命的内容之一——反封建的先行军。这是鲁迅自己也承认了的,我们现在比鲁迅更有进一步的认识。

不错,鲁迅所创作的新文学作品,是在五四运动前一年开始的,但是不是因为《新青年》杂志的创办立刻就〈长〉成功了呢?从我们在以前所讲的许多事实看来,当然不是的。这是长期封建压迫的呼声,革命爱国精神蕴积已久的表现,早在他留学日本时期,就已经不满于一般革命知识分子种族革命的浅见,进而深入到欧洲资产阶级文化的探索里,因而产生的一往直前的追求。鲁迅到这时才可以说是英雄有用武之地了。他自己当然是明白的,他在《中国新文学大系》小说集序里说:

> 在这里(《新青年》杂志)发表了创作的短篇小说的,是鲁迅。从一九一八年五月起,《狂人日记》,《孔乙己》,《药》等,陆续的出现了,算是显示了"文学革命"的实绩。〔,〕又因那时的认为"表现的深切和格式的特别",颇激动了一部分青年读者的心。然而这激动,却是向来怠慢了绍介欧洲大陆文学的缘故。一八三四年顷,俄国的果戈里〔理〕就已经写了《狂人日记》……

他说中国人怠慢了绍介欧洲大陆文学,而他的革命力量就是从他在日本弃医学文学时准备起来的。到了一九一八年在《新青年》杂志上发表小说,中间经过了十二年,经过了辛亥革命了。

我们现在应该将这一篇短篇小说的思想性与艺术性研究

一下。

　　简单地说,《狂人日记》是要推翻旧道德。所以要推翻的原故又正是反封建的深心。《狂人日记》这么写着:"我想,〔:〕我同赵贵翁有什么仇,同路上的人又有什么仇;只有二十〔廿〕年以前,把古久先生的陈久〔年〕流水簿子,踹了一脚,古久先生很不高兴。"这位"古久先生"就是封建中国。"我翻开历史一查,这历史没有年代,歪歪斜斜的每叶上都写着'仁义道德'几个字。我横竖睡不着,仔细看了半夜,才从字缝里看出字来,满本都写着两个字是'吃人'!"大伙都说说这话的人是"疯子"。"如何按得住我的口,我偏要对这伙人说,'你们可以改了,从真心改起!要晓得将来容不得吃人的人(,)活在世上。'"看着中国的封建社会,他深忧中国要亡国灭种,因为"将来容不得吃人的人(,)活在世上"。在小说的收束喊着"救救孩子"。所以《狂人日记》的主题是救中国,是反封建。

　　这篇小说,在短篇小说里也不算长的,以短短的篇幅放进这么大的主题,收了这么大的效果,一定是它的艺术性强。所以单从这个体裁便可以看出作者的匠心。日记的体裁可以用第一人称自叙,易于收抒情诗的效果。因为是日记,不是诗,可以容小说的描写。因为是狂人日记,则可以格外直接,可以一刀杀进你的心了,可以把悠长悠长的封建历史当作一叶烂纸撕了。我们来看下面两段罢:

　　　　我也不动,研究他们如何摆布我;知道他们一定不肯放松。果然!我大哥引了一个老头子,慢慢走来;他满眼凶光,怕我看出,只是低头向着地,从眼镜横边暗暗看我。大哥说:〔,〕"今天你仿佛很好。"我说〈:〉"是的。"大哥说:〔,〕"今天请何先生来,给你诊一诊。"我说〈:〉"可以!"其实我岂不知道这老头子是刽子手扮的! 无非借了看脉这名目,揣一揣肥瘠:因这功劳,也分一片肉吃。我也不怕;虽然不吃人,胆子却比他们还壮。伸出两个拳头,看他如何下手。老头子坐着,闭了眼睛,摸了好一会,呆了好一会;便张开他鬼眼睛说:〔,〕"不要乱想。静静的养几天,就好了。"

不要乱想,静静的养! 养肥了,他们是自然可以多吃;我有什么好处,怎么会"好了"? 他们这群人,又想吃人,又是鬼鬼祟祟,想法子遮掩,不敢直捷下手,真要令我笑死。我忍不住,便放声大笑起来,十分快活。自己晓得这笑声里面,有的是义勇和正气。老头子和大哥,都失了色,被我这勇气正气镇压住了。

这真是最好的狂人日记。里面有抒情诗的抒情,有小说的形象。鲁迅在这里很经过选择,选择了一个中医的形象,通过这个形象把狂人的"老头子是刽子手扮的"思想写得非常逼真,完全把读者吸引住了。在旧日社会里,这样的中医对人们是很熟悉的,他走进人家屋来是被引着慢慢走,他低头向着地,从眼镜横边暗暗看人。他替病人看脉时,闭了眼睛,摸了好一会,呆了好一会,然后张开眼睛说话。狂人听他说着"静静的养几天",就想到"养肥了,他们是自然可以多吃"! 狂人的口记真是不容易写,容易写得不真实,鲁迅则通过艺术形象充分表达了他的小说的目的。写病人伸手给医生看脉的情景,这样表现狂人:"我也不怕；虽然不吃人，胆子却比他们还壮。伸出两个拳头，看他如何下手。"这是多么强的个性！鲁迅的忧愤，鲁迅的革命勇敢的精神，其积弥久其发弥光，他好久好久就想说话而没有说，今天借狂人的口说出来了。"他们这群人，……真要令我笑死。我忍不住，便放声大笑起来，十分快活。自己晓得这笑声里面，有的是义勇和正气。"这是鲁迅的抒情诗。鲁迅最初是以小说做了他的诗的最好的形式的。后来则又采用了杂文。

我们再抄下面的文章罢：

忽然来了一个人；年纪不过二十左右，相貌是不很看得清楚，满面笑容，对了我点头，他的笑也不像真笑。我便问他:〔,〕"吃人的事，对么？"他仍然笑着说:〔,〕"不是荒年，怎么会吃人。"我立刻就晓得，他也是一伙，喜欢吃人的；便自勇气百倍，偏要问他。

"对么？"

"这等事问他什么。你真会……说笑话。……今天天气很好。"

天气是好，月色也很亮了。可是我要问你，"对么？"

他不以为然了。含含糊糊〔胡胡〕的答道，"不……"

"不对？他们何以竟吃？！"

"没有的事……"

"没有的事？狼子村现吃；还有书上都写着，通红斩新！"

他便变了脸，铁一般青。睁着眼说，"也许有的，这是从来如此……"

"从来如此,便对么?"

"我不同你讲这些道理;总之你不该说,你说便是你错!"

我直跳起来,张开眼,这人便不见了。全身出了一大片汗。他的年纪,比我大哥小得远,居然也是一伙;

……

在这里所写的是"年纪不过二十左右"的青年,比刽子手扮的老头子应该不同,然而"居然也是一伙",鲁迅到这时真急了,我们真真感动于这些句子:"我直跳起来,张开眼,这人便不见了。全身出了一大片汗。"鲁迅在当时是相信进化论的,他认为青年一定比老年进步。他在当时,对于年纪大的一辈人既经失望,就把希望寄托在青年身上,希望青年进步,希望青年觉醒起来,能担当反封建救中国的重任。因此,当鲁迅看到青年也跟年纪大的成了吃人的一伙,他就不禁要直跳起来,要全身出了一大片汗。这些话虽是写狂人的,正反映出鲁迅当时着急的心情。从这里看出鲁迅的爱国热情,鲁迅对青年期望的迫切,鲁迅在反封建的实际斗争中,开始感到在社会科学范围内用生物进化论来看问题有些不完全符合实际情况了。这里一连几个质问"对么?"鲁迅是问得太天真了,太可爱了,我们到现在仿佛还听见他的声音:"对么?"

所以《狂人日记》的思想性与艺术性是达到很高的程度的,内容与形式配合得非常合式的。

我们还应该注意一件事,在《狂人日记》里屡次提到"狼子村"吃人的事,上面我们所引的有"狼子村现吃"的话,比这更前面还有"前几天,狼子村的佃户来告荒,对我大哥说,他们村里的一个大恶人,给大家打死了;几个人便挖出他的心肝来,用油煎炒了吃,可以壮壮胆子。"更后面又有"谁晓得从盘古开辟天地以后,一直吃到易牙的儿子;从易牙的儿子,一直吃到徐锡林;从徐锡林,又一直吃到狼子村捉住的人。"(徐锡林当作徐锡麟,因为这篇是作为狂人写的,所以"麟"误作"林"。)在这里别的是虚写,作者所念念不忘的是一件事实,革命志士"徐锡麟是被挖了心,给恩铭的亲兵炒食净尽。"(见《范爱农》)"恶人"是加给革命党人的名目,正如"疯子"加给有革命思想的人。《狂人日记》里说,"这时候,我又懂得一件他们的巧妙了。他们岂但不肯改,而且早已布置;预备下一个疯子的名目罩上我。将来吃了,不但太平无事,怕还会有人见情。佃户说的大家吃了一个恶人,正是这方法。这是他们的老谱!"所以鲁迅从开始写小说就同革命事业是分不开的,他是同辛亥革命联系起来的。在辛亥革命前后,他对封建的中国有着彻底的革命意识。

2

在《狂人日记》里,把生物进化论移用到人类历史的资产阶级思想也暴露出来了,我们现在对这方面也加以指出。

《狂人日记》将要结束的时候,有这一句话:

> 有了四千年吃人履历的我,当初虽然不知道,现在明白,难见真的人!

这句话是多么沉痛。然而鲁迅当时还没有阶级观点,他写《狂人日记》,实在同严复最初翻译《天演论》是一样的心事,生怕中国在"天演"之下要遭西方国家的淘汰。我们看这两段:

"你们可以改了,从真心改起!要晓得将来容不得吃人的人,活在世上。

(")你们要不改,自己也会吃尽。即使生得多,也会给真的人除灭了,同猎人打完狼子一样!——同虫子一样!"

这便是他怕中国给"真的人"除灭了,因为中国社会还在礼教吃人。在所引的这两段以前还有这样的话:

大约当初野蛮的人,都吃过一点人。后来因为心思不同,有的不吃人了,一味要好,便变了人,变了真的人。有的却还吃,——也同虫子一样,有的变了鱼鸟猴子,一直变到人。有的不要好,至今还是虫子。这吃人的人比不吃人的人,何等惭愧。怕比虫子的惭愧猴子,还差得很远很远。

这便是把生物进化论的观点移用到人类历史上面来。鲁迅明明认为世界上有一种"真的人",这种人很可能鲁迅那时是指资本主义国家的人。鲁迅到后来便把这种非科学的反动的资产阶级思想肃清了,知道在社会科学领域里主要的事实是阶级斗争,所以他答国际文学社:"我在中国(,)看不见资本主义各国之所谓'文化',〔;〕我单知道他们和他们的奴才们,在中国正在用力学和化学的方法,还有电器机械,以拷问革命者,并且用飞机和炸弹以屠杀革命群众。"(《且介亭杂文》里《答国际文学社问》)这便是在"人"当中有了阶级,在中国有帝国主义和帝国主义的走狗,有革命者和革命群众。这便是通常说的鲁迅由进化论走到阶级论,认识前期思想的错误了。然而鲁迅在写《狂人日记》的时候,其主观愿望是告诉中国人社会是进化的,中国要求进步,要推翻旧礼教,其所发生的效果是在中国引起了前所未有的反对封建文化的运动。所以《狂人日记》里虽然没有阶级观点,但我们用历史的眼光来看,还是肯定它的反封建的战斗作用。

分析"阿 Q 正传"

1

《阿 Q 正传》是鲁迅在一九二一年写的,这时作者的思想里头没有阶级观点,但我们现在本着阶级观点来研究《阿 Q 正传》,确是非常有意义的事,我们从这里可以学习到许多东西。

我们首先来研究,鲁迅为什么要写《阿 Q 正传》?为要回答这个问题,我们不妨把《阿 Q 正传》里面所写的人物列一个表在下面:

阿 Q

王胡

小 D

吴妈

静修庵的尼姑

赵太爷

赵太爷的儿子赵秀才

钱太爷

钱太爷的儿子假洋鬼子　（追随钱、赵势力的有赵司晨、赵白眼）

　　城里的举人老爷

　　知县大老爷

　　把总

　　（主要人物就是这些。此外如地保,城里的兵,团丁,警察,侦探等是附属于统治阶级的;此外妇女方面如邹七嫂,赵太太,秀才娘子等可不论。）

　　在阿Q一边的,用鲁迅的话代表"下层社会";赵太爷一边的代表"上流社会"。鲁迅首先是教育阿Q,说他不该有"一种精神上的胜利法",说他不该"自轻自贱",说他不该"忘却",那么明明白白是告诉阿Q要反抗。反抗的对象是什么呢？就是赵太爷、赵太爷的儿子赵秀才、钱太爷、钱太爷的儿子假洋鬼子这流东西,鲁迅对于这流东西,用他自己后来的话是"憎恶这熟识的本阶级,毫不可惜它的溃灭"！阿Q不反抗压迫者,而欺侮王胡、小D、比自己更弱的静修庵的尼姑等人,所以鲁迅讽刺阿Q了。初步地说,就是这些话。这些话也就很明白,鲁迅写《阿Q正传》,是反抗长期的封建社会,小说里面的举人秀才就是代表封建势力。鲁迅自己在俄译《阿Q正传》序里说:

　　现在我们所听(能)到的(,不过)是几个圣人之徒的意见和道理,为了他们自己;至于百姓,却就默默的生长,萎黄,枯死了,像压在大石底下的草一样,已经有四千年！

鲁迅这时虽没有明确的阶级观点,但封建社会的本质他体察出来了,"几个圣人之徒的意见和道理,为了他们自己",这在当时是很不容易说的话。在小说里描写举人秀才还比较容易,当然也就是暴露封建的黑暗,若思想上认清圣经贤传是"为了他们自己",即是替地主阶级服务,鲁迅真不愧为革命的爱国主义者!

2

鲁迅同情阿Q的遭受压迫,给我们留下了许多极沉痛的文字,这是我们应该注意的,否则我们容易以为鲁迅对阿Q是采取嘲笑的态度。如小说第一章阿Q说他和赵太爷原来是本家那段说:

> 那知道第二天,地保便叫阿Q到赵太爷家里去;太爷一见,满脸溅朱,喝道:
> "阿Q,你这浑小子!你说我是你的本家么?"
> 阿Q不开口。
> 赵太爷愈看愈生气了,抢进几步说:"你敢胡说!我怎么会有你这样的本家?你姓赵么?"
> 阿Q不开口,想往后退了;赵太爷跳过去,给了他一个嘴巴。
> "你怎么会姓赵!——你那里配姓赵!"
> 阿Q并没有抗辩他确凿姓赵,只用手摸着左颊,

和地保退出去了；外面又被地保训斥了一番，谢了地保二百文酒钱。

读了这种文字，凡属在中国封建农村里出来的人，到今天愤怒之火还不能熄。鲁迅确是写得一点也不夸张。

又如第二章写阿Q的"行状"时，这样写：

阿Q没有家，住在未庄的土谷祠里；也没有固定的职业，只给人家做短工，割麦便割麦，舂米便舂米，撑船便撑船。工作略长久时，他也或住在临时主人的家里，但一完就走了。所以，人们忙碌的时候，也还记起阿Q来，然而记起的是做工，并不是"行状"；一闲空，连阿Q都早忘却，更不必说"行状"了。只是有一回，有一个老头子颂扬说："阿Q真能做！"这时阿Q赤着膊，懒洋洋的瘦伶仃的正在他面前，别人也摸不着这话是真心还是讥笑，然而阿Q很喜欢。

这就是拿阿Q作马牛，我们读者也同作者鲁迅一样气极了，"然而阿Q很喜欢"，他的性格被压迫得成个什么样子！

描写阿Q押牌宝，他的钱"渐渐的输入别个汗流满面的人物的腰间。他终于只好挤出堆外，站在后面看，替别人着急，一直到散场，然后恋恋的回到土谷祠，第二天，肿着眼睛去工作。"这是多么富有同情的文字！

第三章描写假洋鬼子打他，"不料这秃儿却拿着一枝〔支〕黄漆的棍子——就是阿Q所谓哭丧棒——大踏步走了过来。阿Q

在这刹那,便知道大约要打了,赶紧抽紧筋骨,耸了肩膀等候着,果然,拍的一声,似乎确凿打在自己头上了。"鲁迅是说阿Q知道痛!接着又打了三下,小说里是三个字:"拍!拍拍!"

第四章写阿Q在赵太爷家里舂米,发生"恋爱的悲剧",真是残酷的悲剧!在动手舂米以前,阿Q坐在厨房里吸旱烟,赵太爷家的女仆吴妈也就在长凳上坐下同阿Q谈闲天,谈的是女人的事,触动阿Q的心事。阿Q忽然抢上去对吴妈跪下求爱,而吴妈楞了一会,突然发抖,大叫着往外跑了。

> 阿Q对了墙壁跪着也发楞,于是两手扶着空板凳,慢慢的站起来,仿佛觉得有些糟。他这时确也有些忐忑了,慌张的将烟管插在裤带上,就想去舂米。蓬的一声,头上着了很粗的一下,他急忙回转身去,那秀才便拿了一枝〔支〕大竹杠站在他面前。
>
> "你反了,……你这……"
>
> 大竹杠又向他劈下来了。阿Q两手去抱头,拍的正打在指节上,这可很有一些痛。他冲出厨房门,仿佛背上又着了一下似的。
>
> "忘八蛋!"秀才在后面用了官话这样骂。
>
> 阿Q奔入舂米场,一个人站着,还觉得指头痛,还记得"忘八蛋",因为这话是未庄的乡下人从来不用,专是见过官府的阔人用的,所以格外怕,而印象也格外深。

鲁迅在这里并不是夸大,乡下人确乎是怕官话的,我们只看

《离婚》那篇小说里所写的那么有强烈个性的爱姑只因七大人表演了一下子官态就吓坏了便可知道。所以我们也不可太责备阿Q不反抗,我们倒应该替他感觉着指头痛!

到了小说的最后一章,即"大团圆"一章,阿Q被抓到监牢里去了,鲁迅这样写:

> 到进城,已经是正午,阿Q见自己被挽进一所破衙门,转了五六个弯,便推在一间小屋里。他刚刚一踉跄,那用整株的木料做成的栅栏门便跟着他的脚跟阖上了。〔,〕其余的三面都是墙壁,仔细看时,屋角上还有两个人。
>
> 阿Q虽然有些忐忑,却并不很苦闷,因为他那土谷祠里的卧室,也并没有比这间屋子更高明。那两个也仿佛是乡下人,渐渐和他兜搭起来了,一个说是举人老爷要追他祖父欠下来的陈租,一个不知道为了什么事。他们问阿Q,阿Q爽利的答道:〔,〕"因为我想造反!"

鲁迅的小说写到这里,不但作者主观的革命的热情是如此,希望农民同农民在监狱里聚谈造反,就艺术的客观求真性说阿Q的"精神胜利法"在这里也完全不是自然的事情,只有"爽利的回答"一句"因为我想造反"才近乎道理。这个道理便是阶级的觉悟。

3

然而鲁迅在执笔时是没有明确的阶级观点的。他只是爱中国，希望中国革命，像阿Q这样采取"精神胜利法"是不行的。所以在他下笔之初以及下笔之前长期的思想意识里总有一个"中国国民性"的问题，用小说刻划出来应该有一个阿Q，中国的问题便在于阿Q主义！鲁迅感得阿Q主义对他的压迫，也就是对中国前途的危险，又当然受了西方资本主义国家的刺激（他当初还没有明确的帝国主义的概念正同没有明确的阶级观点一样），中国人的不长进如何得了！他反抗阿Q主义！他反抗阿Q的不反抗，反抗阿Q的不长进。

从科学来说，半封建半殖民地的中国，所要反抗的敌人是两个，帝国主义同封建主义。鲁迅当时的中心思想却是反封建主义，他"毫不可惜它的溃灭"。封建人物的存在同中国的前途是不相容的。如何而能使得这些人物灭亡，换一句话说中国如何而有新的道路，便在于阿Q从精神胜利法中解放出来，所以鲁迅把希望寄在阿Q身上了，这是非常明白的事。他当时也许没有明白地这么想，分析起来确实是如此。他下笔时是痛恨"中国国民性"，要努力讽刺它一下，抓着他所爱的人鞭策一下，这一下他自然分出阶级来了，压迫者与被压迫者。所以鲁迅是伟大的，他是爱国者，他又是革命者。有些人以为阿Q精神代表中国国民性，阿Q当然代表阿Q精神，阿Q是中国农民，所以从鲁迅看来中国没有希望，鲁迅看不起中国农民。这一些人的立场是同革命爱国主义者鲁迅不一样的。鲁迅是站在人民的立场的。像我们在前面所指出的,《阿Q正传》里面的人物,可以分做压迫者和被压迫者两个阶级,鲁迅显然是站在被压迫阶级一边,因此他同情阿Q。他揭露阿Q身上的弱点正是由于他对中国农民的热爱,希望他们能够改正这些缺点。因此,并不是鲁迅看不起中国农民,正相反,他是热爱中国农民的。再看鲁迅写赵太爷、钱太爷一班压迫阶级的人物,就暴露他们的丑恶嘴脸,给以无情的讽刺,跟写阿Q不同。从这里,正可看出鲁迅爱憎分明的感情来。

4

《阿Q正传》写的是封建压迫。中国长期是封建社会。阿Q时代的封建社会同已往历史上的封建社会是不是有一个区别呢?有的,区别就在于中国社会到了阿Q时代提出了革命的问题,所以《阿Q正传》里面有了"革命"的章目。辛亥革命就是鲁迅写《阿Q正传》的背景。鲁迅的时代,本来就是辛亥革命的时代,他在他的时代里,他认为中国应该革命,应该学西方的民主革命,革命如不成功,则中国的命运很危险,将以封建中国而告终。然而鲁迅不能不希望将来,所以他写《阿Q正传》。照他的意思,辛亥革命的历史,就是阿Q的历史,所以辛亥革命失败了。要说希望,是希望阿Q长进,怎么长进呢?因被压迫而长进!故事的发展正是如此。《阿Q正传》这一篇杰作所证明的正是如此。只要是被压迫者,只要是革命爱国主义者,结果必然是阶级的觉悟代替个性的发展,我们现在就来研究这件事。

在阿Q进城回来之后,对人说:"你们可看见过杀头么?

咳,好看。杀革命党。唉,好看好看……"鲁迅这么写着。这同《药》是一样的意思,民众不懂得革命志士,对革命不关心。

在阿Q要和革命党去结识的时候,鲁迅又这么写:"他生平所知道的革命党只有两个,城里的一个早已'嚓'的杀掉了,现在只剩了一个假洋鬼子。他除却赶紧去和假洋鬼子商量之外,再没有别的道路了。"鲁迅明明是讽刺,真的革命党杀掉了,当权的是假的。

对赵秀才与假洋鬼子之于辛亥革命,鲁迅很有描写,写两人到静修庵去革命那一段写得深刻极了,(地主阶级比农民阿Q凶狠多了,他们把老尼姑当作满政府,在头上给了不少的棍子和栗凿,还拿走了观音娘娘座前的一个宣德炉,阿Q只不过肚子饿了来偷萝卜吃。)是这样相约而去的:"赵秀才消息灵,一知道革命党已在夜间进城,便将辫子盘在顶上,一早去拜访那历来也不相能的钱洋鬼子。这是'咸与维新'的时候了,所以他们便谈得很投机,立刻成了情投意合的同志,也相约去革命。"

另外又有:"这几日里,进城去的只有一个假洋鬼子。赵秀才本也想靠着寄存箱子的渊源,亲身去拜访举人老爷的,但因为有剪辫的危险,所以也就中止了。他写了一封'黄伞格'的信,托假洋鬼子带上城,而且托他给自己绍介绍介,去进自由党。假洋鬼子回来时,向秀才讨还了四块洋钱;〔,〕秀才便有一块银桃子挂在大襟上了;未庄人都惊服,说这是柿油党的顶子,抵得一个翰林",所以辛亥革命时代的中国农村社会同历史上的封建社会不同,在人民心目中有了"柿油党"这项名目,以"银桃子"代替了"顶子"。在城里,"知县大老爷还是原官,不过改称了什么,而且举人老爷也做了什么——这些名目,未庄人都(说)不明白——

官,带兵的也还是先前的老把总。"这都是未庄的人关心的事情,"知道革命党虽然进了城,倒还没有什么大异样。"

上面是《阿Q正传》里关于辛亥革命的明白的记载,虽然是一个农庄上的事情,一个县城里的事情,鲁迅是拿来概括整个辛亥革命。辛亥革命中国各地方的情形也正是如此。鲁迅就做了这样生动的记录。

从鲁迅的记录看来,辛亥革命当然要失败,所以鲁迅看着它失败了。上面的记录旁人也可以做,不过旁人不关心便不做。鲁迅的记录如果仅仅是上面的零碎的记录,我们也可不研究,重要的是鲁迅写的是《阿Q正传》,在《阿Q正传》里,"像阿Q那样的一个人,终于要做起革命党来",曾有人这样向鲁迅提出意见,以为是出乎意外的事,然而这却是我们所要研究的问题之所在。

首先我们要问:鲁迅对阿Q做革命党的态度是怎么样呢?要回答这个问题,我们首先应该引鲁迅自己的话,在《〈阿Q正传〉的成因》里鲁迅这样说:

> 据我的意思,中国倘不革命,阿Q便不做,既然革命,就会做的。我的阿Q的运命,也只能如此,人格也恐怕并不是两个。民国元年已经过去,无可追踪了,但此后倘再有改革,我相信还会有阿Q似的革命党出现。我也很愿意如人们所说,我只写出了现在以前的或一时期,但我还恐怕我所看见的并非现代的前身,而是其后,或者竟是二三十年之后。其实这也不算辱没了革命党,阿Q究竟已经用竹筷盘上他的辫子了;……

鲁迅的这些话里,反映出他自己的许多矛盾,革命爱国主义者的鲁迅实在没有法子解决。首先他是爱阿Q的,爱得非常利害,看他说着"我的阿Q的运命"的口气便可知道,简直像母亲爱儿子一样。然而他分明看不起阿Q做革命党,虽然阿Q做革命党"也不算辱没了革命党"。他又分明把革命党看得神圣。那么什么人才配做神圣的革命党呢?无非是像《药》里头被杀的夏瑜。然而那样革命就失败了,单靠少数有远志的人是不行的,要靠国民有觉悟,要"国民性"的解放。他写《阿Q正传》,也无非是把奴隶的"国民性"暴露出来,痛痛地给鞭策一下。然而他又说阿Q要做革命党,"人格也恐怕并不是两个",鲁迅在这里头有伟大的感觉,他感觉到阶级斗争的事实,不过他当时还不可能用阶级斗争的观点来解决个性解放问题,即认识到人的个性可以在革命的实践中获得解放,但他已经能够感觉到阶级斗争的事实,这正是《阿Q正传》的伟大处。

《阿Q正传》的真正的价值,就在于革命爱国主义者的鲁迅在不自觉的状态下反映了中国社会的阶级斗争。因而也反映了中国革命的力量。中国革命的力量就在于认识中国农民的力量,在于有工人阶级领导的以工农联盟为基础的革命党出现。否则就是举人秀才的革命党出现,就是假洋鬼子的革命党出现,就是辛亥革命。我们且来看看鲁迅的《阿Q正传》里阶级斗争的事实罢,只有一个流浪雇农才真正表现着革命的力量——农民阶级的力量罢。

辛亥革命的消息传到未庄,城里举人老爷把箱子搬到未庄来寄存在赵家里,因而未庄人心动摇了。"其实举人老爷和赵秀才素不相能,在理本不能有'共患难'的情谊",然而现在则拿箱子来寄存,共患难,当然不是什么情谊不情谊的问题,是同一阶级的原故。"赵秀才消息灵,一知道革命党已在夜间进城,便将辫子盘在顶上,一早去拜访那历来也不相能的钱洋鬼子。这是'咸与维新'的时候了,所以他们便谈得很投机,立刻成了情投意合的同志,也相约去革命。"这是投机分子,是同一阶级的情投意合。"阿Q的耳朵里,本来早听到过革命党这一句话,今年又亲眼见过杀掉革命党。但他有一种不知从那里来的意见,以为革命(党)便是造反,造反便是与他为难,所以一向是'深恶而痛绝之'的。殊不料这却使百里闻名的举人老爷有这样怕,于是他未免也有些'神往'了,况且未庄的一群鸟男女的慌张的神情,也使阿Q更快意。"鲁迅这样写,完全是忠实于他对社会的观察,完全是艺术的求真,他并不是描写阶级意识,他还不可能有这个要求,然而人物的性格完全通过他们的社会关系表现出来了,也就是表现了不同阶级的意识。阿Q原来"有一种不知从那里来的意见",这个意见正是从统治阶级来的,在那个社会里统治阶级意识支配一切,然而对于被统治者,这些意见是表面的,完全是浮尘,只要革命的暴风雨一来,被统治者就有他们自己的真的感情的表现,所以这时阿Q便"神往"起来了。最有趣的,举人同秀才素不相能,这时"共患难"起来,秀才同假洋鬼子这时也情投意合起来,这是一方面;另一方面一向有点欺负王胡、小D的阿Q,他这时也同王胡、小D靠拢了些,——从小说里看来他们本来没有恶感,只不过故意闹别扭,所以到了有事之秋,自家人还是自家人了,要动手搬东西,还是"叫小D来搬",搬得不快才"打嘴巴"。在"洋先生不准他革命"的时候,阿Q真正感到失望,

"从此决不能望有白盔白甲的人来叫他,他所有的抱负,志向,希望,前程,全被一笔勾销了。至于闲人们传扬开去,给小D〈,〉王胡等辈笑话,倒是还在其次的事。"这确实是忠实的描写,阿Q这时真感到他再没有别的路可走了,原来他有一个阶级意识,他以为他很可以革命的,所以说他有"抱负"并不是说笑话。至于给小D、王胡等辈笑话,正因为小D、王胡是同情他的,他们的关系不是敌对的。

在阿Q正在革命高潮当中,(能否认他的革命高潮吗?)鲁迅这样写他:

阿Q近来用度窘,大约略略有些不平,〔;〕加以午间吃〔喝〕了两碗空肚酒,愈加醉得快,一面想一面走,便又飘飘然起来。不知怎么一来,忽而似乎革命党便是自己,未庄人却都是他的俘虏了,〔。〕他得意之余,禁不住大声的嚷道:

"造反了!造反了!"

未庄人都用了惊惧的眼光对他看。这一种可怜的眼光,是阿Q从来没有见过的,一见之下,又使他舒服得如六月里喝下〔了〕雪水。他更加高兴的走而且喊道:

"好,……我要什么就是什么,我欢喜谁就是谁。

得得,锵锵!

悔不该,酒醉错斩了郑贤弟,〈……〉

悔不该,呀呀呀……

得得,锵锵,得,锵令锵!

我手执钢鞭将你打……"

赵府上的两位男人和两个真本家,也正站在大门口论革命。阿 Q 没有见,昂了头直唱过去:〔。〕

"得得(,)……"

"老 Q,"赵太爷怯怯的迎着低声的叫。

"锵锵,"阿 Q 料不到他的名字会和"老"字联结起来,以为是一句别的话,与己无干,只是唱:〔。〕"得,锵,锵令锵,锵!"

"老 Q。"

"悔不该……"

"阿 Q!"秀才只得直呼其名了。

阿 Q 这才站住,歪着头问道,"什么?"

"老 Q,……现在……"赵太爷却又没有话,"现在……发财么?"(赵太爷脑子里只想到升官发财,所以这样问。——文彬〔炳〕)

"发财? 自然,〔。〕要什么就是什么……"

"阿〈,〕……Q 哥,像我们这样穷朋友是不要紧的……"赵白眼惴惴的说,似乎想探革命党的口风。

"穷朋友? 你总比我有钱。"阿 Q 说着自去了。

阿 Q 的有些农民意识当然是要不得的,我们在土改工作中如果遇见阿 Q,当然要教育他,但这是我们现在在工人阶级领导之下的革命工作,鲁迅写《阿 Q 正传》的时代还赶不上,我们应该不论。我们应该注意的是鲁迅的小说所反映的社会阶级的关系。在革命的风声之下,阿 Q 真有点像要翻身,所以赵太爷叫他叫"老 Q"了。在阶级社会当中的个人,不是以个人而存在,是以阶级的一个成员而存在,比姓什么叫什么要实在得多,姓名还可以互换,阶级意识则各人是各人的,赵太爷自觉着,阿Q也自觉着。赵太爷怯怯的迎着阿Q低声叫"老Q",地主阶级临着革命的恐惧,鲁迅无意地然而逼真地表现出来了。到了他的儿子有一块银桃子挂在大襟上,"未庄人都惊服,说这是柿油党的顶子,抵得一个翰林。〔;〕赵太爷因此也骤然大阔,远过于他儿子初进〔隽〕秀才的时候,所以目空一切,见了阿Q,也就很有些不放在眼里了。"鲁迅在这里一点也不夸张,是忠实地描写,是恰如其分地描写。儿子进秀才的时候当然是欢喜的,然而不进秀才也并没有危险,统治地位没有问题,革命当中可能有什么变化,谁都不能逆料,所以那天叫"老Q"之后,"赵太爷父子回家,晚下〔上〕商量到点灯。""柿油党的顶子"其实并不值钱,而且是花了"四块洋钱"买的。可是这件事的关系太大,它说明天下已经太平了,革命是假的,所以"赵太爷因此也骤然大阔,远过于他儿子初进〔隽〕秀才的时候"。阿Q不久就抓到衙门里去了,因为赵家遭抢,因为城里举人老爷的箱子寄存在赵家。而阿Q在监牢里又遇见两个乡下人,"一个说是举人老爷要追他祖父欠下来的陈租,一个不知道为了什么事。他们问阿Q,阿Q爽利的答道:〔,〕'因为我想造反!'"以上不是阶级斗争是什么?鲁迅在不自觉的状态下把中国农村写出来了。

我们再来看为什么阿Q表现着革命的力量。

有人问鲁迅,为什么阿Q终于要做革命党?鲁迅回答说:"据我的意思,中国倘不革命,阿Q便不做,既然革命,就会做的。"鲁迅在当时还不能用阶级观点来说明这个问题。我们现在用阶级观点来看,阿Q的革命力量,由阿Q的阶级地位决定的。

这一点便格外使得鲁迅的小说添加生气,这一点使得我们学习马克思列宁主义也多了材料。阿Q的阶级意识,反抗力量,是必然地一天一天发展起来的,鲁迅简直控制不住,当发展到很像一个英雄好汉时,鲁迅是踌躇满志的,他并不是说他的小说写得好,是阿Q的生动活泼出乎他的意料了,被压迫到了极点的阿Q并不像他所痛恨的奴隶性的阿Q。在小说的开始,阿Q也曾"忿忿〔愤愤〕"过,如第三章,"他付过地保二百文酒钱,忿忿〔愤愤〕的躺下了",但连忙用"精神胜利法"来安慰自己,"现在的世界太不成话,儿子打老子……"这时阿Q还有工做,肚子不饿。到了第五章,情形便不同了。

  有一日很温和,微风拂拂的颇有些夏意了,阿Q却觉得寒冷起来,但这还可担当,第一倒是肚子饿。棉被,毡帽,布衫,早已没有了,其次就卖了棉袄;现在有裤子,却万不可脱的;有破夹袄,又除了送人做鞋底之外,决定卖不出钱。他早想在路上拾得一注钱,但至今还没有见;他想在自己的破屋里忽然寻到一注钱,慌张的四顾,但屋内是空虚而且了然。于是他决计出门求食去了。

  他在路上走着要"求食",看见熟识的酒店,看见熟识的馒头,但他都走过了,不但没有暂停,而且并不想要。他所求的不是这类东西了;他求的是什么东西,他自己不知道。

  鲁迅这时很想拿"熟识的馒头"之类来引诱阿Q似的,他应该要这类东西！然而阿Q不想要。他要的只是静修庵园里的萝卜！所以阿Q马上去偷萝卜。当阿Q慢慢走近园门的时候，鲁迅写着"阿Q仿佛文童落第似的觉得很冤屈"，可见阿Q到底还是求馒头之类的东西，可见阿Q不能满足于"精神胜利法"！他感得有冤屈，谁能把他的冤屈替他说明出来？靠他自己慢慢地觉悟。

到了第七章，阶级斗争的事实替他说明白了，革命"却使百里闻名的举人老爷有这样怕"，"未庄的一群鸟男女的慌张的神情，也使阿Q更快意"，于是阿Q想，"革命也好罢，革这伙妈妈的命，太可恶！太可恨！……便是我，也要投降革命党。"

农人要参加革命，这不是革命的力量是什么？这是革命的阶级力量。所以阿Q说着"造反了！造反了！"是真正的革命力量，足以使得赵太爷害怕，他别的什么都不怕。

阿Q说他要"投降"革命党，他是胡乱用了知识分子的词汇，他是唯物地看问题，他认识了问题，他要参加革命就是了，革命的利益代表他的利益就是了，没有别的"投降"的意义。那时还没有共产党，那时还不是土地改革有土改工作队在农村里访贫问苦，阿Q要"投降"革命党，他找谁呢？他认为假洋鬼子是革命党，所以他去找假洋鬼子。这些事情都记在小说第八章里。阿Q走进假洋鬼子家里的时候，不敢开口，鲁迅说他"终于用十二分的勇气开口了"，这决不是讽刺，阿Q是有十二分的勇气的！洋先生看见他，问道：

"什么？"

"我……"

"出去!"

"我要投……"

"滚出去!"洋先生扬起哭丧棒来了。

阿Q的一件大事,他要投降革命党,这样可以解决许多问题,本着他的阶级意识他相信不疑的,而洋先生扬起哭丧棒来要他滚出去,用知识分子的词汇阿Q这时真是"如丧考妣",世界没有希望了,在他的面前只有死路一条了。所以鲁迅在这时这样写阿Q:"他快跑了六十多步,这才慢慢的走,于是心里便涌起了忧愁:洋先生不准他革命,他再没有别的路;从此决不能望有白盔白甲的人来叫他,他所有的抱负,志向,希望,前程,全被一笔勾销了。"这在另一面就表示阿Q要革命是农民要革命的决心的表现,是革命的力量的表现。这在鲁迅是艺术的客观求真的表现,人物的发展是这个样子。

第九章写阿Q关在监牢里,向两个乡下人说他想造反,写得多么自然,多么有力量,正因为农民阶级是有力量的,革命是自然的,所以鲁迅的文章才自然,有力量。

阿Q不知道他是以抢犯的资格来受审判的,因为案子与他无关,他心里的一件冤屈未伸是他要投降革命党而假洋鬼子不准他革命,现在既然是革命世界,所以他以为他现在可以在"大堂"伸冤了,小说里是这样写:

"你从实招来罢,免得吃苦。我早都知道了。招来〔了〕可以放你。"那光头的老头子看定了阿Q的脸,沉静的清楚的说。

"招罢!"长衫人物也大声说。

"我本来要……来投……"阿 Q 胡里胡涂的想了一通,这才断断续续的说。

"那么,为什么不来的呢?"老头子和气的问。

"假洋鬼子不准我!"

"胡说! 此刻说,也迟了。现在你的同党在那里?"

"什么? ……"

"那一晚打劫赵家的一伙人。"

"他们没有来叫我。他们自己搬走了。"阿 Q 提起来便愤愤。

"走到那里去了呢? 说出来便放你了。"老头子更和气了。

"我不知道,……他们没有来叫我……"

这里有两件事要注意,一,阿 Q 敢于当着人众叫"假洋鬼子",说着"假洋鬼子不准我",不准他革命,可见他的愤愤;二,也还是愤愤,"他们没有来叫我。他们自己搬走了。"所以鲁迅的杰作《阿 Q 正传》所写出来的,确是土地革命前的中国农村,即是辛亥革命的农村,在这样的农村里,"万事具〔俱〕备,只欠东风",——不过十年多,东风便吹起来了,马克思列宁主义输入中国,毛主席领导的中国新民主主义革命起来了。鲁迅的小说的价值,鲁迅自己还估计得不足。我们研究鲁迅,只有以毛主席的理论做指导,才能发见鲁迅的光辉。

5

描写人物的个性,关于小说的技巧,在这个问题上面我们从《阿Q正传》也可以取得经验。简单地说,通过社会关系来描写人物,则个性生动,就是典型环境典型性格,若离开社会关系凭作者的主观塑造人物,则流于概念化,在阶级社会里不存在你所塑造的东西。鲁迅在下笔写《阿Q正传》之前,是有概念化的倾向的,因为他要塑造中国的"国民性",我们现在便把眼前的《阿Q正传》里面这个痕迹指出来。

阿Q的"恋爱的悲剧",鲁迅是写得非常深刻的,因为通过了一定的关系,阿Q是在赵太爷家里舂米,对象又是赵太爷家里的吴妈,又有赵秀才,赵府一家连两日不吃饭的太太(因为老爷要买一个小的)也在内,还有间壁的邹七嫂,还有地保,还有阿Q脱下来的不敢取回去的破布衫。("那破布衫是大半做了少奶奶八月间生下来的孩子的衬尿布,那小半破烂的便都做了吴妈的鞋底。")然而在这些关系没有布置好以前,小说的文章便不免抽象化了,如因了小尼姑的"断子绝孙的阿Q"这句话,写了这么一段:

> 阿Q的耳朵里又听到这句话。他想:不错,应该有一个女人,断子绝孙〈,〉便没有人供一碗饭,……应该有一个女人。夫"不孝有三〈,〉无后为大",而"若敖之鬼馁而",也是一件人生的大哀——〔,〕所以他那思想,其实是样样合于圣经贤传的,只可惜后来有些"不

能收其放心"了。

又如这一段：

> 有人说：有些胜利者，愿意敌手如虎，如鹰，他才感得胜利的欢喜；假使如羊，如小鸡，他便反觉得胜利的无聊。又有些胜利者，当克服一切之后，看见死的死了，降的降了，"臣诚惶诚恐死罪死罪"，他于是没有了敌人，没有了对手，没有了朋友，只有自己在上，一个，孤另另，凄凉，寂寞，便反而感到了胜利的悲哀。然而我们的阿 Q 却没有这样乏，他是永远得意的：这或者也是中国精神文明冠于全球的一个证据了。

从这些地方可以看出鲁迅的《阿 Q 正传》，是普遍的概括了"国民性"的弱点的。《阿 Q 正传》的成功，我们前面已经说明白了，是通过社会关系把人物都写出来了，是辛亥革命时代留下来的唯一的农村阶级斗争史。

鲁迅怎样写杂感

1

鲁迅在三十八岁时开始创作小说,同时也写杂感。小说这种艺术是需要一定时期的酝酿才能创作的,为了适应当前迫切的战斗任务,鲁迅在创作小说的同时,还运用杂感这种武器,更直捷地跟敌人作战。鲁迅的热情后来都放在杂感里面。只有敌人,才害怕鲁迅的杂感,故意放空气,"鲁迅不行了,再不能创作了,只能写些杂感了!"而鲁迅的杂感是愈写愈多,战斗性愈写愈强,技术是愈写愈高,他后来不叫杂感,统统叫杂文,杂文便成了鲁迅的出色的创作。鲁迅为反动知识分子所恨死了,就是因为他用杂感作武器同黑暗势力斗争,给敌人以致命的打击。他也在斗争中改造自己,为了更好地掌握作战的武器,他学习了马克思列宁主义,成为卓越的共产主义者。

我们在前面说过,鲁迅同农民有深厚的关系。再一个重要的事情,就是鲁迅同青年的关系,他总是注意青年,爱护青年,当时除了李大钊同志而外,实在没有别人像鲁迅那样把青年当作同志的。在五卅时代,北京政府由军阀段祺瑞掌握政权,章士钊做教育总长,英国留学生现代评论派同章士钊勾结,气焰不可一世,压制青年,做反动派的帮凶。鲁迅因为同情青年学生,同现代评论派作斗争。当时北京女子师范大学学生反对校长杨荫榆,杨荫榆开除学生,引警察及打手进学校来打学生,章士钊以教育总长名义解散学校,教育部司长刘百昭又雇老妈子打学生,将学生拖出学校,许多教职员因而组织校务维持会。鲁迅说,"我先是该校的一个讲师,于黑暗残虐情形,多曾目睹;后是该会的一个委员,待到女师大在宗帽胡同自赁校舍,而章士钊尚且百端迫压的苦痛,也大抵亲历的。"而当时现代评论派的陈西滢在《现代评论》上专门辟"闲话"一栏,散布谣言,淆乱是非,帮助做迫害学生的事。首先说鲁迅是挑剔学潮。这件事闹得很久,从五卅闹到三一八。在《华盖集》里有一篇《(")碰壁(")之后》就是关于女师大事件最早的一篇文章,写得很悲痛。鲁迅写他自己到女师大去,他说他"其时看看学生们,就像一群童养媳。"他说他在一个他所认识的教员的话里听到一句"你们做事不要碰壁",在学生的话里听到一句"杨先生就是壁"。这一句学生的话把事情的本质多么直接地说出来了,是女学生受压迫而说的话。这时校长正在饭店里请客,对付学生。鲁迅自己回家,天色已经黄昏,他写了下面两段:

> 我于是仿佛看见雪白的桌布已经沾了许多酱油渍,男男女女围着桌子都吃冰其淋,而许多媳妇儿,就如中国历来的大多数媳妇儿在苦节的婆婆脚下似的,都决定了暗淡的运命。
>
> 我吸了两支烟,眼前也光明起来,幻出饭店里电灯的光彩,看见教育家在杯酒间谋害学生,看见杀人者于

> 微笑后屠戮百姓,看见死尸在粪土中舞蹈,看见污秽洒满了凤籁琴,我想取作画图,竟不能画成一线。我为什么要做教员,连自己也侮蔑自己起来。……

这是一九二五年五月二十一日夜写的。当时的读者或者以为鲁迅是说得太夸大了吧,怎么用得上"谋害""屠戮""死尸"的字样呢?然而在一九二六年三月十八日,鲁迅还正在那里写他的《无花的蔷薇之二》,已经写了三节,到第四节便是:

> 已不是写什么"无花的蔷薇"的时候了。
> 虽然写的多是刺,也还要些和平的心。
> 现在,听说北京城中,已经施行了大杀戮了。当我写出上面这些无聊的文字的时候,正是许多青年受弹饮刃的时候。呜呼,人和人的魂灵,是不相通的。

写这一节的时候,大约还只是"听说",不知道详细,接着第五节:

> 中华民国十五年三月十八日,段祺瑞政府使卫兵用步枪大刀,在国务院门前包围虐杀徒手请愿(,)意在援助外交之青年男女,至数百人之多,(。)还要下令,诬之曰"暴徒"!

这时章士钊是段祺瑞政府的秘书长。
这时陈西滢的《闲话》说:"我们要是劝告女志士们,以后少加入群众运动,她们一定要说我们轻视她们,所以我们也不敢〈来〉多嘴。可是对于未成年的男女孩童,我们不能不希望他们以后不再参加任何运动,(……)〈是〉甚(而)至于像这次一样,要〔叫他们〕冒枪林弹雨的险,受践踏死杀之〔伤的〕苦"的。他们认为"执政府前原是'死地',……群众领袖应负道义上的责任",意思就是说学生请愿,正同女师大学潮一样,是有鲁迅等人在指挥的。这里就显出现代评论派的丑恶嘴脸,一方面替杀人的凶手开脱罪行,一方面恶毒地污蔑革命的斗士。

这次死难人当中有女师大学生刘和珍,鲁迅有《纪〔记〕念刘和珍君》一文,有云:

> 在四十余被害的青年之中,刘和珍君是我的学生。学生云者,我向来这样想,这样说,现在却觉得有些踌躇了,我应该对她奉献我的悲哀与尊敬。她不是"苟活到现在的我"的学生,是为了中国而死的中国的青年。
>
> 她的姓名第一次为我所见,是在去年夏初杨荫榆女士做女子师范大学校长,开除校中六个学生自治会职员的时候。其中的一个就是她;但是我不认识。直到后来,也许已经是刘百昭率领男女武将,强拖出校之后了,才有人指着一个学生告诉我,说:这就是刘和珍。其时我才能将姓名和实体联合起来,心中却暗自诧异。
> ……

这就是事实必然的暴露,一方面是中国的青年,是鲁迅,一方面是段祺瑞,是章士钊,是现代评论派,而鲁迅的敏感最初就

"看见教育家在杯酒间谋害学生,看见杀人者于微笑后屠戮百姓"!

还有,我们看鲁迅这一节文章(《华盖集》里《并非闲话》二):

> 据说,张歆海先生看见两个美国兵打了中国的车夫和巡警,于是三四十个人,后来就有百余人,都跟在他们后面喊"打!打!",美国兵却终于安然的走到东交民巷口了,还回头"笑着嚷道:'来呀!来呀!'说也奇怪,这喊打的百余人不到两分钟便居然没有影踪了!"
>
> 西滢先生于是在《闲话》中斥之曰:"打!打!宣战!宣战!这样的中国人,呸!"
>
> 这样的中国人真应该受"呸!"他们为什么不打的呢,虽然打了也许又有人来说是"拳匪"。但人们那里顾忌得许多,终于不打,"怯"是无疑的。他们所有的不是拳头么?
>
> 但不知道他们可曾等候美国兵走进了东交民巷之后,远远地吐了唾沫?《现代评论》上没有记载,或者虽然"怯",还不至于"卑劣"到那样罢。
>
> 然而美国兵终于走进东交民巷口了,毫无损伤,还笑嚷着"来呀来呀"哩!你们还不怕么?你们还敢说"打!打!宣战!宣战!"么?这百余人,就证明着中国人该被打而不作声!
>
> "这样的中国人,呸!呸!!!"

这是五卅惨案之后现代评论派的洋奴本相鲁迅给戳穿了,鲁迅要把唾沫吐在这些卑劣的人的脸上！他们是帝国主义的奴才！

还有,这些人马上投奔蒋介石,鲁迅首先给戳穿了,我们翻《而已集》,有一篇《（"）公理（"）之所在》,有这一段记载：

> 段执政有卫兵,"孤桐先生"秉政,开枪打败了请愿的学生,胜矣。于是东吉祥胡同的"正人君子"们的"公理"也蓬蓬勃勃。慨自执政退隐,"孤桐先生""下野"之后,——呜呼,公理亦从而零落矣。那里去了呢？枪炮战胜了投壶,阿！有了,在南边了。于是乎南下,南下,南下……

鲁迅早已被他们迫害,这时到了广州,中国正在"清党",现代评论派人于是乎南下南下。他们后来是怎样在蒋介石朝廷里帮凶,做帝国主义的走狗,中国人都知道。

所以鲁迅在北京这一段斗争的历史,看起来好像是女师大一个学校的事情,其实也是反映中国社会的本质的,是从五卅到三一八,鲁迅跟封建买办资产阶级斗争的历史。

2

鲁迅以杂感为武器作实际的社会斗争,与斗争的青年接触,他也确是在斗争中提高了自己。他在实际斗争中说："我为什么要做教员,连自己也侮蔑自己起来。"这是针对反动的段祺瑞政府屠杀青年说的,从这话里显出他对段祺瑞政府的憎恨。

他正在那里写《无花的蔷薇》,本来写的也是"刺"的,但听说北京城中施行大杀戮,就说:"当我写出上面这些无聊的文字的时候,正是许多青年受弹饮刃的时候。呜呼,人和人的魂灵,是不相通的。"

他要纪念他的学生,他说:"我应该对她奉献我的悲哀与尊敬。她不是'苟活到现在的我'的学生,是为了中国而死的中国的青年。"

他记下一九二六年三一八惨案,在后面注着:"三月十八日,民国以来最黑暗的一天,写。"

从以上的文字,我们可以体会鲁迅在实践中的认识,对我们学习鲁迅有莫大的意义。

一九二六年至一九二七年,中国发动了第一次国内革命战争,从广东北伐,打败了北洋军阀。到一九二七年,蒋贼介石叛变革命,实行"清党",疯狂地屠杀革命的共产党员和人民,中国陷入史无前例的黑暗,比起鲁迅一年以前在北京所见的"黑暗",只有更甚。毛主席后来在《论联合政府》里面指出当时的革命战士是怎样作战的:"但是,中国共产党与〔和〕中国人民并没有被吓倒,被征服,被杀绝。他们从地下爬起来,揩干净身上的血迹,掩埋好同伴的尸首,他们又继续战斗了。"这个时候鲁迅在广州。他离开广州,他曾说:"我是在二七年被血吓得目瞪口呆,离开广东的,那些吞吞吐吐,没有胆子直说的话,都载在《而已集》里。"这几句极老实的话,就证明鲁迅已经有了变化,他在反革命的血腥的大屠杀面前,有着无比的愤怒。他感到自己作战的力量不够,慨叹自己"我只有'杂感'而已"。他要找寻更有力的武器来跟敌人作战,他到底抛弃了个性解放论,找到了马克思列宁主义这个最有力的作战的武器了。

鲁迅的杂文是诗史

鲁迅在《且介亭杂文》的序言里最后一段说道：

> 这一本集子和《花边文学》，是我在去年一年中，在官民的明明暗暗，软软硬硬的围剿"杂文"的笔和刀下的结集，凡是写下来的，全在这里面。当然不敢说是诗史，其中有着时代的眉目，也决不是英雄们的八宝箱，一朝打开，便见光辉灿烂。我只在深夜的街头摆着一个地摊，所有的无非几个小钉，几个瓦碟，但也希望，并且相信有些人会从中寻出合于他的用处的东西。

在这段话里，鲁迅把他的杂文的价值谦逊地然而公平地论定了。是的，鲁迅的杂文是我们的时代的诗史。伟大的中国，应该有一部伟大的诗史，把中国新民主主义革命反映出来，但这个工作太艰难，正同我们处在太阳底下难得用言辞来形容太阳一样。而且我们已经有了毛主席的著作，那是指导革命的理论，正如同太阳一样给我们带来了光明。鲁迅的杂文却是从旁面做了中国新民主主义革命的诗史，它正好像一个月亮！

鲁迅一共有十四个杂文集，从一九一八年到一九三六年。

不论长的,不论短的,篇篇是武器,篇篇是美文,篇篇是封建半封建半殖民地的中国的写照。我们先看在北洋军阀时代他给我们留下了什么,在《灯下漫笔》(《坟》)里有这样的记载:

> 西洋人初入中国时,被称为蛮夷,自不免个个慼额,但是,现在则时机已至,到了我们将曾经献于北魏,献于金,献于元,献于清的盛宴,来献给他们的时候了。出则汽车,行则保护;〔;〕虽遇清道,然而通行自由的;虽或被劫,然而必得赔偿的;孙美瑶掳去他们站在军前,还使官兵不敢开火。何况在华屋中享用盛宴呢?

这篇文章注明是一九二五年四月二十九日写的。孙美瑶在津浦路劫车掳去西洋人站在军前使官兵不敢开火,反映当时朝野一般的心理。在同一篇文章里,鲁迅还有这样的记载:

> 因此我们在目前,还可以亲见各式各样的筵宴,有烧烤,有翅席,有便饭,有西餐。但茅檐下也有淡饭,路旁〔傍〕也有残羹,野上也有饿莩;有吃烧烤的身价不资的阔人,也有饿得垂死的每斤八文的孩子(见《现代评论》二十一期)。

饿得垂死的每斤八文的孩子!

我们读一九二六年六月二十八日《马上日记》(《华盖集续编》)三段:

上午出门,主意是在买药,看见满街挂着五色国旗;军警林立。走到丰盛胡同中段,被军警驱入一条小胡同中。少顷,看见大路上黄尘滚滚,一辆摩托车驰过;少顷,又是一辆;少顷,又是一辆;又是一辆;又是一辆……。车中人看不分明,但见金边帽。车边上挂着兵,有的背着扎红绸的板刀;小胡同中人都肃然有敬畏之意。又少顷,摩托车没有了,我们渐渐溜出,军警也不作声。

溜到西单牌楼大街,也是满街挂着五色国旗,军警林立。一群破衣孩子,各各拿着一把小纸片,叫道:欢迎吴玉帅号外呀! 一个来叫我买,我没有买。

将近宣武门口,一个黄色制服,汗流满面的汉子从外面走进来,忽而大声道:草你妈! 许多人都对他看,但他走过去了,许多人也就不看了。走进宣武门城洞下,又是一个破衣孩子拿着一把小纸片,但却默默地将一张塞给我,接来一看,是石印的李国恒先生的传单,内中大意,是说他的多年痔疮,已蒙一个国手叫作什么先生的医好了。

这种文章是生动的历史,是诗,有具体的形象。重要的当然是鲁迅的思想性。鲁迅所写的二十六年前军阀时代的北京,封建的北京,在新中国的太阳底下毫无踪影,然而当时是满街的形象。

下面则是蒋介石统治时期鲁迅在上海给我们留下的宝贵的史料,我们应该仔细地读。像《二心集》里有一篇《再来一条"顺"

的翻译》,我们禁不住要把全文抄下来:

这"顺"的翻译出现的时候,是很久远了;而且是大文学家和大翻译理论家,谁都不屑注意的。但因为偶然在我所搜集的"顺译模范文大成"稿本里,翻到了这一条,所以就再来一下子。

却说这一条,是出在中华民国十九年八月三日的《时报》里的,在头号字的《针穿两手……》这一个题目之下,做着这样的文章:

"被共党捉去以钱赎出由长沙逃出之中国商人,与从者二名,于昨日避难到汉,彼等主仆,均鲜血淋漓,语其友人曰,长沙有为共党作侦探者,故多数之资产阶级,于廿九日晨被捕,予等系于廿八日夜捕去者,即以针穿手,以秤秤之,言时出其两手,解布以示其所穿之穴,尚鲜血淋漓。……(汉口二日电通电)"

这自然是"顺"的,虽然略一留心,即容或会有多少可疑之点。譬如罢,其一、〔,〕主人是资产阶级,当然要"鲜血淋漓"的了,二仆大概总是穷人,为什么也要一同"鲜血淋漓"的呢? 其二、〔,〕"以针穿手,以秤秤之"干什么,莫非要照斤两来定罪名么? 但是,虽然如此,文章也还是"顺"的,因为在社会上,本来说得共党的行为是古里古怪;况且只要看过《玉历钞传》,就都知道十殿阎王的某一殿里,有用天秤来秤犯人的办法,所以"以秤秤之",也还是毫不足奇。只有秤的时候,不用称钩而用"针",却似乎有些特别罢了。

幸而,我在同日的一种日本文报纸《上海日报》上,也偶然见到了电通社的同一的电报,这才明白《时报》是因为译者不拘拘于"硬译",而又要"顺",所以有些不"信"了。倘若译得"信而不顺"一点,大略是应该这样的:

> "……彼等主仆,将为恐怖和鲜血所渲染之经验谈,语该地之中国人曰,共产军中,有熟悉长沙之情形者,……予等系于廿八日之半夜被捕,拉去之时,则在腕上刺孔,穿以铁丝,数人或数十人为一串。言时即以包着沁血之布片之手示之……"

这才分明知道,"鲜血淋漓"的并非"彼等主仆",乃是他们的"经验谈",两位仆人,手上实在并没有一个洞。穿手的东西,日本文虽然写作"针金",但译起来须(是)"铁丝",不是"针",针是做衣服的。至于"以秤秤之",却连影子也没有。

我们的"友邦"好友,顶喜欢宣传中国的古怪事情,尤其是"共党"的;四年以前,将"裸体游行"说得像煞有介事,于是中国人也跟着叫了好几个月。其实是,警察用铁丝穿了殖民地的革命党的手,一串一串的牵去,是所谓"文明"国民的行为,中国人还没有知道这方法,铁丝也不是农业社会的产品。从唐到宋,因为迷信,对于"妖人"虽然曾有用铁索穿了锁骨,以防变化的法子,但久已不用,知道的人也几乎没有了。文明国人将自己们所用的文明方法,硬栽到中国来,不料中国人却还没有这(样)文明,连上海的翻译家也不懂,偏不用铁丝来穿,就只照阎罗殿上的办法,"秤"了一下完事。

造谣的和帮助造谣的,一下子都显出本相来了。

《再来一条"顺"的翻译》的题目,本来是讽刺那时上海主张"顺而不信"的翻译家的,鲁迅却写了这么一篇有极大思想内容的文章,暴露帝国主义和反动派对人民革命的恶毒的污蔑,并指出反动报纸的无知和可笑。我们于学习他的战斗精神之外,实在佩服他的杂文的手法,他写杂文同写小说一样,总是富有形象性,善于采用典型。一方面具体,一方面又集中,对读者印象深,效果大。

我们读《"友邦惊诧"论》(《二心集》),一九三一年写的,因为日本占据了辽吉,学生请愿,鲁迅写道:"放下书包来请愿,真是已经可怜之至。不道国民党政府却在十二月十八日通电各地军政当局文里,又加上他们'捣毁机关,阻断交通,殴伤中委,拦劫汽车,攒击路人及公务人员,私逮刑讯,社会秩序,悉被破坏'的罪名,而且指出结果,说是'友邦人士,莫名惊诧,长此以往,国将不国'了!""好个国民党政府的'友邦人士'!是些什么东西!""可是'友邦人士'一惊诧,我们的国府就怕了,'长此以往,国将不国'了,好像失了东三省,党国倒愈像一个国,失了东三省谁也不响,党国倒愈像一个国,失了东三省只有几个学生上几篇'呈文',党国倒愈像一个国,可以博得'友邦人士'的夸奖,永远'国'下去一样。"鲁迅是这样以他的笔杆打击帝国主义及帝国主义的走狗国民党政府的。

我们读一九三三年写的《天上地下》(《伪自由书》):

中国现在有两种炸,一种是炸进去,一种是炸进来。

炸进去之一例曰:"日内除飞机往匪区轰炸外,无战事,三四两队,七日晨迄申,更番成队飞宜黄以西崇仁以南掷百二十磅弹两三百枚,凡匪足资屏蔽处炸毁几平,使匪无从休养。……"(五月十日《申报》南昌专电)

炸进来之一例曰:"今晨六时,敌机炸蓟县,死民十余,又密云今遭敌轰四次,每次二架,投弹盈百,损害正详查中。……"(同日《大晚报》北平电)

应了这运会而生的,是上海小学生的买飞机,和北平小学生的挖地洞。

这也是对于"非安内无以攘外"或"安内急于攘外"的题目,做出来的两股好文章。

住在租界里的人们是有福的。但试闭目一想,想得广大一些,就会觉得内是官兵在天上,"共匪"和"匪化"了的百姓在地下,外是敌军在天上,没有"匪化"了的百姓在地下。"损害正详查中",而太平之区,却造起了宝塔。释迦出世,一手指天,一手指地曰:"天上地下,惟我独尊!"此之谓也。

但又试闭目一想,想得久远一些,可就遇着难题目了。假如炸进去慢,炸进来快,两种飞机遇着了,又怎么办呢?停止了"安内",回转头来"迎头痛击"呢,还是仍然只管自己炸进去,一任他跟着炸进来,一前一后,同炸"匪区",待到炸清了,然后再(")攘(")他们出去呢?……

这里,鲁迅深刻地揭露反动派的罪行,他们用飞机轰炸来屠杀中国的革命的人民,实质上是在替帝国主义开路;指出所谓"非安内无以攘外"的本质,就是用血腥的屠杀来镇压人民革命,把人民革命镇压下去了,才可以安安稳稳做帝国主义的忠实的奴才。

我们读一九三三年写的《九一八》(《南腔北调集》),只读关于上海华界情状:

至华界情状,却须看《大晚报》的记载了——
今日九一八
华界戒备
公安局据密报防反动
今日为"九一八",日本侵占东北国难二周纪念,市公安局长文鸿恩,昨据密报,有反动份〔分〕子,拟借国难纪念为由秘密召集无知工人,乘机开会,企图煽惑捣乱秩序等语,文局长核报后,即训令各区所队,仍照去年"九一八"实施特别戒备办法,除通告该局各科处于今晨十时许,在局长办公厅前召集全体职员,及警察总队第三中队警士,举行"九一八"国难纪念,同时并行纪念周外,并饬督察长李光曾派全体督察员,男女检查员,分赴中华路,民国路,方浜路,南阳桥,唐家湾,斜桥等处,会同各区所警士,在各要隘街衢,及华租界接壤之处,自上午八时至十一时半,中午十一时半至三时,下午三时至六时半,分三班轮流检查行人。南市大吉路公共体育场,沪西曹家渡三角场,闸北谭子湾等处,均派大批巡逻警士,禁止集会游行。制造局路之西,徐家汇区域内主要街道,尤宜特别注意,如遇发生事故,不能制止者,即向丽园路报告市保安处第二团长处置,凡工厂林立处所,加派双岗驻守,红色车巡队,沿城环行驶巡,形势非常壮严。该局侦缉队长卢英,伤侦缉领班陈光炎,陈才福,唐炳祥,夏品山,各率侦缉员,分头密赴曹家渡,白利南路,胶州路及南市公共体育场等处,严密暗探反动份〔分〕子行动,以资防范,而遏乱萌。公共租界暨法租界两警务处,亦派中西探员出发搜查,以防反动云。

"红色车"是囚车,中国人可坐,然而从中国人看来,却觉得"形势非常壮严"云。……

年年的这样的情状,都被时光所埋没了,今夜作此,算是纪念文,倘中国人而终不至被害尽杀绝,则以贻我们的后来者。

鲁迅在这里给我们指出,工人们要纪念"九一八国难二周纪念",反动派却这样害怕,这样如临大敌,要阻止工人的爱国运动。这正说明反动派是跟人民站在敌对的立场上的。鲁迅就是这样子暴露反动派的面目,坚决地向敌人作战的。鲁迅的精神永垂不朽!中国人民永远纪念他!

我们要说的太多了,在这里想再提出三篇来,即《准风月谈》里的《推》,《踢》,《冲》三篇。

《推》的题目是这样写下去的:

> 两三月前,报上好像登过一条新闻,说有一个卖报的孩子,踏上电车的踏脚去取报钱,误踹住了一个下来的客人的衣角,那人大怒,用力一推,孩子跌入车下,电车又刚刚走动,一时停不住,把孩子碾死了。
>
> 推倒孩子的人,却早已不知所往。但衣角会被踹住,可见穿的是长衫,即使不是"高等华人",总该是属于上等的。
>
> 我们在上海路上走,时常会遇见两种横冲直撞,对于对面或前面的行人,决不稍让的人物。一种是不用两手,却只将直直的长脚,如入无人之境似的踏过来,倘不让开,他就会踏在你的肚子或肩膀上。这是洋大人,都是"高等"的,没有华人那样上下的区别。一种就是弯上他两条臂膊,手掌向外,像蝎子的两个钳一样,一路推过去,不管被推的人是跌在泥塘或火坑里。这就是我们的同胞,然而"上等"的,他坐电车,要坐二等所改的三等车,他看报,要看专登黑幕的小报,他坐着看得咽唾沫,但一走动,又是推。
>
> 上车,进门,买票,寄信,他推;出门,下车,避祸,逃难,他又推。推得女人孩子都踉踉跄跄,跌倒了,他就从活人上踏过,跌死了,他就从死尸上踏过,走出外面,用舌头舔舔自己的厚嘴唇,什么也不觉得。旧历端午,

在一家戏场里,因为一句失火的谣言,就又是推,把十多个力量未足的少年踏死了。死尸摆在空地上,据说去看的又有万余人,人山人海,又是推。

后面还有几行,我们从略。文末注明一九三三年六月八日写的。

再是《踢》:

两月以前,曾经说过"推",这回却又来了"踢"。

本月九日《申报》载六日晚间,有漆匠刘明山,杨阿坤,顾洪生三人在法租界黄浦滩太古码头纳凉,适另有数人在左近聚赌,由巡逻警察上前驱逐,而刘,顾两人,竟被俄捕弄到水里去,刘明山竟淹死了。由俄捕说,自然是"自行失足落水"的。但据顾洪生供,却道:"我与刘,杨三人,同至太古码头乘凉,刘坐铁凳下地板上,……我立在旁边,……俄捕来先踢刘一脚,刘已立起要避开,又被踢一脚,以致跌入浦中,我要拉救,已经不及,乃转身拉住俄捕,亦被用手一推,我亦跌下浦中,经人救起的。"推事问:"为什么要踢他?"答曰:"不知。"

"推"还要抬一抬手,对付下等人是犯不着如此费事的,于是乎有"踢"。而上海也真有"踢"的专家,有印度巡捕,有安南巡捕,现在还添了白俄巡捕,他们将沙皇时代刘犹太人的手段,到我们这里来施展了。我们也真是善于"忍辱负重"的人民,只要不"落浦",就大抵用一句滑稽化的话道:"吃了一只外国火腿,"一笑了之。

文章我们没有抄完。这是八月写的。

十月又写了《冲》：

"推"和"踢"只能死伤一两个，倘要多，就非"冲"不可。

十三日的《新声》〔新闻〕上载着贵阳通信说，九一八纪念，各校学生集合游行，教育厅长谭星阁临事张皇，乃派兵分据街口，另以汽车多辆，向行列冲去，于是发生惨剧，死学生二人，伤四十余，其中以正谊小学学生为最多，年仅十龄上下耳。……

在这里，鲁迅指出，帝国主义、高等华人和反动派怎样屠杀和迫害中国人民。在他们看来，"所谓中国的文明者，其实不过是安排给阔人享用的人肉的筵宴。所谓中国者，其实不过是安排这人肉的筵宴的厨房"（《灯下漫笔》）。鲁迅把这些揭发出来，它的战斗作用，就是要大家起来"扫荡这些食人者，掀掉这筵席，毁坏这厨房"！我们读了可以想见毛主席说的"共产主义者的鲁迅，却正在这一'围剿'中成了中国文化革命的伟人"之一斑。

共产主义者鲁迅

从广州回到上海以后,鲁迅到底成了一名无产阶级的战士。我们应该发挥他的遗志光荣地胜利地称他为共产主义者。

我们先谈一个颇有趣味的事情,鲁迅在世时不可能读到毛主席一九二七年写的《湖南农民运动考察报告》,他如果读到了,他的《阿Q正传》所提出的问题都解决了。很有点像出乎鲁迅的意外,阿Q要造反,并不是鲁迅主观的捏造,是客观的反映,其真实的程度连鲁迅自己都不敢相信似的,阿Q敢于造反吗?在《阿Q正传》出世六年之后,就在一九二七年,中国的农民岂但敢于造反,还敢于做治国平天下的大事呢。真是"士别三日当刮目相待"。鲁迅这时如果读到毛主席的《湖南农民运动考察报告》,该是如何地出乎意外而又在乎意中!"出乎意外"是鲁迅无法解决的中国革命问题,毛主席在那篇文章里提出了有预见性的正确的解答;"在乎意中"是毛主席指出中国贫雇农所具有的革命性,鲁迅也认为阿Q终于要革命的。鲁迅以他深厚的感情,丰富的经验,敏锐的观察,已看到了阿Q的革命性了。我们且看《写在〈坟〉后面》里这几句极有价值的话:

去年我主张青年少读,或者简直不读中国书,乃是

> 用许多苦痛换来的真话，决不是聊且快意，或什么玩笑，愤激之辞。古人说，不读书便成愚人，那自然也不错的。然而世界却正由愚人造成，聪明人决不能支持世界，尤其是中国的聪明人。

这段话是针对当时反动的复古主义说的。当时的反动派害怕青年去革命，害怕青年接受马克思列宁主义，跟着中国共产党走，所以要提倡青年读古书，把青年引到钻古书的牛角尖里去，削弱了革命的力量，就是反动派文人的阴险的用心。鲁迅针对这种反动言论，劝青年少读或不读古书。他这里说的"中国书"是专指古书说的。中国的古书中间，有不少是宣传地主阶级的反动理论的。鲁迅在这里说的"愚人"和"聪明人"，就是指在封建社会里被剥夺了学文化机会的农民和靠剥削过活的地主。中国过去的封建社会，是靠农民的劳动来建立的；剥削阶级的地主是决不能支持当时的世界的。这是如何伟大的观点，是劳动观点，是群众观点，鲁迅于直感中得之。中国过去的历史虽然是"想做奴隶而不得"与"暂时做稳了奴隶"的历史，但这部历史到底很长久，支持这长久历史的是什么人呢？是劳苦农民。这是事实。所以鲁迅在直感的状态下写出他的信念来了："然而世界却正由愚人造成，聪明人决不能支持世界，尤其是中国的聪明人。"他说得斩钉截铁。从这些，我们可以看出，鲁迅早期本着生物进化论的观点观察中国社会，也还是因为在那时这种思想与他的革命爱国的主观愿望相契合的原故，后来因为事实的教训，从一九二七年住在上海以后，他倒真是研究起阶级论的学问来了，在《二心集》的序言里才能作出这样的科学的论断："只是原先是憎恶这熟识的本阶级,毫不可惜它的溃灭,后来又由于事实的教训,以为惟新兴的无产者才有将来,却是的确的。"思想上经过阶级论的武装,才认识工人阶级,因而人类解放,中国解放的前途,他便有着科学的论断了。像他这样的人,一切的话都是切实的,无论在发展了之后,无论在发展之中,只要我们细心体会。

瞿秋白同志曾说鲁迅是"经历了辛亥革命以前直到现在的四分之一世纪的战斗,从痛苦的经验和深刻的观察之中,带着宝贵的革命传统到新的阵营里来的。"这话鲁迅在当时是首肯了的。所以鲁迅名义上虽不是一个共产党员,实质上他是个共产主义者。这"宝贵的革命传统",鲁迅确实是认为非常的宝贵,他曾一再作了记录。毛主席在《论人民民主专政》里引了宋朝的哲学家朱熹的话:"即以其人之道,还治其人之身。"鲁迅《论"费厄泼赖"应该缓行》这篇文章里正是以朱熹的这句话作了总结他的战斗经验的标题。《写在〈坟〉后面》里面还要提起,他说,"最末的《论'费厄泼赖'》这一篇,也许可供参考罢,因为这虽然不是我的血所写,却是见了我的同辈和比我年幼的青年们的血而写的。"这血所写的便是人民民主专政的真理。

鲁迅从一九二七年住到上海以后,一直到一九三六年他在上海逝世,这十年之中,他随时准备为革命而献身,不仅仅只准备做"抚哭叛徒的吊客"。这个改变,便是鲁迅接受了事实的教训,同时充满了光明的信心。他在三一八前后还未离开北京时,便曾反省过,"我为什么要做教员,连自己也侮蔑自己起来。"及至在广州见了蒋贼介石的"清党"政策,他说他被血吓得目瞪口呆。他离开广东到上海,我们可以推想他一定有一番决心。这决心马上表现了,他以后就一直住在上海,领导左翼作家联盟,事实上成了一个党性极强的共产主义者。当一九三一年左联成员柔石等五位同志被杀,鲁迅写了《中国无产阶级革命文学和前驱的血》。他说,"我们的这几个同志已被暗杀了,这自然是无产阶级革命文学的若干的损失,我们的很大的悲痛。但无产阶级革命文学却仍然滋长,因为这是属于革命的广大劳苦群众的,大众存在一日,壮大一日,无产阶级革命文学也就滋长一日。我们的同志的血,已经证明了无产阶级革命文学和革命的劳苦大众是在受一样的压迫,一样的残杀,作一样的战斗,有一样的运命,是革命的劳苦大众的文学。"这些话把鲁迅的集体主义表现得明明白白。

鲁迅后来的力量,便是集体主义的力量,他有了道路,有了依靠,他也愉快地担任起他的一份工作。

综观鲁迅一生,是革命的小资产阶级知识分子转变成共产主义战士的历史。当他成为共产主义战士的时候,他觉到他的真正力量还是党给的了。这时他重新考虑了许多问题,他对义和团的反帝斗争的看法就同以前不同,以前称这次事变为"拳匪事件",在《八月的乡村》序里则称为"义和拳变"。这决不是一件小事,这是伟大的思想的反映,这是认识了人民的力量,依靠人民的力量。

共产主义者的鲁迅对帝国主义的看法也比以前清楚得多,以前对西方资本主义国家总还注重它的文化,说到中国的灾难总还是从中国本身去挖掘原因,从过去的中国历史去挖掘原因,而不知道从鸦片战争以来,现在则斩钉截铁:"我在中国看不见资本主义各国之所谓'文化',我单知道他们和他们的奴才们,在中国正在用力学和化学的方法,还有电器机械,以拷问革命者,并且用飞机和炸弹以屠杀革命群众。"

苏联的影响,对于鲁迅的转变,是很大的。这可分作三方面来说,一是苏联的成功,一是无产阶级文艺理论,一是苏联文学。答国际文学社:"现在苏联的存在和成功,使我确切的相信无阶级社会一定要出现,不但完全扫除了怀疑,而且增加许多勇气了。"这把第一面说得清清楚楚。无产阶级文艺理论,据我们推想,很帮助了鲁迅。鲁迅本来是唯物论者,他对于旧日所谓唯物的文学史家把艺术起源,艺术变化,归之于生物学的原因,归之于自然环境,归之于社会变迁,一种平行的说法,想来也是习而不察认为当然的,而蒲力汗诺夫在《艺术论》里成功地作了科学的分析。鲁迅讲文学起源说的"杭育杭育派"的通俗说法,就是从蒲氏来的。治文学的人从源头上把艺术与"劳动"与"集体"两大事件的关系认识清楚了,等于解决了一个基本问题,文学不为人民服务为什么?而在鲁迅更不成问题,他是通过文艺理论学习马克思主义,是理论联系实际的问题。一定替他解决了许多疑问,使得他思想开朗。他在《三闲集》序里也叙明了这点。这是第二面。再说苏联文学对他的关系。那时只有《铁流》同《毁灭》的翻译,而《毁灭》是鲁迅自己翻译的。他在答瞿秋白同志论翻译的信里有这样的话:"总之,今年总算将这一部纪念碑的小说,送在这里的读者们的面前了。译的时候和印的时候,颇经过了不少艰难,现在倒也退出了记忆的圈外去,但我真如你来信所说那样,就像亲生的儿子一般爱他,并且由他想到儿子的儿子。还有《铁流》,我也很喜欢。这两部小说,虽然粗制,却并非滥造,铁的人物和血的战斗,实在够使描写多愁善病的才子和千娇百媚的佳人的所谓'美文',在这面前弄〔淡〕到毫无踪影。"在儿子没有生出以前,是无法认识儿子的,想像也是徒然,到得精神面貌就展在眼前,那又真是唯英雄能识英雄了,鲁迅可以说是久矣夫就渴慕这"铁的人物和血的战斗",而今这人物就是十月革命所产生的,就是苏联社会所产生的,他怎能不相信苏联!他亲生的儿子应该说是《阿Q正传》,可以说他是羡慕世间有"铁的人物和血的战斗"因而写《阿Q正传》的,"铁的人物和血的战斗"在苏联有了,鲁迅看见了,更过到现在,中华人民站起来了,战斗英雄,劳动模范,在中国各地出现了,——其实只因为有毛主席理论的照耀,历史正是从《阿Q正传》发展来的。鲁迅只不及我们亲眼看见了胜利,我们应该发挥他的遗志光荣地胜利地称他为共产主义者。

鲁迅与现实主义传统

我们评价五四当时的新文学运动是有我们共同的标准的。我们的标准便是毛主席《在延安文艺座谈会上的讲话》里面说的："政治和艺术的统一，内容和形式的统一，革命的政治内容和尽可能完美的艺术形式的统一。"伟大的鲁迅，他的创作一开始就合乎这个标准。他自己说："从一九一八年五月起，《狂人日记》《孔乙己》《药》等，陆续的出现了，算是显示了'文学革命'的实绩。"他对他自己的评价向来是谦逊的，在"文学革命"这一问题上他不能不这样肯定。一直到现在我们还是这样肯定，鲁迅的作品，达到了"革命的政治内容和尽可能完美的艺术形式的统一"。

时间是照见事物的镜子，本来是什么样的性质的，历史都已经作了裁判。像胡适等人，不管当时怎样迷惑了一部分人，到底为人民所排斥，就因为那些东西在政治上根本是反动的。它们是要起阻碍中国革命的作用，而时代的车轮把反动家伙都推翻了。我们对于文学的标准，政治和艺术的统一，不但拿来衡量中国新义学运动是正确的，拿来衡量中国历史上一切时代的文学也是正确的。我们可以衡量《诗经》、"楚辞"，可以衡量李白、杜甫的诗，可以衡量《水浒》《红楼梦》。而反革命分子胡适的所谓

"新文学",确乎从一开始就做了帝国主义的代言人,他们的文学观点表面上是超阶级的,实质上是替帝国主义服务的。所以他们把反映阶级斗争的伟大的人民文学——《水浒》列为"非人的文学"。他们连梦也没有梦见,根据文艺科学,中国新文学运动是现实主义向前发展的运动,正如同政治上五四运动是中国新民主主义革命的开始。

所以说到五四时期中国新文学运动,鲁迅是唯一的大师。因为有鲁迅,在中国古典文学的现实主义与我们今天的社会主义现实主义中间有了桥梁。鲁迅正因为是现实主义者,所以他必然地表现了时代,完成了当时文学革命的使命。

我们还应该把我们的宝贵的现实主义文学传统作一点简单的说明。现实主义,本来就是"政治和艺术的统一",真实地反映现实。我们举出三篇小说来说,《水浒》,鲁迅的《狂人日记》,和丁玲的《太阳照在桑干河上》。《水浒》是人民的武装打官军杀官吏,其力量不可战胜,但还把"皇帝"放在眼中考虑,是要他呢,还是不要他?在那个时代不要皇帝将是什么样的政权,那是不能想像的,所以《水浒》故事结局还是"招安",不可能有现代的革命思想,《水浒》时代的政治内容只能到《水浒》所描写的地步。鲁迅的《狂人日记》有强烈的革命思想,但发现不了人民的革命力量,还是表现着革命的希望,这便表现了五四运动前夕。丁玲的《太阳照在桑干河上》则是工人阶级领导的农民革命一举而消灭了长期的封建。而鲁迅的《阿Q正传》又正补《狂人日记》之不足,反映了辛亥革命时代的阶级斗争。读完《阿Q正传》又打开《太阳照在桑干河上》,该有多大的教育意义,令我们亲切地知道只有马克思主义能说明社会而又能改造社会。那么中国文学现实主义传统的意义很明白了罢,五四新文学运动应该是把这宝贵的传统推向前进,鲁迅挺身担当起来了。

鲁迅对文学形式和文学语言的贡献

　　我们现在的文章同古代文章有很不相同的面貌。最极端的例子是鲁迅所举的"'原来,你认得。'林冲笑着说。"——我们现在的形式。古人的形式是:"林冲笑道:'原来,你认得。'"我们现在当然是欧化,这样的欧化从鲁迅的小说起,连当时《新青年》同人刘半农都反对。鲁迅解释这种欧化"并非因为好奇,乃是为了必要。"适应这个"必要",确是文体上一个大进步。

　　原来中国古代的文章是不分段的,不管一篇有多么长,一篇就是一大段而已,像一条长蛇一样。我们举上古的《左传》同近代的《水浒》作例。《左传》开头一篇长的,是"郑伯克段于鄢",这一篇传第一个字是一个"初"字,即是写事情开始的时候,一个母亲生了两个儿子。中间写变故。最后事情解决了,最后一句是:"遂为母子如初。"所以从前做古文的人曾经批道:"'初'字起,后仍至'初'字结。"它真是这个形式:"初——如初。"从第一个字"初"密密连连直到最末个字"初",中间没有空白。再看《水浒》。《水浒》每一回,从"话说"起硬要连到"且听下回分解"止才是古人的文章,并不是我们现在出版的《水浒》把一回分成若干段,每段都另外起行的样子。一回既然就是一大段而已,然而在一回之中叙的不是同一地点同一时间的事情,怎么办呢?那便只好来个文章游戏,最简单的是把两地之间插一句"一路无话",两天的事插一句"当夜无话"。如果像我们现在用提行分段的办法,便用不着那些麻烦了。既然提行分段,那么写着"'原来,你认得。'林冲笑着说。"当然不是上句不接下句,而是在口语里常有的情况,先述所说的话,再说明说话的人。所以鲁迅说"乃是为了必要"。而"林冲笑道:'原来,你认得。'"反而成了旧小说里千篇一律的形式,必须先写说话的是谁,再写所说的话,就缺少了写人物对话时的戏剧性。

鲁迅的《药》最初发表时,许多人大大地不以为然,为什么要这样写:

"老栓,你有些不舒服么?——你生病么?"一个花白胡子的人说。

"没有。"

"没有,〔?〕——我想笑嘻嘻的,原也不像……"花白胡子便取消了自己的话。

其实这样写,合乎情节的自然,加上了小说的戏剧性,是因为提行分段的排列法。提行分段的排列法在理论文章里也非常有必要,使得古今文体发生了变化。我们现在谈鲁迅最初写小说,鲁迅对小说形式所作的贡献。这个贡献我们已经肯定了的。

鲁迅自己说:"又因那时的认为'表现的深切和格式的特别',颇激动了一部分青年读者的心。"这所谓"格式的特别",不只如我们上面所说的句法的欧化(其实汉语在口语里本来就有这样的说话),还有介绍情节的方法比起中国原有的小说戏剧来亦显得特别。中国的戏剧主人公自报姓名同关系,在小说里作者亦向读者报道人物的姓名同关系,鲁迅的《药》则完全是采外国形式,要读者自己从前后文去联系,其效果确是"颇激动了一部分青年读者的心"。然而就这一层说,到底是外国形式好,还是中国原有的形式好,我们认为是相对的,在以后谈民族形式问题时还要谈到。

下面说鲁迅对文学语言的贡献。

本来,就文学语言说,每个时代伟大的作家,以及一些不知名的民间艺人,各有各的特点,作出了各自的贡献。好比《水浒》的语言,《红楼梦》的语言,都值得我们专门去研究。我们现在是说鲁迅。我们说鲁迅,当然不是说鲁迅的语言超过以前的人,更不是说鲁迅的语言样样条件具备,就采用口语方面说,鲁迅自己就认为他做得不够。我们是把鲁迅对中国文学语言所作的独特的贡献肯定下来。

鲁迅在五四新文学运动开始时,他的语言的特点,同古代陶渊明有相似的情况。陶渊明写诗的语言去掉了陶渊明以前以及与他同时的诗人所用的辞藻,所以历史上曾有人批评陶渊明"辞采未优",他们不知道陶渊明的特点就在他能够白描。鲁迅的小说,比起中国近代的戏曲以及章回小说来,其特点也正是白描,选词造句去掉了一切不需要的东西。根据我们大家整个的印象,《水浒》、《红楼梦》是无所谓浮词套语的,究其实还是有,像《水浒》里什么"雪地里踏着碎琼乱玉",什么"时逢端午,蕤宾节至",《红楼梦》写装饰要说"打扮的桃羞杏让,燕妒莺惭",写哭要说"一腔无明未曾发泄",都还是一般旧习惯。口头上说写文章要去陈腐非难事,但做起来真不易,鲁迅在五四新文学运动一开始时真实地写出东西来了,这一来令当时的青年读者耳目一新。《药》里这样的文章:"西关外靠着城根的地面,本是一块官地;中间歪歪斜斜一条细路,是贪走便道的人,用鞋底造成的,但却成了自然的界限。路的左边,都埋着死刑和瘐毙的人,右边是穷人的丛冢。两面都已埋到层层叠叠,宛然阔人家祝寿时候的馒头。"《社戏》里写一群小孩子看戏怕看老旦的心理:"然而老旦终于出台了。老旦本来是我所最怕的东西,尤其是怕他坐下了唱。这时候,看见大家都很扫兴,才知道他们的意见是和我一致的。那老旦当初还只踱来踱去的唱,后来竟在中间的一把交椅上坐下了。我很担心;双喜他们却就破口喃喃的骂。我忍耐的等着,许多工夫,只见那老旦将手一抬,我以为就要站起来了,不料他却又慢慢的放下在原地方,仍旧唱。"这些都是鲁迅的白描的语言。鲁迅有时采用文言作句子,念起来还是很顺口,如《论雷峰塔的倒掉》里特别有这么一句:"现在,他居然倒掉了,则普天之下的人民,其欣喜为何如?""普天之下"虽是古语,但在当时还是很习用的,所以鲁迅采用在文章里。同一篇里他又用了这么一句口语:"活该。"那是采用口头语入文,用得真好。从这里看到他的语言的丰富,对他说来可谓要什么有什么。他有一篇《记"发薪"》,是叙他当时在北京教育部被革职后去领欠薪的事情,领薪的规则要亲自领,本人如不在北京就没有,文章这样写:"就到会计科,一个部员看了一看我的脸,便翻出条子来。我知道他是老部员,熟识同人,负着'验明正身'的重大责任的。"这里"验明正身"四个字把事情写得显豁极了,意思深刻极了,万恶社会侮辱正义原形毕露。原来"验明正身",是旧社会里犯人临刑前官员要查验一下,那个犯人有没有搞错,有没有调包的事。鲁迅用在这里,说明当时的反动官僚不仅迫害他,革掉了他在教育部里的职位,还在他领欠薪时像对待犯人那样对待他。

在他的杂文《春末闲谈》里描写细腰蜂捉虫子的情形:"有时衔一支小青虫去了,有时拉一个蜘蛛。青虫或蜘蛛先是抵抗着不肯去,但终于乏力,被衔着腾空而去了,坐了飞机似的。"下面又写:"这细腰蜂不但是普通的凶手,还是一种很残忍的凶手,又是一个学识技术都极高明的解剖学家。她知道青虫的神经构造和作用,用了神奇的毒针,向那运动神经球上只一螫,他便麻痹为不死不活状态,这才在他身上生下蜂卵,封入窠中。青虫因为不死不活,所以不动,但也因为不活不死,所以不烂,直到她的子女孵化出来的时候,这食料还和被捕当日一样的新鲜。"这真是鲁迅的语言。我们再抄《马上支日记》所记:"早晨被一个小蝇子在脸上爬来爬去爬醒,赶开,又来;赶开,又来;而且一定要在脸上的一定的地方爬。打了一回,打它不死,只得改变方针:自己起来。"真是鲁迅的语言。

鲁迅的语言的特点正是他的强烈的思想感情的表现,加以他的知识丰富,于是他的笔——他的攻击旧社会的武器便锋利无比。《春末闲谈》里他描写细腰蜂对待青虫,是挖苦统治者对待被统治者的,要被统治就须不活,要供养统治者又须不死,人类"没有了细腰蜂的毒针,却使圣君、贤臣、圣贤、圣贤之徒,以至现在的阔人、学者、教育家觉得棘手。"末了他说,人的思想无论如何是要反抗的,不能像细腰蜂〔青虫〕一样不死不活。他用了《山海经》上"刑天"的典故,刑天没有头而活着,还要"执干(盾牌)戚(斧)而舞"。鲁迅又这样写:"陶潜先生又有诗道:'刑天舞干戚,猛志固常在。'连这位貌似旷达的老隐士也这么说,可见无头也会仍有猛志,阔人的天下一时总怕难得太平的了。"这是鲁迅善于引用古书,把意思表现得多么好。像这样引用古书,也是文学语言的一个因素。

  最后我们应该说明一件事,关乎语法。我们把所有鲁迅的文章仔细地读,确是想起鲁迅对他自己写作所说的一句话:"一定要它读得顺口。"所以读得顺口,便是句子合乎语法。说合乎语法并不是说句子一定要造得非常机械,一定要有主语、动词、宾语,而主语、动词、宾语只可以有一种排列法。不是的,是可以有多种多样的变化的。像句子的次序有时有必要较旧日文章颠倒一下,如我们前面所说的把"林冲笑道:'原来,你认得。'"写作"'原来,你认得。'林冲笑着说。"又如把"虽然"分句放在后面,也是鲁迅采取的欧化句子,这句便是:"这样的中国人真应该受'呸!'他们为什么不打的呢?虽然打了也许又有人说是'拳匪'。"这些句子里的汉语语法一点也没有改变。斯大林在《马克思主义与语言学问题》里面告诉我们,语法有它的稳固性,不能强迫同化的。我们现在常有人仿照外国语法,几个词连用在一块,一定在最后一个之前加个"和"字,这样做是机械的。在口语里,几个词连用在一块儿,可以有几种说法,像鲁迅有一个题目就叫做《狗、猫、鼠》,同老百姓说"马、牛、羊"一样,——老百姓不说"马、牛和羊"。鲁迅又有一个题目叫做《聪明人和傻子和奴才》,中间连用两个"和"字,也正是老百姓口里常有的话,合乎汉语的规律,汉语的"和"字是可以连用两个的。鲁迅是欧化的创始人,但我们要辨清楚,他给我们创造了新的文体,他扩大了我们的句法,他并没有改变汉语的语法。

鲁迅的艺术特点

我们在这里所介绍的鲁迅的艺术特点是指鲁迅的杂文。

本来一切艺术有个共同的特点,那就是形象同典型两件事。鲁迅的小说给了我们许多形象,给了我们许多典型,大家所最熟悉的有孔乙己,闰土,阿Q,祥林嫂,爱姑等,除了阿Q我们已经作过分析外,其余的现在都不能谈。我们现在特别对杂文作一番介绍。鲁迅的杂文,以形象性同典型性达到议论的效果,是作战时锋利的武器,是短兵相接时的匕首。鲁迅在杂文的创作上有极大的成就。我们已有了"鲁迅的杂文是诗史"一章,那里面所举的例子都在说明着鲁迅杂文的形象性,典型性,它不仅是一桩一桩的史料而是一件一件的艺术品。然而在那些杂文里我们注意的还是历史。现在让我们认识,鲁迅杂文到底好在哪一点。

要认识一件美术品,最好的方法是把这个东西放在你的眼前。我们要认识鲁迅的杂文的特点,也不能有别的更好的方法,除了看原文。下面我们从《花边文学》里选出两篇杂文来看。

"此生或彼生"

"此生或彼生。"

现在写出这样五个字来,问问读者,〔:〕是什么意思?

倘使在《申报》上,见过汪懋祖先生的文章,"……例如说'这一个学生或是那一个学生,'文言文只须'此生或彼生'即已明了,其省力为何如?……"的,那就也许能够想到,这就是"这一个学生或是那一个学生"的意思。

否则,那回答恐怕就要迟疑。因为这五个字,至少还可以有两种解释:一、〔,〕这一个秀才或是那一个秀才(生员);二、〔,〕这一世或是未来的别一世。

文言比起白话来,有时的确字数少,然而那意义也比较的含胡。我们看文言文,往往不但不能增益我们的智识,并且须仗我们已有的智识,给它注解,补足。待到翻成精密的白话之后,这才算是懂得了。如果一径就用白话,即使多写了几个字,但对于读者,"其省力为何如?"

我就用主张文言的汪懋祖先生所举的文言的例子,证明了文言的不中用了。

这真是一枝精兵,这枝精兵又只是一幅漫画,把敌人全部缴械了。文言不及白话的道理,谁也没有鲁迅说得明白,谁的话也不及鲁迅的道理叫人喜欢听,因为鲁迅的文章是艺术品。鲁迅当然有一肚子拥护白话文的议论在,但他都不用,他从报纸上抓住了一个敌人,(他经常保卫阵地不放松任何敌人的!)他只给我们指点出来,说:"你们看,纸老虎,一戳就穿了!"我们胜利了,鲁迅的任务完成了,至今留下了一篇美文。

知了世界

中国的学者们,多以为各种智识,一定出于圣贤,或者至少是学者之口;连火和草药的发明应用,也和民众无缘,全由古圣王一手包办:燧人氏、神农氏。所以,有人以为"一若各种智识,必出诸动物之口,斯亦奇矣,"是毫不足奇的。

况且,"出诸动物之口"的智识,在我们中国,也常常不是真智识。天气热得要命,窗门都打开了,装着无线电播音机的人家,便都把音波放到街头,"与民同乐"。咿咿唉唉,唱呀唱呀。外国我不知道,中国的播音,竟是从早到夜,都有戏唱的,它一会儿尖,一会儿沙,只要你愿意,简直能够使你耳根没有一刻清净。同时开了风扇,吃着冰淇淋,不但和"水位大涨""旱象已成"之处毫不相干,就是和窗外流着油汗,整天在挣扎过活的人们的地方,也完全是两个世界。

我在咿咿唉唉的曼声高唱中,忽然记得了法国诗人拉芳丁的有名的寓言:《知了和蚂蚁》。也是这样的火一般太阳的夏天,蚂蚁在地面上辛辛苦苦地作工,知了却在枝头高吟,一面还笑蚂蚁俗。然而秋风来了,凉森森的一天比一天凉,这时知了无衣无食,变了小瘪三,却给早有准备的蚂蚁教训了一顿。这是我在小学校"受教育"的时候,先生讲给我听的。我那时好像很感动,至今有时还记得。

但是,虽然记得,却又因了"毕业即失业"的教训,意见和蚂蚁已经很不同。秋风是不久就来的,也自然一天凉比一天,然而那时无衣无食的,恐怕倒是现在的流着油汗的人们;洋房的周围固然静寂了,但那是关紧了窗门,连音波一同留住了火炉的暖气,遥想那里面,大约总依旧是咿咿唉唉,《谢谢毛毛雨》。

"出诸动物之口"的智识,在我们中国岂不是往往不适用的么?

中国自有中国的圣贤和学者。"劳心者治人,劳力者治于人;治于人者食(去声)人,治人者食于人",说得多么简截明白。如果先生早将这教给我,我也不至于有上面的那些感想,多费纸笔了。这也就是中国人非读中国古书不可的一个好证据罢。

鲁迅的这篇短文章所发挥的该是多么伟大的议论,他要告诉我们剥削阶级的世界是怎样的不合理,而他写得太短了,太好了,我们读了之后懂得的事情又太多了。首先他的题目就有形象性,吸引人。他所用的辞句,都是典型性的,足以代表上海,代表全中国,代表"知了世界",代表劳苦人民,也代表了旧社会的不稳定,什么"受教育""毕业即失业"等,还拿出了圣经贤传的话作为经济基础的上层建筑的代表。"水位大涨","旱象已成",都是中国人民的生命所关,见之于当时的报载,鲁迅文章里引用了这八个字,加了两个引号,画了一幅内地水旱图。而上海是"知了世界"!四个字鲁迅把有闲阶级写得一文不值。我们就这样认识鲁迅的杂文。

鲁迅怎样对待文化遗产和民族形式

从鲁迅的写作实践以及他前前后后文章里的话,我们可以体会出鲁迅对待祖国文化遗产以及文学艺术的民族形式的深心。在这里,正是立场与方法的表现,鲁迅是人民的立场,现实主义的方法。

凡属富有反抗性的,爱国的,人民的东西,鲁迅都爱之若生命。他也便从这些东西里面吸取养料。我们看他怎样爱屈原,《彷徨》的题辞里就表示鲁迅同情于屈原的爱国。"路漫漫其修(长)远兮,吾将上下而求索。"屈原为了担心楚国的危亡,在尽力找寻挽救楚国的路;鲁迅为了担心中国的危亡,也在尽力找寻中国革命的路。当时的时代,使鲁迅格外懂得古代的《离骚》,懂得屈原的爱国主义精神。他在二十三岁时题自己的照片,有"寄意寒星荃不察"之句,意思是说,当时有权力的人不了解他的爱国心,所以他只能把自己的一番心意寄托给天上的星星。"荃不察"就是从屈原的诗《离骚》中"荃不察余之中情"来的。屈原用"荃"来指楚怀王,说明楚怀王不了解他。鲁迅到将死之年写复仇的《女吊》,还提到屈原的《国殇》。他读《山海经》注意了"刑天"的故事。因此他又爱好陶渊明。他真是把古书都弄活了,提醒了我们的斗争意志,增加了我们读书的兴趣。他从圣经贤传里几次提起"时日曷丧,余及汝偕亡!"这是人民诅咒压迫他们的统治者为什么不灭亡。凡这些都非常明白地表现着鲁迅对待文化遗产的精神。

他几次给我们介绍他的故乡的"目连戏",都是民间的创造,鲁迅真是乐道不已。我们在讲鲁迅的少年的时候曾提起过他在《我怎样做起小说来》这一篇文章里自述他写小说的方法是学习中国民间艺术的,因为中国民间艺术都是只有几个主要的人,不要背景,所以鲁迅的小说只写典型人物,不描写风月。这个意义非常之大,如果不是鲁迅自己告诉我们,我们恐怕很难探索他的根源。这是鲁迅的现实主义创作方法,同时是中国人民的文化遗产。我们把这个伟大的创作方法同胡适大卖气力替《老残游记》描写风景抬高地位相比较,便可知道什么是革命的什么是反动的,什么是人民的什么是剥削阶级的。我们真要学习鲁迅,鲁迅是站在人民的立场用现实主义的方法来对待文化遗产。

当然,对于封建性的东西,对于阻碍中国革命前进的反动势力,对于反动派麻醉青年拖住青年的伎俩,鲁迅是嗅觉最敏锐的,这是一九二五年鲁迅在北京大张旗鼓地反对开"青年必读书"的单子的原故。一九三三年他在上海又反对劝青年读《庄子》、《文选》。当时有许多人都向青年开了一张读古书的单子的,这些人除了像反革命分子胡适别有用心以外,别的跟着胡适走的人,现在想起来不是只有惭愧么?不是格外佩服鲁迅的革命的战斗精神么?不是更清楚地认识到鲁迅的立场和观点的正确吗?

我们再谈一谈民族形式问题。鲁迅最初写小说,他采用民间艺术写人不写景的方法,我们要待他后来告诉我们才知道底细,我们当时一读了他的小说就为他所吸引的是他从外国移植过来的小说的形式。外国的小说形式(包括外国的戏剧形式),其介绍人物的程序,情节发展的步骤,都和中国小说戏剧向来所采取的"列传"式的体裁不同,而中国列传式的体裁倒是有它的真实的好处,收到它的亲切的效果,而且为中国老百姓所喜闻乐见的。我们就鲁迅的《药》说,对青年知识分子有极大的影响,对人民大众恐怕就疏远了,这里头有一个形式问题。在五四初期,外国形式一新读者的耳目,是起了文学革命的作用的,到今日则应该从历史上来对艺术形式问题作一番考查,这个消息,鲁迅到他后来就已经流露出来了。我们读《且介亭杂文》里《连环图画琐谈》这一段:

> 但要启蒙,即必须能懂。懂的标准,当然不能俯就低能儿或白痴,但应该着眼于一般的大众,譬如罢,中国画是一向没有阴影的,我所遇见的农民,十之九不赞成西洋画及照相,他们说:人脸那有两边颜色不同的呢?西洋人的看画,是观者作为站在一定之处的,但中国的观者,却向不站在定点上,所以他说的话也是真实。那么,作"连环图画"而没有阴影,我以为是可以的;人物旁边写上名字,也可以的,甚至于表示做梦从人头上放出一道毫光来,也无所不可。观者懂得了内容之后,他就会自己删去帮助理解的记号。这也不能谓之失真,因为观者既经会得了内容,便是有了艺术上的真,倘必如实物之真,则人物只有二三寸,就不真了,而没有和地球一样大小的纸张,地球便无法绘画。

这所说的虽然是指着图画，其所涉及的问题实在是外国形式和民族形式的区别。鲁迅的感情不很是偏向在民族形式一方面么？就小说说，外国小说所叙出的人物、时间、和地点，是假设无形中有一个照相机在那里替读者拍照出来的，便是鲁迅说的"观者作为站在一定之处的"，否则就怕失真，怕读者问你，"你怎么知道这个人在这个时候出现在这个地方呢？"现在则说："这是一张照相，连人物脸上的阴影也照出来了！"那当然是千真万确的了。外国剧本上人物登场向来没有自道名姓的，——哪有人自己不知道自己呢？小说里也无须乎要作者介绍人物的姓名，因为照相机不能在照片上面说话，那样便有不真实的嫌疑。其实从中国的民族形式说来，大可不必如此，反正我们是在这里说故事，只要故事说得真，人物的个性写得好，作者告诉读者"此人姓鲁，名达，如今唤作鲁智深……"有何嫌疑可避呢？这便是中国的"列传"体。中国的图画也是如此，在《水浒》卷头的鲁智深图像上面便写着"花和尚鲁智深"，所以鲁迅说"人物旁边写上名字，也可以的"。在戏台上，鲁达登台，便大叫："洒家关西鲁达的便是！"观众真是喜欢极了。我们要的是"艺术上的真"，不是"实物之真"。当然，外国的艺术也是要"艺术上的真"，不是"实物之真"。不过就艺术形式说，外国形式与中国民族形式确实是有照相与说故事之分。我们的老百姓是很有道理喜欢自己的形式的。鲁迅真真懂得这个原故，为人民喜闻乐见起见，他早已给我们作了提示了。

向鲁迅学习

前面一十四章,是我们向青年读者介绍鲁迅,方法着重于引鲁迅的文章为印证,企图读者读了这些引文,加以我们的说明,对鲁迅可能有一个轮廓的认识,从而帮助读者进一步去读鲁迅的作品。

最后我们认为我们应该向鲁迅学习的有六件事:

一、学习鲁迅的革命爱国主义精神。鲁迅是革命的,是爱国的,革命爱国主义是他一贯的精神,所以他最后能走进无产阶级的阵营。

二、学习鲁迅对理论的信心。鲁迅同一般经验派不同,他最注重理论。他初期相信进化论,以为将来总比现在好,青年总比老年进步。(但他是革命者,一般庸俗进化论者具有的改良观念鲁迅没有。)后来在广州亲眼看见国民党的大屠杀,刽子手并不都是老头子,他受了深刻的教训,从而学习阶级论的理论,因此他的思想武装起来了,他的斗争意志更坚定了,相信"惟新兴的无产者才有将来"。不懂得学习理论的重要,就不懂得鲁迅。

三、学习鲁迅的自我改造。鲁迅因为是革命爱国主义者,又因为他重视理论,实践起来便表现他的自我改造。

一个革命爱国主义者,重要的是革命的胜利,国家的前途,所以鲁迅在五四初期便说:"此后如竟没有炬火,我便是唯一的光。倘若有了炬火,出了太阳,我们自然心悦诚服的消失,不但毫无不平,而且还要随喜赞美这炬火或太阳,〔;〕因为他照了人类,连我都在内。"我们更注意他在《一件小事》里曾亲切地叙述一个正义的洋车夫对"我"的"威压","甚而至于要榨出皮袍下面藏着的'小'来。"他在这篇文章的末了还说:"这事到了现在,还是时时记起。我因此也时时熬了苦痛,努力的要想到我自己。……独有这一件小事,却总是浮在我眼前,有时反更分明,教我惭愧,催我自新,并且增长我的勇气和希望。"这是多么有勇气的人的话,多么认识力量的人的话。从这些话里,看到鲁迅这时已经在歌颂劳动者的优秀品质,对小资产阶级知识分子作了深刻的自我批判。到了学习马克思列宁主义,知道革命的真义,首先要革自己的思想意识,即是自我改造,那才真是"时时熬了苦痛,努力的要想到我自己"!他在《二心集》的序言里曾批判自己"正是中产的智识阶级分子的坏脾气"。《关于小说题材的通信》答复小资产阶级的作家:"然而假使永是这样的脾气,却是不妥当的。"必须"逐渐克服自己的生活和意识。"我们应该向鲁迅学习这种自我改造的精神!

鲁迅早期相信进化论,相信个性解放,这些以生物进化论的观点对待社会问题的看法,会取消了阶级斗争,发现不了群众的力量,无法解决中国革命问题。这些思想都属于资产阶级思想范畴,对当时西欧的革命思想说来,它是反动的;但对当时半封建半殖民地的中国说来,还有它一定的反封建的进步作用。所以鲁迅早期的思想,并不妨碍他成为反封建的战士。随着革命形势的发展,他克服自己的思想意识,那真不是一件简单的事,他动手翻译蒲力汗诺夫的《艺术论》,科学的文艺理论把他引入了集体主义。他先前崇拜卢梭、斯谛纳尔、尼采、托尔斯泰、伊孛生等辈,而且说"中国很少这一类人,即使有之,也会被大众的唾沫淹死。"现在他要把自己纳入大众的洪流,自己应该"心悦诚服的消失"! 这时他在上海领导左翼作家联盟,他在《黑暗中国的文艺界的现状》里说:"惟有左翼文艺现在在和无产者一同受难,将来当然也将和无产者一同起来。"我们应该学习鲁迅的自我改造!

四、学习鲁迅以文学为政治服务的光辉榜样。鲁迅曾经说笑话似的说他的文学是"遵命文学",遵革命者的命写的文学。这话有很深的意义,鲁迅道出了他的真情,就是说他是甘心为革命服务的。毛主席告诉我们要把鲁迅的"横眉冷对千夫指,俯首甘为孺子牛"两句诗当作座右铭,这两句诗便包括了鲁迅的整个精神,前句是同敌人斗争,后句是为人民服务。我们自己常常以为"赶任务"写不出好的作品来,我们要是看看鲁迅的"遵命文学"的光辉成就,我们自己恐怕是政治热情不够! 学习本领当然是必要的,因为我们还没有鲁迅会写,更重要的是学习鲁迅做"牛"的感情,也就是为政治服务的主动精神。

五、学习鲁迅不做空头文学家的指示。不做空头文学家,是鲁迅积一生的经验在自己将死的时候对孩子的遗嘱。这句话对我们小资产阶级出身的文艺作家有极大的教育意义。在今日,实现这句话的具体道路是深入工农兵,向工农兵学习。我们有极其光荣的使命,有前人所未有的工程等待我们做。

六、学习鲁迅的劳动。把《鲁迅全集》摆在面前,我们看,鲁迅一生怎样忘我地劳动着! 在一九三六年,他写那篇《死》的时候,说了这样的话:"从去年起,每当病后休养,躺在藤(躺)椅上,每不免想到体力恢复后应该动手的事情:做什么文章,翻译或印行什么书籍。想定之后,就结束道:就是这样罢——但要赶快做。"我们要学习鲁迅的为人民鞠躬尽瘁,死而后已。

一九五三年一月十七日写毕于东北人民大学,
一九五五年八月修改、补充。

鲁迅的小说

油印本,未署名。封面上端标"东北人民大学教材",下端标"1957—1958 学年第一学期"。

鲁迅的"狂人日记"

一、"狂人日记"的时代意义和它所表现的鲁迅的进化论的思想

鲁迅做青年的时候受严复翻译的《天演论》的影响是很大的。在《朝华夕拾》里面有一篇《琐记》,鲁迅记他在南京矿路学堂读书的情形,里面特别提到《天演论》,有这样的话:

> 看新书的风气便流行起来,我也知道了中国有一部书叫《天演论》。星期日跑到城南去买了来,白纸石印的一厚本,价五百文正。翻开一看是写得很好的字,开首便道:
> "赫胥黎独处一室之中,在英伦之南,背山而面野,槛外诸境,历历如在机下。乃悬想二千年前,当罗马大将恺撒〔物〕未到时,此间有何景物?计惟有天造草昧……"
> 哦!原来世界上竟还有一个赫胥黎坐在书房里那么想,而且想得那么新鲜?一口气读下去,"物竞""天择"也出来了,……

这些话把鲁迅最初接触西洋人的学问的欢喜都写出来了。毛主席在《论人民民主专政》里面告诉我们,在中国共产党出世以前,先进的中国人向西方国家寻找真理,严复是这一派人物之一,《天演论》便是他翻译的进化论的著作,年青的鲁迅那么地受着它的鼓舞。"物竞""天择"的思想可以说一直支配着鲁迅。到了五四运动前夕,1918年4月,鲁迅写他的《狂人日记》,还有着严复翻译《天演论》时的思想感情,便是,怕中国人不求进步,徒以地大物博而骄傲,结果将有亡国之忧,从进化论者看来就是所谓"自然陶汰","天演公例"。我们看《狂人日记》里面这样的话:"大约当初野蛮的人,都吃过一点人。后来因为心思不同,有的不吃人了,一味要好,便变了人,变了真的人。有的却还吃,——也同虫子一样,有的变了鱼鸟猴子,一直变到人。有的不要好,至今还是虫子。"又如:"你们可以改了,从真心改起!要晓得将来容不得吃人的人,活在世上。你们要不改,自己也会吃尽。即使生得多,也会给真的人除灭了,同猎人打完狼子一样!——同虫子一样!"都正是从进化论的观点发出沉痛的呼声。自然,这是将近四十年以前的话,从我们今日看来是很有些隔膜的。

如果说《天演论》对于鲁迅一辈的人起了影响,鲁迅的《狂人日记》,对于比鲁迅年纪更小一辈的人,对于当时一切进步的知识分子,更其有着鼓动的作用,在中国激起了空前的反对封建文化的高潮。《天演论》的翻译过来,只是给中国少数知识分子以警惕,感觉到中国人要学西方,但它所传播的"物竞""天择"的思想并不能摇撼中国的封建文化,一大部分人的意见认为中国别的方面确不如人,道德总是中国的最好,所以当时有"中学为体,西学为用"的口号。孙中山领导了辛亥革命,中国也确实推翻了满清统治,但又正如毛主席在《新民主主义论》里面说的,"三民主义是和教育界、学术界、青年界没有多大联系的"。中国教育界、学术界、青年界乃是因了鲁迅的《狂人日记》的提示,对于一向听惯了的"仁义道德",忽然要同它清算,知道它——写着"仁义道德"的历史正是一本吃人的账簿! 于是"礼教吃人"四个字出于广大知识分子的口里。当然,这是因为中国已经发生了资本主义经济,中国社会已经逐渐改变了它的性质,不是完全的封建社会,进步的知识分子,尤其有青年学生,到这时很容易感到封建道德的不合理,鲁迅的振臂一呼乃为天下响应。

《狂人日记》的中心思想是打倒封建道德。"我翻开历史一查,这历史没有年代,歪歪斜斜的每叶上都写着'仁义道德'几个字。我横竖睡不着,仔细看了半夜,才从字缝里看出字来,满本都写着两个字是'吃人'!"这样的话同封建社会是势不两立的,无愧为五四运动前夕第一篇声讨封建的檄文。一般的进化论者都是抱着"改良"观念来对付社会问题的,鲁迅从一开始就是以革命者的姿态出现。美帝国主义的代言人实用主义者胡适在五四运动后标榜进化论,那是阻挠中国革命,破坏中国革命,害怕阶级斗争、取消阶级斗争。《狂人日记》所表现的鲁迅的进化论的思想则是要中国人同几千年的封建社会作斗争。鲁迅借了狂人的口说"廿年以前把古久先生的陈年流水簿子踹了一脚","古久先生"便象征着封建中国。在那个时候,进化两个字所代表的思想感情,是非常激烈的东西,是一把尖锐的刀了,中国人拿起了它可以打倒一切的偶象。是的,打倒偶象,中国的知识分子,尤其是青年学生,认真地,活跃地考虑起这个问题来了。辛亥革命后,皇帝这个偶象虽然打倒了,封建社会的上层建筑在人们的思想意识里还是很有权威的,《狂人日记》叫醒人们发生疑问,同时也替人们解决了疑问。它告诉人们一切是进化的,人类同生物是一样的,是进化的,"这吃人的人比不吃人的人,何等惭愧。怕比虫子的惭愧猴子,还差得很远很远。"这一来把"古家的簿子"确是一脚踹了,中国人再也不要向后看,向后看是"吃人"!进化,进化,鲁迅认为这是"一条门槛,一个关头",中国人应该"跨过这一步"。

二、"狂人日记"不是在十月革命的影响下写的

鲁迅写《狂人日记》的时间约在十月革命后五个月,——《狂人日记》是不是在十月革命的影响下写的?许多在大学里讲中国现代文学史的老师们都说是的,鲁迅的《狂人日记》是在十月革命的影响下写的。但是这个说法是不正确的,我们的结论是,鲁迅的《狂人日记》不是在十月革命的影响下写的。

毛主席在《论人民民主专政》里面告诉我们说:"十月革命一声炮响,给我们送来了马克思列宁主义。十月革命帮助了全世界的也帮助了中国的先进分子,用无产阶级的宇宙观作为观察国家命运的工具,重新考虑自己的问题。"中国的先进分子,是以毛主席为首的中国共产党人,首先在中国接受了无产阶级的宇宙观,重新考虑自己的问题。鲁迅不属于这一种人,他是小资产阶级革命知识分子;孙中山也不属于这一种人,他代表资产阶级民主革命。孙中山、鲁迅都是因为中国共产党人的帮助而欢迎十月革命,而接受马克思列宁主义的,毛主席说得很明白,"重新

考虑自己的问题",我们要注意这里的"重新"两个字,就是"打破了中国人学西方的迷梦",而重新用另一个方法考虑问题。这个迷梦,中国共产党人打破得最早,是因为十月革命送来了马克思列宁主义。鲁迅的重新考虑,那就比较地晚了,的确如他自己1932年在《二心集》序言里说的:"后来又由于事实的教训,以为惟新兴的无产者才有将来,却是的确的。"若他写《狂人日记》的时候是1918年4月(4月写成5月发表),那不是"后来",那是太早,连最早的中国共产党人都还没有开始"重新考虑自己的问题"哩。鲁迅是伟大的,在写《狂人日记》的时候,他是"先进的中国人"。其所以为"先进的中国人",是马克思列宁主义还没有送到中国来,而在辛亥革命之后,在五四运动之前,他以革命的热情高呼封建历史是吃人的历史(,)当时的进步知识分子,包括最早的共产党人在内,谁都读了《狂人日记》,谁都受了影响。所以鲁迅是中国反封建运动的启蒙者,是空前的民族英雄。而马克思列宁主义一送到中国来,中国发生了五四运动,中国共产党成立与劳动运动真正开始,鲁迅的《狂人日记》的思想马上退到舞台后面去了,往下的问题是小资产阶级知识分子鲁迅自己的思想改造问题哩。这只表示中国的事情变化得快,马克思列宁主义的力量大,中国共产党的使命大,而鲁迅,同孙中山一样,是伟大的"先进的中国人"。

认为《狂人日记》是十月革命影响之下写的唯一的旁证材料,是《热风》里的一篇杂感《圣武》。其实《圣武》这篇文章,内容不用说,就连字面上与十月革命也丝毫没有关系。关系在于《圣武》是紧跟着另一篇杂感《来了》写的,是《来了》的续篇,在《来了》里面明明提到"过激主义来了",那么《圣武》里面虽然没有

"过激主义来了",也就等于有"过激主义来了",有"过激主义来了"就可见鲁迅的文章是在十月革命影响之下写的,内容如何在所不问。这两篇杂感都是1919年5月发表的,而《狂人日记》只不过早一年,《狂人日记》里面虽然没有"过激主义来了",也等于有"过激主义来了",所以《狂人日记》是鲁迅在十月革命影响之下写的,内容如何在所不问。所谓证据就是如此。其实在鲁迅写《来了》、写《圣武》的时候,共产党人李大钊同志倒已经在中国歌颂十月革命,宣传马克思主义,——而鲁迅不与焉。而提前一年鲁迅写《狂人日记》的时候十月革命的炮声是不是传到了中国?最好是说没有。因为最早的中国共产党人还没有响应。到了中国共产党人大声疾呼歌颂起十月革命来,鲁迅"却并未留心他的文章",有鲁迅的《〈守常全集〉题记》为证。正在这个时候鲁迅写的杂感,虽说上面有"过激主义来了",那是他说他"近来时常听得人说",听得人说这一句话,因而引起了他的感想,他的感想主要写在《圣武》里面。

《圣武》的主题思想是希望中国人看见"新世纪的曙光"。"曙光在头上,不抬起头,便永远只能看见物质的闪光。"鲁迅的这种思想,在他那时写的《我之节烈观》里也有表现,都是对中国的事情发生叹惜。《我之节烈观》里面说,"时候已是二十世纪了!〔;〕人类眼前,早已闪出曙光。"而在中国当时,"将时代和事实,对照起来,怎能不叫人寒心〈,〉而且害怕?"所以我们说他是叹惜。在他更早写的《文化偏至论》里更充分地表现他的"新世纪的曙光"的思想,他认为二十世纪不同于十九世纪,他概括为二事,"曰非物质,曰重个人。"所以在《圣武》里也有"不抬起头,便永远只能看见物质的闪光"的话。总之他认为新世纪的曙光是个人求得解放。好心的人们,一看见鲁迅的"新世纪的曙光"的字面,便认为是十月革命的光辉所照,不然就不能算是鲁迅似的。鲁迅倒真是鲁迅,他要求个人解放,以这个思想为基础,乃在辛亥革命之后,五四运动之前,为中国人民写了声讨封建文化的檄文《狂人日记》。

1919年中国发生了五四运动,1921年中国共产党成立。鲁迅由"呐喊"而变到"仿〔彷〕徨"。他仿〔彷〕徨的时间也并不算短,在1927年,大革命之后,他自己首先说"现在倘再发那些四平八稳的'救救孩子'似的议论,连我自己听去,也觉得空空洞洞了。"(《答有恒先生》)往下鲁迅在自我改造上所用的工夫真值得我们学习!往下鲁迅反抗反革命的文化"围剿"所树立的伟大功勋真值得我们纪念!我们去读从《二心集》起一连八个杂文集,我们想一想毛主席说的"共产主义者鲁迅,却正在这一'围剿'中成了中国文化革命的伟人"这句话!

鲁迅的学习理论与自我改造,决不是简单容易的事。他自己动手翻译马克思主义文艺理论的书,他喻为"从别国里窃得火来,本意却在煮自己的肉的"。又说他翻译的情形:"打着了我的伤处的时候我就忍疼,却决不肯有所增减"。这就是说学习理论同时自己作思想改造。在《〈守常全集〉题记》里他说:"在《新青年》时代,我虽以他为站在同一战线上的伙伴,却并未留心他的文章,譬于〔如〕骑马〔兵〕不必注意于造桥,炮兵无须分神于驭马,那时自以为尚非错误。"可见后来以为是不对的。在《我们要批评家》里他说:"这回的读书界的趋向社会科学,是一个好的,正当的转机,不惟有益于别方面,即对于文艺,也可以催促它向正确,前进的路。"这些话对我们有极大的教育意义,等于鲁迅的自我批评,他早期的个人解放思想就是因为不趋向社会科学,离开阶级斗争而求个人解放。

如果说鲁迅在1918年开始创作就是在十月革命的影响之下,则鲁迅的价值我们完全认识不清,鲁迅的伟大是因为他是五四前夕反封建运动的第一个旗手,他是中国人民反文化"围剿"的唯一的功臣,他勇于学习理论,他勇于自我改造。

三、"狂人日记"显示了文学革命的实绩

鲁迅在《〈中国新文学大系〉小说二集序》里面说:"凡是关心现代中国文学的人,谁都知道《新青年》是提倡'文学改良',后来更进一步而号召'文学革命'的发难者。"接着又说:"在这里(按,指《新青年》杂志)发表了创作的短篇小说的,是鲁迅。从1918年5月起,《狂人日记》、《孔乙己》、《药》等陆续的出现了,算是显示了'文学革命'的实绩,又因那时的认为'表现的深切和格式的特别',颇激动了一部分青年读者的心。"鲁迅的这些话,等于文学史家说的话,他指出了两件事,一是《新青年》杂志提出了"文学革命"的口号,一是鲁迅的小说显示了"文学革命"的实绩。当然,在他举出的几篇小说里,我们应该特别注重《狂人日记》。

我们现在来衡量五四初期新文学运动,也就是所谓"文学革命",当然要从它的"实绩"看,那么《狂人日记》一诞生,中国新文学就诞生了。这一篇文学作品在中国的出现,正同近代的武器、近代的机械初次在中国出现一样,它醒人的耳目,它动人的心魄。当时的读者一读到《狂人日记》新〔就〕懂得什么叫做新文学,原来新文学可以打倒礼教,原来新文学可以是一篇狂人的日记。

在中国新文学运动以前,中国文学里是没有鲁迅的《狂人日记》这样的文学体裁的;宣传仁义道德的文章本来是中国旧文学的正统,如今新文学乃示人以仁义道德的意义是吃人。反动派虽然叫嚷这样的东西是"洪水猛兽",正无异于承认它是时代的潮流,谁都不能抵抗。如果不是鲁迅的《狂人日记》,那么当时的"文学革命"怎么叫做"革命"? 难道在《狂人日记》出世以前在《新青年》上发表的白话诗——旧诗词的自由体就叫做"文学革命"吗?这样的"文学革命",不但从我们今天看来没有新的时代意义,就是同历史上任何时期的任何代表作品对比起来也显得太不够分量了。所以当时做白话诗成绩最好的人马上又回头做旧诗去了,他们知道他们的白话诗赶不上古代的乐府诗词。鲁迅的《狂人日记》乃是一篇时代的诗,是新的小说,因为崭新的内容,因为崭新的形式。从此人们认识中国的新文学了,因为婴儿已经诞生了。《狂人日记》是中国现代文学与中国古代文学中间的一个鲜明的旗帜,这个旗帜就标志着革命,从此中国文学是新文学的历史了,即是脱离封建社会的文学的历史。

我们必须这样认识五四时期中国新文学运动,就是文学革命。若简单地庸俗地把白话运动当做"文学革命",那就无异于把旧社会里的妇女放脚运动当作现代的妇女解放。在五四初期正是把白话诗比喻为放了脚的妇女的"文明脚"的。

中国文学革命的历史的使命,是鲁迅挺身担当起来了。

四、鲁迅的"狂人日记"和果戈里的"狂人日记"

"内容和形式的统一",鲁迅的《狂人日记》做了最好的范例。

鲁迅是很经过一番选择的,当时中国的知识界对欧洲文学的精神面貌□□陌生,而鲁迅个人早已从那里装备了自己(他在日本留学的时候(缺)

因为是日记,不是诗,可以容得小说的描写。因为是狂人日记,则可以不受日常生活的逻辑的约束,二十四史当作一页纸撕了!这是伟大的匠心。

就小说的技巧说,没有果戈里的《狂人日记》恐怕就不可能有鲁迅的《狂人日记》,在中国是史无前例。然而鲁迅小说的思想性则远远超过果戈里的小说,果戈里是倾吐个人的悲愤,最后喊着母亲救自己的可怜的孩子,鲁迅的"救救孩子"是为自己的民族指出前途,它是时代的呼声。

五、小说全文的分析

1

以日记作为一篇小说的体裁在新小说里是普遍的,它正如做真的日记一样,正如写信一样,容易写得真实。用《狂人日记》的体裁,虽然如我们在第四节里说的,有它的便利处,但这便利是在假定你能写得真实这个条件上面,狂人日记写得真实,这个条件却又极不容易。果戈里的《狂人日记》写得真实,鲁迅的《狂人日记》写得真实,而鲁迅的《狂人日记》写得真实便更为难得,因为在鲁迅的笔下是一篇宣传文字。我们读了鲁迅的《狂人日记》,一点也不觉得它的作者是在那里向我们说教,我们只是同情狂人,相信狂人,而且真正地爱他。(缺)

的'救救孩子'似的议论,连我自己听去,也觉得空空洞洞了。"鲁迅说这话时的感情又是极沉痛的。可以说,他创作小说,他写任何一篇文章,都是以负责的精神观察自己国家命运的。

六、鲁迅从进化论走到阶级论

从我们对鲁迅的《狂人日记》的分析看来,鲁迅当时虽然不可能有明确的阶级观点,虽然他不能从阶级斗争求得个人解放,如他自己后来说的有些"空空洞洞"地求解决个人解放的问题,然而在实践当中鲁迅的立场总是站在被压迫被剥削者方面,他把被债主逼死的人和债主分开来,把知县和知县加害的人分开来,把绅士和被绅士打了的人分开来,他也能把"大哥"和向"大哥"要求减租的佃户分开来。而且他分明是"憎恶这熟识的本阶级,毫不可惜它的溃灭",这样明白地对自己作出总结来虽是后来的事,在《狂人日记》里所表现的作者的倾向性,作者对本阶级的憎恶的感情,是令我们非常鲜明地、深刻地接触到的。因为他相信进化论,所以他相信青年必胜于老年,而在他的小说里,又把这个信仰加了一层疑问,这也一定是受了事实的教训。

再说,鲁迅当时虽不可能有阶级观点,而他把吃人礼教不当作是某一个人的吃人,"他们可是父子兄弟夫妇朋友师生仇敌和各不相识的人,都结成一伙",这也就是事实的教训,鲁迅知道在"一伙"之中是无所谓"仇敌"的,象他自己这样觉悟的人则是叛徒,实质上这也就是从阶级上划清了敌我。

然而鲁迅的小说《狂人日记》里面没有中国社会的新的力量,现代中国社会的新的力量是什么?是新起的工人阶级,是二十四史中国社会里所没有的一个东西。鲁迅一旦接受马克思主义，一旦有阶级觉悟，他就替他自己作了总结："原先是憎恶这熟识的本阶级，毫不可惜它的溃灭；后来又由于事实的教训，以为惟新兴的无产者才有将来，却是的确的。"认识了"新兴的无产者"，过去历史上所没有的一个阶级，鲁迅就认识中国革命的力量了。因为有"新兴的无产者"的领导，中国农民乃是革命的伟大的同盟军，地主阶级，鲁迅对它的愤怒的感情，如《狂人日记》所表现的，早已"毫不可惜它的溃灭"，它就灭亡了。

而且，鲁迅最初因为没有阶级观点，也不可能认识世界上有帝国主义这个东西。他在《狂人日记》里屡次提到"真的人"，他说："人约当初野蛮的人，都吃过一点人。后来因为心思不同，有的不吃人了，一味要好，便变了人，变了真的人。"所谓"真的人"，鲁迅那时很可能是支持资本主义国家的人。等到他接受马克思主义以后，有了阶级觉悟以后，他知道在人类社会里主要的事实是阶级斗争，所以他在《答国际文学社》里面说："我在中国看不见资本主义各国之所谓'文化'，我单知道他们和他们的奴才们，在中国正在用力学和化学的方法，还有电气机械，以拷问革命者，并且用飞机炸弹以屠杀革命群众。"这便是在"人"当中有了阶级，在中国有帝国主义和帝国主义的走狗，有革命者和革命群众。这便是通常说的鲁迅由进化论走到阶级论。

"药"

一 主题思想的探讨

"药"的主题思想是什么?这是一个主要问题。这个问题不搞清楚,则鲁迅这篇小说的价值便确定不出来,即使勉强确定了,艺术的真正的教育意义还是发挥不出。偏是到今天这个主要问题没有取得一致的认识。我们现在试作一番探讨。

首先应该看看鲁迅自己对这篇小说说什么。《〈呐喊〉自序》里面说,"但既然是呐喊,则当然须听将令的了,所以我往往不恤用了曲笔,在《药》的瑜儿的坟上平空添上一个花环,在《明天》里也不叙单四嫂子竟没有做到看见儿子的梦,因为那时的主将是不主张消极的。""消极"两个字当然根本上同鲁迅连不起来,他的小说所表现的是多么勇敢的精神!但他以为瑜儿坟上的花环是平空添上去的,是他不恤用了曲笔,那么《药》的主题不是写革命的志士,是写"愚弱的国民"(这五个字也见于《〈呐喊〉自序》),换句话说是鲁迅敢于正视现实,他把他所认识的辛亥革命时代中国社会的不觉醒的程度写出来。我们认为就是如此。

鲁迅在《论睁了眼睛〔看〕》里面说:"中国人向来因为不敢正视人生,只好瞒和骗,由此也生出瞒和骗的文艺来,由这文艺,更令中国人更深地陷入瞒和骗的大泽中,甚而至于已经自己不觉得。世界日日改变,我们的作家取下假面,真诚地,深入地,大胆地看取人生并且写出他的血和肉来的时候早到了;早就应该有一片崭新的文场,早就应该有几个凶猛的闯将!"后面他又说:"没有冲破一切传统思想和手法的闯将,中国是不会有真的新文艺的。"这些话是在1925年说的,离开写《药》的时候已有六年,《药》正是鲁迅最早期的"冲破一切传统思想和手法"的艺术实践。"真诚地,深入地,大胆地看取人生并且写出他的血和肉来的时候早到了",鲁迅一定还以为他的《狂人日记》、他的《药》写得嫌晚了,尤其是《药》,应该在辛亥革命时就写出的。《药》确乎是表现辛亥革命的一篇"血和肉"的作品,是暴露性的,不是歌颂性的。

鲁迅在1928年还写了一篇《太平歌诀》(《三闲〔闲〕集》),篇幅极短,鲁迅认为足以说明当时的市民对于革命者的感情。对于探讨《药》的主题思想,这篇《太平歌诀》应该有参考的价值,我们把它的主要部分抄在下面:

> 4〔四〕月 6〔六〕日的《申报》上有这样的一段记事:
> 〈——〉
> "南京市近日忽发现一种无稽谣传,谓总理墓行将工竣〔竣〕,石匠有摄收幼童灵魂,以合龙口之举。市民以讹传讹,自相惊扰,因而家家幼童,左肩各悬红布一方,上书歌诀四句,借避危险。其歌诀约有三种:(一)人来叫我魂,自叫自当承,叫人叫不着,自己顶石坟。
> (二)石叫石和尚,自叫自承当。急早回家转,免去顶坟

坛。(三)你造中山墓,与我何相干? 一叫魂不去,再叫自承当。"(后略)

这三首中的无论那一首,虽只寥寥二十字,但将市民的见解:对于革命政府的关系,对于革命者的感情,都已〔经〕写得淋漓尽致。虽有善于暴露社会黑暗面的文学家,恐怕也难有做到这么简明深切的了。"叫人叫不着,自己顶石坟。"则竟包括了许多革命者的传记和一部中国革命的历史。

看看有些人们的文字,似乎硬要说现在是"黎明之前"。然而市民是这样的市民,黎明也好,黄昏也好,革命者们总不能不背着这一伙市民进行。鸡肋,弃之不甘,食之无味,就要这样地牵缠下去。五十一百年后能否就有出路,是毫无把握的。

我们认为这篇《太平歌诀》所表现的鲁迅的思想就是《药》的主题思想。一个是从事实反映市民对孙中山的感情,一个是从艺术形象反映市民对辛亥革命的隔膜。总而言之都是"叫人叫不着,自己顶石坟。"写《药》的时候当然更早,就是写《太平歌诀》的时候我们也可以看出鲁迅的思想也还没有转变到马克思主义方面来。然而我们应该承认鲁迅是清醒的现实主义者,他认为"革命者们总不能不背着这一伙市民进行",他把辛亥革命时代市民的形象用打破传统的最高度的艺术手法描绘在《药》里面。俄国⼗月革命帮助了中国的先进分子用无产阶级的宁宙观作为观察国家命运的工具,从此中国就有了出路,并没有什么"牵缠"的问题,鲁迅在思想转变以后就完全知道的。我们今天学习鲁迅,不在乎鲁迅当时的牵缠,在乎扫除我们自己对鲁迅的牵缠,实事求是,然后我们将不替鲁迅后悔他接受无产阶级的宇宙观不算太早,我们倒惊奇于他最早写的"血和肉"的文艺到今天还光芒万丈,我们伟大的现实主义的导师仿佛还在向我们说:"没有冲破一切传统思想和手法的闯将,中国是不会有真的新文艺的。"

是的,《药》是中国文学史上一篇破天荒的文艺创作,应该说它的艺术价值比《狂人日记》还有更多的需要研究的方面。要肯定它的艺术价值,又必得先确定它的主题思想。

二 关于题材的几件事

小说可以写真人真事,就典型的概括性说,真人真事正没有必要的意义。《药》里面的夏瑜是秋瑾的影射,革命志士秋瑾的被杀是真人真事,然而秋瑾是女子,夏瑜则改为男子,秋瑾被杀在1907年夏天,小说里则是秋天,所以又并非真人真事。小说里又特别写明烈士就义之地"古□亭口",就艺术形象说,"古□亭口"对读者并没有什么形象作用,而且还要参考故事以外的历史知识,然而这些知识不是白费的,也就是作者的苦心不是徒劳的,他是要人知道这是秋瑾的被杀,对革命者的向往。写小说一般不需要注解,故事本身应该是明明白白的,象"古□亭口"之类的注解,不是作者应该加的,是作者要读者替他加的。鲁迅在《且介亭杂文》里面《病后杂谈之余》里却也无意间替《药》加了一条注解:"轩亭口离绍兴中学并不远,就是秋瑾小姐就义之处。"

《药》里的花环我们认为是不明白的叙述,并不因为奠祭用花环在当时是少有的事情(辛亥革命前少有而在鲁迅写小说时有便可以把它写进去),而且从小说的文字看难以断定它是奠祭时用的鲜花环。《药》最初在《新青年》杂志上刊出时,有许多读者确实不明白瑜儿坟上的花是花环,也有些同瑜儿母亲一样的纳闷,"这是怎么一回事呢?"直到《呐喊》出世,著者在序里说"在《药》的瑜儿的坟上平空添上一个花环",才算是添了一个注解。

除了"古□亭口",除了瑜儿坟上的一圈花,此外《药》里面没有需要注解的地方,读者把前后文联系起来可以把故事读得明白。象当时的兵穿的"号衣"前后有一个大白圆圈,杀人要在丁字街口,对于今天的读者说当然加一些注解的好,然而从小说的叙述的手法说都是恰够的,作者是通过小说人物的心理来描写这些细节,不宜也不需写得更多。

关于那个鲜红的馒头,在《药》里是通过前后的描写让读者知道它是怎样一回事。在《狂人日记》里对它可算是有一个注解:"去年城里杀了犯人,还有一个生痨病的人,用馒头蘸血舐。"我们在讲《狂人日记》的时候已经说过,这个"犯人"并不是革命党,但鲁迅一定知道这个人血馒头的事实,因为要写一篇《药》,要加重《药》的主题思想,乃把馒头所蘸的血写作革命党的血了,我们于此知道鲁迅是怎样会运用题材的。

三 小说全文的分析

1

《药》的故事分四个章节叙述。第一节是华老栓怎样买得血馒头。

《药》的形式完全是外国短篇小说的形式。外国的小说,尤其是短篇小说,我们可以把它当作剧本看,在剧本里,先要把故事所发生的时间、地点指出来,再来一个布景,然后人物登场,说话,说话时的动作也在剧本上注明出来(当然更多的是在舞台上表演出来),说话者是谁都在话上写出名字来。所有剧本上的这些环节,在小说里也都有,比如《药》的第一节第一段第一句:"秋天的后半夜,月亮下去了,太阳还没有出,只剩下一片乌蓝的天;除了夜游的东西,什么都睡着。"就是说明故事发生的时间。在剧本里只简单地表明是"秋天的后半夜"就够了,如果需要的话就靠布景,在小说里则靠语言的描写发生作用,这是小说便利的地方,即此描写一点作者也大有用武之地。鲁迅的《药》的第一句的描写就是证明。接着两句:"华老栓忽然坐起身,擦着火柴,点上遍身油腻的灯盏,茶馆的两间屋子里,便弥满了青白的光。"这在剧本里应该就是第一幕,第一句的描写没有法子放在舞台上去了,在舞台上也就没有必要,只在剧本上说明是"秋天的后半夜"就够了。华老栓从睡在床上而坐起身以及擦火柴点油灯的情境,在舞台上也还是有限制的,舞台上揭起幕来只能是已经点了灯的茶馆的屋子。小说的艺术有时比戏剧更能真实地表现生活,然而外国小说导引故事的手段确乎同剧本在基本上是一致的。我们在讲《药》的时候首先交代这些话,是因为外国小说形式在中国创作上出现《药》是第一次(《狂人日记》和《孔乙己》虽然提行分段和标点符号,其叙事方法基本上还是照中国原有的),它首先出现,它又首先成功,我们应该知其然,更知其所以然。接着两段:

"小栓的爹,你就去么?"是一个老女人的声音。里面的小屋子里,也发出一阵咳嗽。

"唔。"老栓一面听,一面应,一面扣上衣服;伸出〔手〕过去说,"你给我罢。"

这样的格式对中国当时的读者是太陌生了。我们如果了解到西洋的小说基本上同于西洋的戏剧,便知道这样写人物出场,写人物说话,写人物说话时的动作,并没有什么奇怪,正是把生活复制下来。这里同剧本不同的只不过说话的老女人的名字没有标明出来,然而这也只是一点表面的差异,说话的老女人是谁,读者从"小栓的爹"的称呼里已经知道,所以下文接着的一段首先就描写华大妈了。我们读这一段:

华大妈在枕头底下掏了半天,掏出一包洋钱,交给老栓,老栓接了,抖抖的装入衣袋,又在外面按了两下;便点上灯笼,吹熄灯盏,走向里屋子去了。那屋子里面,正在窸窸窣窣的响,接着便是一通咳嗽。老栓候他平静下去,才低低的叫道,"小栓……你不要起来。……店么?你娘会安排的。"

小说又到底是小说,人物的动作都靠语言的描写,鲁迅在这里便充分表现他的小说家的本领,把华大妈同华老栓对于 包洋钱的授受该描写得多么真实!我们要注意,鲁迅是用十分同情的笔触写这两个人物的。"枕头底下掏了半天","抖抖的装入衣袋,又在外面按了两下",这当然是熟悉生活,从典型的动作上把人物的性格,一个开茶馆的老头儿,一个老女人,一下子让读者认识了。而最难得的,"便点上灯笼,吹熄灯盏,走向里屋子去了",是真真善于刻划细节,因之也表现了人物,华老栓写到这里便永远是华老栓!我们这样说一点也不是夸大。因为华老栓已经这么真实,而且作者只费了很少的笔墨,所以下文写他走到街上,作者就存心来渲染一下,"天气比屋子里冷得多了;老栓倒觉爽快,仿佛一旦变了少年,得了神通,有给人生命的本领似的,跨步格外高远。"读者也很爱这种渲染,所以然就是华老栓已经是华老栓,不会变成别的人了,否则渲染就容易失真。鲁迅在《药》里极其成功地掌握了这两种手法,一方面抓住细节白描,一方面渲染,往下我们还要举例。鲁迅的小说格外有乡土色彩,他用了外国形式而格外显得是中国的作品,他善于选择他的时代里的中国生活就是一个原因,《药》里的"灯盏",尤其是"灯笼",尤其是"点上灯篝〔笼〕","吹熄灯盏",都是中国生活的画龙点睛。在这一段里,本来是交代华老栓拿了洋钱出去买"药",同时也要把患痨病的小栓介绍出来,在伟大的作家的手下,艺术就是艺术,不光是交代故事,不光是介绍人物,而在短篇小说里又更要求精彩。鲁迅的《药》确乎是榜样。

第五段写华老栓从自己的家里出来,"走到街上",这"走到街上"四个字也是作者告诉我们故事发生的地点,从此读者知道这个故事是叙一个城里发生的事情,不是在乡村的市上,如果单从前面对茶馆的叙述看,这个茶馆也可以出现于乡村的市上。"街上黑沉沉的一无所有,只有一条灰白的路,看得分明。灯光照着他的两脚,一前一后的走。"在鲁迅以前,在中国的小说里,是没有作这样的真实的细节的描写的。这样的描写完全有必要,否则你的小说就不能给人以真实感。这样的描写又要作者深入生活,必须有多方面的生活的经验。古代的小说家有多方面的生活的经验,也会写,但描写的范围受了局限。今日的青年作家就是生活的经验太狭,或不深入生活,必须学习鲁迅描写黑夜走路就真正懂得黑夜提着灯笼走路的实际,"灯光照着他的两脚,一前一后的走。"接着"有时也遇到几只狗,可是一只也没有叫"也是实际,街上的狗对于点灯笼的人是如此。在没有生活经验的作家的笔下很可能遇着狗就是吠了,那就叫做一般化。接着"天气比屋子里冷得多了;老栓倒觉爽快,仿佛一旦变了少年,得了神通,有给人生命的本领似的,跨步格外高远。而且路也愈走愈分明,天也愈走愈亮了。"我们已经说过,这是鲁迅故作渲染,这种渲染也是合乎华老栓的心理的。他是一个饱有生活经历的人,他的衣袋里有洋钱,是他开了多少年的茶馆攒下来的,现在拿出去近乎孤注一掷,而他的孤注一掷是非常谨慎的,是他同华大妈两人共同的目的,一生的生活哪有象今夜一样提着灯笼奔往前途呢?所以鲁迅说这个可怜的老人"跨步格外高远"。事实上路是愈走愈分明,因为天亮了。而社会现实,华老栓个人的命运,是黑暗,这个愚昧无知的老年人无法知道。在描写和叙述之中,作者把自己的思想感情渲染以墨色,中国的小说也是从鲁迅的《药》才开始有的。中国的诗歌倒向来用过这种手法,象陶渊明的"云无心以出岫,鸟倦飞而知还"是有名的。小说则一般认为是闲书。是的,是鲁迅把中国的小说庄严起来了。

第六段:"老栓正在专心走路,忽然吃了一惊,远远里看见一条丁字街,明明白白横着。他便退了几步,寻到一家关着门的铺子,蹩进檐下,靠门立住了。好一会,身上觉得有些发冷。"我们已经说过,鲁迅写华老栓、华大妈是用同情的笔触,这里写华老栓看见丁字街而吃惊,又把他写得是很善良的。对此我们应该有一个疑问,我们在作《药》的主题思想的探讨时,确定《药》是暴露性的作品,主要是暴露市民对革命者没有感情,处于不觉悟的状态,并把作者在后来写的《太平歌诀》拿来作比较,在《太平歌诀》里,鲁迅极其愤慨,哪里有什么同情可言呢?现在对华老栓确乎是同情,那么同情与暴露怎么联系得起来呢?是的,这是一个有意义的问题。《太平歌诀》没有接触到具体的人,鲁迅愤慨于一般市民对孙中山没有感情,鲁迅认为这是社会的黑暗面。同样,《药》里面的华老栓是市民,对大清天下造反的人没有感情,拿他的血蘸馒头,鲁迅写《药》就是写"革命者的传记和一部中国革命的历史",如《太平歌诀》所说的,所以《药》也正是暴露社会的黑暗。然而《药》是一篇小说,在黑暗的社会里给我们写出了许多形象,鲁迅的立场当然是站在瑜儿一面,也就是华老栓一面,所以才愤慨他对革命者为什么这样漠不相关!愤慨他对革命者漠不相关,就是告诉他人民应该同革命者一起了。总之鲁迅是人民的立场,他描写人民的愚昧生活时,他应该同情人民了,因为他是在这里教育人民。我们说鲁迅同情华老栓,与说《药》是暴露性的作品,是不相矛盾的。等到我们分析《药》里面的统治阶级人物时,再看鲁迅对他们的憎恶的感情,便知道鲁迅爱憎分明了。我们一方面很容易接触到鲁迅对他的小说的人物的爱和憎,一方面也丝毫不难辨别他的小说的性质。这样的解释,不知能够满足否?我们还是回到华老栓看见丁字街而吃惊的善良的形象。他"正在专心走路",他"忽然吃了一惊",他为什么"忽然吃了一惊"呢？因为这里是丁字街，因为天正在亮，这里就要杀人！"他便退了几步，寻到一家关着门的铺子，蹩进檐下，靠门立住了。"这一句话也同前面的"点上灯笼"，"吹熄灯盏"一样，真正是华老栓的动作！"好一会，身上觉得有些发冷"，这是在他走一阵子路"跨步格外高远"之后，忽然又站到冷酷的现实面前来了。而在这冷酷的现实面前有他的希望，他的生活的光明，他同华大妈两人共同的，所以他"靠门立住"，就是说他等着。

接着照中国旧小说的写法应该是"话分两头"一类的句子，因为要从说话人口里把另一方面人物介绍出来，《药》却是第一次采用西洋方法，由人物自己登场，登场就说话，话都给"靠门立住"的华老栓听见了，两个人各说了一句：

"哼，老头子。"
"倒高兴……。"

这些人的话老栓是怕听的，是熟悉他们的声音的，而今天是自己衣袋里装了洋钱来买这怕听的话。听了两个人的话，所以小说接着写："老栓又吃一惊，睁眼看时，几个人从他面前过去了。一个还回头看他，样子不甚分明，但很象〔像〕久饿的人见了食物一般，眼里闪出一种攫取的光。"这个回头看他的人我们想就是今天的刽子手，那一句"倒高兴……。"也是他指着华老栓说的，他自己是"高兴"，因为华老栓到了。这时天色本来还不大亮，善良的华老栓又确实吃了惊，他的精神可能有些恍惚，所以他不是很清楚地看见那人，小说特地写着那人"样子不甚分明"。虽说"样子不甚分明"，华老栓已经是他的"食物"了，自己的存在与那人的存在是怎么一回事一瞬间应该明白了,如同遇见食人的狼。老栓确是害怕。所以小说接着写:"老栓看看灯笼,已经熄了。按一按衣袋,硬硬的还在。"这又是伟大的描写。老栓如果不是吃了惊,天亮了他会自己把灯笼吹熄的,如同在家里吹熄灯盏一样,现在是灯笼自己熄了,熄了他不知道。再一动作就应该是按一按衣袋,是的,"还在",这两个字的心理与灯笼"已经熄了"对照得多么真实!这就叫做会写人物。而鲁迅在这段里是告诉读者刽子手已经到了。接着就从老栓的眼里写出许多看众。"仰起头两面一望,只见许多古怪的人,三三两两,鬼似的在那里徘徊;定睛再看,却也看不出什么别的奇怪。"这里面"鬼似的在那里徘徊",一点也不是空话,是真写得好,如果说有什么东西象鬼,这三三两两的人就是鬼徘徊!我们还要记得,丁字街店铺的门都是关着的,街上是阴森的。老栓自己是有很大的事,但旁人是做什么呢?所以"定睛再看,却也看不出什么别的奇怪。"

接着一段:"没有多久,又见几个兵,在那边走动;衣服前后的一个大白圆圈,远地里也看得清楚,走过面前的,并且看出号衣上暗红色的镶边。——一阵脚步声响,一眨眼,已经拥过了一大簇人。那三三两两的人,也忽然合作一堆,潮一般向前赶,〔;〕将到丁字街口,便突然立住,簇成一个半圆。"这同《水浒》上描写的簇拥法场的情形不一样,这是白描,《水浒》是说话人说得热闹,意在引人入胜。白描的文章令人吃惊,"一阵脚步声响,一眨眼,已经拥过了一大簇人",在反革命时代,中国的革命志士不知有多少被拥在这样一大簇人之中,作了这样的记录的第一个是鲁迅!鬼一般的人潮一般向前赶,他们围着看杀革命党人!因为是丁字街,所以他们簇成一个半圆。鲁迅一定看见过他的故乡丁字街看杀人的。

接着在白描之后鲁迅又用渲染的手法了："老栓也向那边看,却只见一堆人的后背;颈项都伸得很长,仿佛许多鸭,被无形的手捏住了的,向上提着。"鲁迅这样写着,我们可以推想他的悲哀的,中国人如果不是经过俄国人找到马克思主义,从阶级斗争提高人民的觉悟,是无法涂掉鲁迅所写城市〈市〉市民的形象的。我们得承认鲁迅是清醒的现实主义者,他大胆地诚实的把"愚弱的国民"给我们指示出来。我们于佩服他的爱国的勇敢的精神之外,又佩服他的新颖的艺术手法,他把一向认为闲书的中国小说提高到哲学地位了,就是作家要有作家的世界观。很分明,这里所反映的作家鲁迅的世界观是从生物学的观点看社会问题,是不正确的,他的感情同《头发的故事》里面这一句话是一样的："阿,造物的皮鞭没有到中国的脊梁上时,中国便永远是这一样的中国,决不肯自己改变一枝〔支〕毫毛!"鲁迅是爱国的,是朝夕求进步的,——他就是怕中国人不进步!我们现在在中国共产党领导之下,受了教育,懂得的事情比鲁迅在当时多,然而我们还得学习鲁迅冲破一切传统思想和手法,首先创造中国新文艺的实践!我们要懂得怎样掌握进步的世界观塑造艺术形象。这是头等重要的工作。可惜,到今天为止,我们还不是实事求是地探讨《药》的主题思想,而是把我们自己的流行的概念(好比一种孤立的"反封建"的概念)强加在鲁迅的小说上去,仿佛不如此就不足以见鲁迅的价值似的。这样就向鲁迅学不着什么了。在鲁迅本着他的哲学塑造中国的看客的时候,中国的革命党人就被杀了,小说是这样写着:"静了一会,似乎有点声音,便又动摇起来,轰的一声,都向后退;一直散到老栓立着的地方,几乎将他挤倒了。"看起来，鲁迅决定要写《药》，是愤慨于愚昧无知的人拿革命党的血做迷信物品，他认为这样的人足以为中国市民的代表，对革命党没有感情，完全不知道革命是怎么一回事，而从人物的形象看来，愚昧无知的人倒还是很可同情的，他不能作为市民的代表，鲁迅另外写了许多看客，小说的笔锋完全针对着他们了，——这样《药》的主题思想并没有改变，只是形象更真实了，生活是多方面的，逻辑思维渗透到形象思维成功艺术的特点。我们认为鲁迅的小说《药》的产生就是如此。

接着就是刽子手拿了鲜红的馒头来了，就是他杀了夏瑜，拿馒头蘸了夏瑜的血，拿来同华老栓做买卖。小说写了下面的两段：

"喂，〔!〕一手交钱，一手交货！"一个浑身黑色的人，站在老栓面前，眼光正象〔像〕两把刀，刺得老栓缩小了一半。那人一只大手，向他摊着；一只手却撮着一个鲜红的馒头，那红的还是一点一点的往下滴。

老栓慌忙摸出洋钱，抖抖的想交给他，却又不敢去接他的东西。那人便焦急起来，嚷道:〔，〕"怕什么？怎的不拿！"老栓还踌躇着；黑的人便抢过灯笼，一把扯下纸罩，裹了馒头，塞与老栓；一手抓过洋钱，捏一捏，转身去了。嘴里哼着说:〔，〕"这老东西……。"

这样刽子手的买卖做成功了，血馒头塞与了华老栓。华老栓对于这种人的眼光是熟悉的，但总是怕的，现在两只眼睛就是两把刀，是自己要来受刺的，有什么法子呢，所以"慌忙摸出洋钱,抖抖的想交给他",然而"却又不敢去接他的东西"! 鲁迅笔下的华老栓是多么善良! 他的洋钱实在是刽子手从他的手上打劫过去的,刽子手"一手抓过洋钱,捏一捏,转身去了。嘴里哼着说,'这老东西……。'"我们想一想,这同前面走过华老栓,望着他说一句"倒高兴……。"都是刽子手对于老实人的口吻。从《药》里所写的华老栓看来,他实在是一个可怜的灵魂,只有希望儿子的病好是他自己的感情,其余他的思想、他的动作都是外面的势力强加给他的,他的洋钱是"抖抖的装入衣袋",他"抖抖的想交给他,却又不敢去接他的东西",这个叫他害怕的东西是刽子手"塞与老栓",刽子手"一手抓过洋钱"! 等到他拿了"药"回家以后,他只械械地说了两句话,一句是两个字向着华大妈答道"得了。"一句是两个字答着花白胡子说着"没有。"如小说第二节第三节所写的。这便是辛亥革命时代善良然而愚昧,对革命没有理解,对革命党人没有感情的中国的市民。鲁迅本来不是立意写他的善良,是要写他的愚昧无知,这个愚昧无知的人是善良的。愚昧无知的根源,长期封建统治的社会根源,鲁迅还探求不出,他认为人们的颈项伸得很长是"被无形的手捏住了的"。然而鲁迅确是苦心孤诣地给我们写了一篇《药》,他要革命者正视人的觉醒程度。我们认为我们的分析是合乎鲁迅当时思想的实际情况的。我们在这里还不要忽过一件事,就是鲁迅的伟大的描写,通过细节写人物,同时显得中国小说的色彩。我们指的是刽子手抢过华老栓手里的灯笼,"一把扯下纸罩,裹了馒头,塞与老栓"这几句。中国的刽子手多么善于了却此一段公案呵,专门会欺负老实人呵! 这当然是鲁迅熟悉生活,不过这种写法也很象《水浒传》里的写法,写得仔细,不然华老栓还得提着灯笼回家了。若前面"灯光照着他的两脚,一前一后的走",则是现代小说才有的细节描写。

小说写到这里,封建社会迷信着的失掉了生命的人的血蘸的馒头的一味"药"已经给华老栓买得了,所以接着一段就这样叙着:"'这给谁治病的呀?'老栓也似乎听得有人问他,但他并不答应;他的精神,现在只在一个包上,仿佛抱着一个十世单传的婴儿,别的事情,都已置之度外了。他现在要将这包里的新的生命,移植到他家里,收获许多幸福。"鲁迅在这里才真是描写华老栓的愚昧无知,用的又是渲染的手法,而且这里的渲染完全是讽刺的。接着又是伟大的小说的微言大义,写着当时中国社会的黑暗无光:"太阳也出来了;在他面前,显出一条大道,直到他家中,后面也照见丁字街头破匾上〈,〉'古□亭口'这四个暗〔黯〕淡的金字。"这在中国文学史上是没有前例的带有倾向性的叙述之文,写得非常美丽。所有鲁迅的这些写法,都是从外国文学学习来的。再说,《药》的第一节这最后一段不等于作者在后来写的《太平歌诀》吗?

2

第二节写小栓怎样吃"药"。

这一节比较简单,运用西洋小说形式把情节慢慢展开,不是作者用直接的叙述告诉我们,如中国戏剧和小说那样,而是通过作者对人物的描写,读者联系前后的情节自己明白。如华大妈"端过一碟乌黑的圆东西",当然是前文叙述的放在灶里烧的"那红的馒头",她对小栓轻轻说:——

"吃下去罢,——病便好了。"

那么《药》的故事写到这里,老栓一大早去买人血馒头,拿回来给自己的儿子吃,作为治病的"药",读者已经明白了。

接着描写小栓吃"药"的状况,又是一面白描,一面渲染,白描的部分我们不抄引,我们且看鲁迅是怎样善于渲染的。"他(小栓)的旁边,一面立着他的父亲,一面立着他的母亲,两人的眼光,都仿佛要在他身里注进什么又要取出什么似的;便禁不住心跳起来,按着胸膛,又是一阵咳嗽。"这是鲁迅从外国文学里学习来的写法,在中国文学里,不论戏剧和小说,是没有这样"仿佛"的句子的。还有,小栓最初撮起那烧黑的东西,"看了一会,似乎拿着自己的性命一般",是同样的渲染的句子。这种句子把可怜的小栓的心理和命运写得多么深刻。所以鲁迅的《药》,对中国小说艺术的创造上,是开了许多方便的。而善于创造的人,就是善于向外国学习。

我们又说过,鲁迅小说用了外国形式而格外显得是中国的作品,是他善于选择他的时代里的中国生活,在这第二节里也可以证明这一点。如这一节开始,写华老栓拿了"药"回家,店面收拾得干净,还没有客人,因为太早了,"只有小栓坐在里排的桌前吃饭,大粒的汗,从额上滚下,夹袄也帖住了脊心,两块肩胛骨高高凸出,印成一个阳文的'八'字。"这"印成一个阳文的'八'字"把两块肩胛骨高高凸出的人坐在眼前,令读者害怕! 当然这是过去中国害痨病的青年人的形象,在新中国社会里这种病人已经遇不见,但我们要知道,鲁迅真是对中国事情会写的作家。

我们已经说过,这一节里华老栓只说过一句话,两个字,便

是华大妈见他回来问他"得了么?"他答着"得了。"在《药》里是取着外国的戏剧的形式,用了这么的两行:

"得了么?"
"得了。"

这样非常明显地显出这种形式的长处,两句极其简单的话,把环境中的两个人物都写出来了;就小说的结构说,把前面的故事都绾住了,往下是吃"药"的事。

这一节最后一段:"小栓依他母亲的话,咳着睡了。华大妈候他喘气平静,才轻轻的给他盖上了满幅补针〔钉〕的夹被。"这里"满幅补钉"几个字,又是鲁迅对生活的画龙点睛,连同最初华大妈在枕头底下掏洋钱的叙述,读者对开茶馆的老夫妇的生活状况留下很深的印象了。同时,很明白,鲁迅是用很同情的笔触写的。

在这一节里,于华老栓一家三人之外,作者又给我们写了一个人物,就是驼背五少爷。当茶馆的灶里正在烧馒头时他走进来。"'好香!你们吃什么点心呀?'这是驼背五少爷到了。这人每天总在茶馆里过日,来得最早,去得最迟,此时恰恰蹩到临街的壁角的桌边,便坐下问话,然而没有人答应他。'炒米粥么?'仍然没有人应。老栓匆匆走出,给他泡上茶。"在情节的布置上,这里非插进一点什么不可,不然里面烧馒头,接着华大妈叫小栓进去"吃下去罢",就显得是单调的叙述,不象生活的现实了,而驼背五少爷的进来真是生活,是鲁迅的杰作。鲁迅对他本阶级的人物太熟悉了,随处给以憎恶。今日的青年读者,对旧时代的茶馆,以及城市里在茶馆过日的人,当然不懂得,不知能欣赏鲁迅的杰作否?

3

读完第二节,读者知道了这个故事是写人血馒头做"药",但还不知道是什么人的血,虽然杀人的地方明写着"古□亭口"。第三节作者便要我们知道是什么人的血,这个人是辛亥革命时代的革命党人。

这第三节同第一节一样,是很不容易写的,在这里,茶馆发生了很大的作用,许多人容易集中到茶馆里来,故事的内容便可以和盘托出了。于此,我们推想作者把华老栓选择为一个开茶馆的人,是很费了匠心的,对故事的各个方面有方便,容易写得真实。或者作者是有一定的生活经验作底子的罢。《药》里的人物在这第三节里都出现了,大半是直接出现,少半是间接出现。当然,对于其中的人物,作者是爱憎分明的。首先夏瑜是间接出现,在这一节里还只知道他姓夏,夏瑜的母亲在这一节里也是间接出现,这是敌我两方"我"一方面的人物。老栓,华大妈,小栓,作者也是把他们站在"我"这一方面,哀其愚昧而寄以同情。在敌的方面,间接出现的有管牢的红眼睛阿义,告官的夏三爷,直接出现的首先是姓康的刽子手,其余三个,驼背五少爷,花白胡子,"坐在后排的一个二十多岁的人",都是鲁迅笔下所憎恶的。我们看刽子手出现,(其实读者已经认识他,只不知他姓什么!)"突然闯进了一个满脸横肉的人,披一件玄色布衫,散着纽扣,用很宽的玄色腰带,胡乱捆在腰间。刚进门,便对老栓嚷道:〈──〉

'吃了么?好了么?老栓,就是运气了你!(你运气,)要不是我信息灵……。'"无疑的，鲁迅是亲眼见过这种刽子手的，不是模仿旧小说描写他的衣衫腰带。尤其是"胡乱捆在腰间"一句，仿佛很象《水浒》文章，其实鲁迅看见的这种人就是如此。我们今天的青年读者，因为自己是新社会的人，对于鲁迅时代的生活，读起来也有些象读《水浒》了，这是非常有意义的事。接着写老栓夫妇对刽子手的态度："老栓一手提了茶壶，一手恭恭敬敬的垂着；笑嘻嘻的听。满座的人，也都恭恭敬敬的听。华大妈也黑着眼眶，笑嘻嘻的送出茶碗茶叶来，加上一个橄榄，老栓便去冲了水。"我们要知道，衙门里干勾当的人，好比这个刽子手，是常日坐茶馆的，他今天因为做了好买卖，就格外高兴要来，所以他来并不是为了要问老栓"吃了么？好了么？"——这样的话便表现他是同老栓开玩笑！他是清早来坐茶馆。老栓夫妇也只是照常做生意，招待顾客，讨顾客的欢喜，而对于象"康大叔"这样的顾客，更是得罪不得的，所以"恭恭敬敬的"，"笑嘻嘻的"，至于昨天从后半夜起的事情，反正自己的洋钱已经给人了，他们是没有法子再关心的，愚昧无知的人一举一动就是这样的，是被外面的势力支配着的。鲁迅的小说之所以令读者感到真实，不是一般的为什么而写什么，真实地表现人物也是一个重要的原因。我们看接着写刽子手和华大妈：

"这是包好！这是与众不同的。你想，趁热的拿来，趁热吃下。"横肉的人只是嚷。

"真的呢，要没有康大叔照顾，怎么会这样……"华大妈也很感激的谢他。

"包好，包好！这样的趁热吃下。这样的人血馒头,什么痨病都包好!"

华大妈听到"痨病"这两个字,变了一点脸色,似乎有些不高兴;但又立刻堆上笑,搭赸着走开了。这康大叔都〔却〕没有觉察,仍然提高了喉咙只是嚷,嚷得里面睡着的小栓也合伙咳嗽起来。

这时茶馆里就只有刽子手的"嚷",嚷得华大妈终于"搭赸着走开了",刽子手并不听见小栓的咳嗽,他今天早晨真是高兴!鲁迅对于刽子手这样的人物,对于茶馆的生活,真是熟悉的。小说家要把自己的主题思想传达给读者,在许多场合依靠细节的描写配合得真实,使得读者提〔是〕接触生活,不是呆听作者的主题思想。

往下才是这一节的主要篇幅,由花白胡子"走到康大叔面前,低声下气的问道,'康大叔——听说今天结果的一个犯人,便是夏家的孩子,那是谁的孩子?究竟是什么事?'"读者到此方可完全肯定第一节所写的丁字街的事情是杀人,"康大叔"是刽子手,(就外国小说的形式说,是需要用这样的方法来说明故事的)而夏家的孩子是谁的孩子,究竟是什么事,又所以引起下文来。说到此,我们又应该附带说一点,外国小说虽然也有些小说作法,但在大作家的手下不显得是小说作法,只显得人物写得生动,好比这里的花白胡子,他既然是花白胡子,他就走到刽子手面前,低声下气叫着"康大叔",——多么活现一副花白胡子的面孔呵!按着就由刽了手说:

"谁的?不就是夏四奶奶的儿子么?那个小家伙?

〔!〕"康大叔见众人都耸起耳朵听他，便格外高兴，横肉块块饱绽，越发大声说，"这小东西不要命，不要就是了。我可是这一回一点没有得到好处；连剥下来的衣服，都给管牢的红眼睛阿义拿去了。——第一要算我们栓叔运气；第二是夏三爷赏了二十五两雪白的银子，独自落腰包，一文不花。"

这完全是刽子手的话，他得意洋洋，得了华老栓的洋钱，而他说"第一要算我们栓叔运气"，谁都知道他这句话是陪衬的，他着力的话是"连剥下来的衣服，都给管牢的红眼睛阿义拿去了"这一句，耸起耳朵听的人也在这一句，鲁迅要我们注意的也在这一句，另外还有夏家的本家告官。不过"告官"两个字还要刽子手再说的时候说出来，现在只说二十五两银子独自落腰包，耸起耳朵听的人也已经知道了罢了。

我们读接着的这一段：

　　小栓慢慢的从小屋子走出，两手按了胸口，不住的咳嗽；走到灶下，盛出一碗冷饭，泡上热水，坐下便吃。华大妈跟着他走，轻轻的问道，"小栓（,）你好些么？——你仍旧只是肚饿？……"

在刽子手得意洋洋大声说话当中插这一段，表示作者创作的进行总不忘记是表现生活，不肯丝毫显出为解释故事而写的痕迹。小栓的病是不会"好些"的了。害这种病的人就是肚饿，鲁迅把小栓写得多么逼真，一个茶馆里的害痨病的儿子。华大妈问着"小栓(,)你好些么?——你仍旧只是肚饿?……"就表示她知道"药"是白吃的了,她向着"康大叔"堆上笑脸确乎是不敢得罪他。他,当然更是知道的,所以接着写他"瞥了小栓一眼"。这种描写我们都是应该注意的。我们读小说而为小说的真实性所吸引,与这种细节都有关。

我们读接着的两段:

"包好,包好!"康大叔瞥了小栓一眼,仍然回过脸,对众人说,"夏三爷真是乘〔乖〕角儿,要是他不光〔先〕告官,连他满门抄斩。现在怎样?银子!——这小东西也真不成东西!关在牢里,还要劝牢头造反。"

"阿呀,那还了得。"坐在后排的一个二十多岁的人,很现出气愤模样。

我们在分析《狂人日记》的时候曾提起过鲁迅在《药》里为什么写这"一个二十多岁的人"对造反表示气愤,一句话,在本阶级当中,无论年老的,无论年少的,鲁迅都作过深心的观察,特地要作记录。这里才开始,用间接的方法,说明这个故事里被杀的人是革命党,"关在牢里,还要劝牢头造反。"

接着两段对话又间接地说明这个革命党人是辛亥革命党人,从他说的"这大清的天下是我们大家的"这一句话可以知道;又替我们描写了统治阶级,通过红眼睛阿义写驼背,真是不能写得更简单,更深刻。我们把这两段都抄下来:

"你要晓得红眼睛阿义是去盘盘底细的,他却和他攀谈了。他说:这大清的天下是我们大家的。你想:这是人话么？红眼睛原知道他家里只有一个老娘,可是没有料到(他)竟会那么穷,榨不出一点油水,已经气破肚皮了。他还要老虎头上搔痒,便给他两个嘴巴。〔!〕"

"义哥是一手好拳棒,这两下,一定够他受用了。"壁角的驼背忽然高兴起来。

驼背来得最早,他在壁角坐着,他这时才忽然高兴起来,——从小说的倾向性看起来,这些人分明是反革命派。

我们可以说,第三节往下的文章,类似《狂人日记》的思想感情。狂人说:"最可怜的是我的大哥。他也是人,何以毫不害怕;而且合伙吃我呢？还是历来惯了,不以为非呢？还是丧了良心,明知故犯呢？"瑜儿也便说打他的管牢的红眼睛阿义"可怜"！不过鲁迅的思想不是简单的,在他的小说里,一方面说"最可怜的是我的大哥,"一方面就说"合伙吃我的人,便是我的哥哥!"《药》里把阶级敌人的面孔也描写出来了,瑜儿和红眼睛阿义攀谈是"他还要老虎头上搔痒",结果"义哥是一手好拳棒,这两下,一定够他受用了。"说话的驼背是多么凶呵！"壁角的驼背忽然高兴起来"这一句是够分量的。

最后花白胡子说瑜儿的话是"疯话","简直是发了疯了。""'发了疯了。'二十多岁的人也恍然大悟的说。""'疯了。'驼背五少爷点着头说。"这同《狂人日记》的情况是一样的。

最后在这一节里我们还应该注意一件事,就是鲁迅最后写刽子手的凶狠。当茶馆里的人说"疯了"的时候,"小栓也趁着热闹,拼命咳嗽;康大叔走上前,拍他肩膀说:〈——〉

'包好！小栓——你不要这么咳。包好！'"不但他的话是同小栓开玩笑,他的手拍小栓的肩膀是够小栓受用的,等于"义哥是一手好拳棒"！我们要学习鲁迅刻划敌人的凶狠。

4

前面的三节,写的是一天的事情,《药》的故事可说是已经完了,我们假定鲁迅认为可以"包括了许多革命者的传记和一部中国革命的历史"。当然他的意思指的是他所经历的辛亥革命。革命者的勇敢和光明当然也都写出来了,但作者意不在此,用鲁迅自己的话这篇小说就是"善于暴露社会黑暗面"的文学。那么这第四节是不是多余的呢？删掉它可不可以呢？完全不可以。鲁迅小说的中国气派,民族风格,又充分表现在这第四节上面。我们应该加以说明。

鲁迅自己也说了,瑜儿坟上的花环是添上去的。其实问题不在添上花环,在于《药》的故事有这第四节,也就是"这一年的清明"要上坟,要上坟,瑜儿的坟上不添花环行吗？不但作者的感情不许可,读者的感情也是不许可的,鲁迅在《呐喊》序里说"那时的主将是不主张消极的",是故意把读者的感情替自己作声授〔援〕罢了。那么清明上坟对《药》的故事究竟有什么必要呢？是因为要说明小栓的病没有"包好",他吃了"药"当然还是死了,故而描写他的"新坟"吗？这也许可以成为原因,但不是重要的。我们已经引了鲁迅自己的话,"大胆地看取人生并且写出他的血和肉来的时候早到了","没有冲破一切传统思想和手法的闯将,中国是不会有真的新文艺的",《药》的主题思想和手法就是鲁迅对于创造中国新文艺的实践,主要是从外国文学学习来的,在题材构思上最直接有关系的很可能是安特莱夫的一篇小说——中国译作《齿痛》。然而写到最后,要写一节清明上坟,要上坟,瑜儿的坟上就要添一圈鲜花,我们认为仍然是民族传统的表现,中国民间文学的精华在鲁迅的小说里有了。是的,我们想到了《窦娥冤》。在现代的现实主义创作方法之下,当然不能违反自然规律,有什么"六月雪"——但"六月雪"是非常美丽的,"若果有一腔怨气喷如火,定要感的六出冰花滚似绵!"现代的创作上面瑜儿的坟上很自然地可以写一圈鲜花。所以鲁迅说,"在《药》的瑜儿的坟上平空添上一个花环"。我们看鲁迅怎样写瑜儿的母亲对瑜儿的坟上"一圈红白的花"的发现罢,"他(她)想了又想,忽又流下泪来,大声说道:〈——〉

'瑜儿,他们都冤枉了你,你还是忘不了,伤心不过,今天特意显点灵,要我知道么?'他四面一看,只见一只乌鸦,站在一株没有叶的树上,便接着说,'我知道了。——瑜儿,可怜他们坑了你,他们将来总有报应,天都知道;你闭了眼睛就是了。——你如果真在这里,听(到)我的话,——便教这乌鸦飞上你的坟顶,给我看罢。'"我们看这位老母亲的话比瑜儿说牢头可怜的话要显得知道得仇恨得多,她知道血债要用血来还,她要求"将来总有报应",比起"六月雪"的愿望来现实性不知要大多少。当然,这是现代的现实主义作家写的,瑜儿坟上的花环只是表示辛亥革命失败之后中国还要革命。鲁迅写《药》时的思想感情是如此,历史事实也正是如此,中国由五四运动起中国共产党领导了中国的新民主主义革命。瑜儿坟上的花环真表示中国文学的民族风格,也表现鲁迅善于欧化,他把《窦娥冤》一类的故〔古〕典文学所表现的现实主义提高了一步,作者的倾向性在这里是沉默,不轻于答应,——也答应了,就是辛亥革命失败了,中国还要革命。鲁迅后来在《〈中国新文学大系〉小说二集序》里说,"《药》的收束,也分明的留着安特莱夫式的阴冷",他所谓"阴冷",大约指着乌鸦飞了,使得瑜儿的母亲失望。其实,据我们看,这不是阴冷,这还是鲁迅的"热风",在现代的现实主义作家的笔下,乌鸦是应该飞去的,它不能同"六月雪"一样平空地满足人民的愿望,它只是小说的背景。鲁迅的"热风"就表现在坟上的一圈花环,是中国人民通过伟大的作家鲁迅给辛亥革命党人送来的。

我们认为这一节的描写文字十分美丽,好象鲁迅是用铁笔写的,正如他描写乌鸦在没有叶的树枝中间一样,"铁铸一般站着"。开始写坟地:

> 西关外靠着城根的地面,本是一块官地;中间歪歪斜斜一条细路,是贪走便道的人,用鞋底造成的,但却成了自然的界限。路的左边,都埋着死刑和瘐毙的人,右边是穷人的丛冢。两面都已埋到曾曾〔层层〕迭迭〔叠叠〕,宛然阔人家里祝寿时候的馒头。

这在中国文学史上是从鲁迅起开始有的描写,开始有的描写的语言。

在瑜儿的母亲说了教乌鸦飞上坟顶给她看的话之后,有这一段描写:

> 微风早经停息了;枯草支支直立,有如铜丝。一丝发抖的声音,在空气中愈颤愈细,细到没有,周围便都

是死一般静。两人站在枯草丛里,仰面看那乌鸦;那乌鸦也在笔直的树枝间,缩着头,铁铸一般站着。

这"铁铸一般站着"的乌鸦,后来又"箭也似的飞去了",直是鲁迅的铁笔。生物对人间的"冤枉"本是不相干的,人的意志表现在"分明有一圈红白的花,围着那尖圆的坟顶"。

最后我们提出一个小小的问题,就是,华大妈是不是推想得到那有着花圈的坟就是自己的儿子吃过他的血的人的坟?照情理应该推想得到,因为本地的老妇人,对于"路的左边,都埋着死刑和瘐毙的人"应该是知道的。而且作者写着:"华大妈忙着〔看〕他儿子和别人的坟,却只有不怕冷的几点青白小花,零星开着;便觉得心里忽然感到一种不足和空虚,不愿意根究。"这"不愿意根究"究竟有些什么意思呢?很象是说华大妈不愿意把这件事情多想。华大妈还有一句话,在小说里写出来的:"这坟里的也是儿子了。"因此,我们可不可以这样推想:《药》的收束处的两个母亲,象不象《故乡》的收束处描写宏儿和水生?

四 "药"告诉我们中国新文学站立起来了

无论从小说的思想性看,无论从小说的艺术性看,《药》是中国新文学的杰作,也无论从它的创造意义说,或从它所表现的艺术的特点说。《狂人日记》是新文学的伟大的开端,《药》的价值是它表示中国的新文学切切实实地站立起来了。《药》当然不能压倒古典文学,(新文学的意义就并不是压倒古典文学!)但与古典文学的小说比起来,《药》是别开生面,而且前途将发展无穷。

我们今天研究鲁迅的小说《药》，就在于还它以本来面目，——难道它不够光彩吗？然后鲁迅小说的创造意义愈显，而我们向鲁迅学习的东西正多看〔着〕哩。我们对《药》的分析的目的就在此。

从我们对《药》的分析看起来，在小说的艺术方面，有如下的创造价值：

　　1. 小说的形式，

　　2. 白描和渲染的手法，

　　3. 叙述中的政治倾向，

　　4. 叙述中的哲学思想，

　　5. 善于选择生活，

　　6. 民族传统取得新的表现。

除上述六点外，还有小说语言方面的创造性，这个我们将来还要专谈。

就鲁迅创作的思想根源说，我们认为是革命的小资产阶级思想。我们已经说明，鲁迅写《药》，是愤慨于辛亥革命时代中国的市民毫不觉醒，对革命无知，对革命者无感情。愤慨他们，就是希望他们，同他们站在一个立场。《药》里的夏瑜作者当然同情他，作者也同情华老栓一家人，这说明他们是一个立场，且不必说小栓的母亲华大妈同瑜儿的母亲夏四奶奶站在两个新坟上的情形。此外还描写了丁字街口的一堆看客，正是鲁迅认为不觉醒的市民，鲁迅本来是想把华老栓作为他们的代表，而描写起来，华老栓反而是一个善良人（当然其愚昧无知并没有改变），这是创作实践与主题思想不能完全一致的地方，——艺术的复杂性以及人物的生动性正从这些地方产生。伟大的是鲁迅，在他的笔下的统治阶级，是毫不可惜它的溃灭！

辛亥革命时代，中国社会的性质是半殖民地半封建社会，中国革命的路线应该是工人阶级领导，农民为广大的同盟军，而这是中国共产党人用无产阶级的宇宙观观察国家命运以后才知道的事。鲁迅因为是小资产阶级知识分子，《药》虽然是五四运动那年写的，他的思想还是辛亥革命时期他自己的思想，所以他不可能完全地反映中国社会的性质，然而他的小说所反映的是真实的，他是清醒的现实主义者。

鲁迅研究

手稿，署名冯文炳。共 14 节，"引言"末署"一九六〇年八月"。另有打印本，系手稿之"一""五""四·3""九""十一""十二""十三"，未标序号，封面题上标"1962—1963 学年第一学期"，署名冯文炳。据手稿排印。

引　言

周总理在一九五三年第二次全国文代大会的报告中,关于文学艺术方面提出的第一个问题就是要求文艺界根据《新民主主义论》的精神,对"五四"以来的革命文学作出正确的历史评价。这一部《鲁迅研究》,是从根据《新民主主义论》的精神来研究鲁迅的愿望出发的。在我们的研究过程中,我们受的教育非常之大,一句话,毛泽东思想的光辉照耀了我们的研究工作。我们是通过对鲁迅作品作具体的分析然后得出我们的结论,因为伟大的思想家与伟大的革命家的鲁迅毕竟是伟大的文学家,我们必须掌握他的作品。

我们不敢说我们的意见是正确的,把它发表出来便好得到指正。

一九六〇年八月

一　鲁迅彻底地反对封建文化

毛主席在《新民主主义论》里告诉我们："所谓新民主主义文化，一句话，就是无产阶级领导的人民大众的反帝反封建的文化。"这句话，毛主席说来是二十年了，今天我们伟大的祖国是在党的总路线的光辉照耀下建设社会主义，是高举教育革命的红旗，知识分子劳动化、工农群众知识化的日子，我们的工作是积极方面的建立人民大众的社会主义文化，作为新民主主义革命性质的人民大众的反帝反封建的文化，已经成为历史了。这说明我们进步得快。进步得快，而历史又真是复杂。因而了解新民主主义文化对今天的青年说并不是容易事，首先鲁迅就不容易懂。有下面的三件事实：

1.鲁迅是小资产阶级知识分子；

2.鲁迅当时是进化论的思想；

3.反帝的思想在初期鲁迅的思想里还没有明确起来。

我们必须认清这三件事实。认清了这三件事实之后，又必须明白鲁迅为什么是中国文化革命的主将。

毛主席说："在'五四'以后，中国产生了完全崭新的文化生力军，这就是中国共产党人所领导的共产主义的文化思想，即共产主义的宇宙观和社会革命论。"毛主席又说："这个文化生力军,就以新的装束和新的武器,联合一切可能的同盟军,摆开了自己的阵势,向着帝国主义文化和封建文化展开了英勇的进攻。"又说:"五四运动所进行的文化革命则是彻底地反对封建文化的运动,自有中国历史以来,还没有过这样伟大而彻底的文化革命。当时以反对旧道德提倡新道德、反对旧文学提倡新文学,为文化革命的两大旗帜,立下了伟大的功劳。这个文化运动,当时还没有可能普及到工农群众中去。它提出了'平民文学'〈的〉口号,但(是)当时的所谓'平民',实际上还只能限于城市小资产阶级和资产阶级的知识分子。"从主席这一连串的话里面我们提出下面的四个要点:

1.五四以后中国文化革命的指导思想是共产主义的宇宙观和社会革命论;

2.五四文化革命是联合同盟军向敌进攻的;

3.五四文化革命是彻底地反对封建文化运动;

4.当时的运动是在小资产阶级和资产阶级的知识分子中展开。

根据这四个要点,我们就知道鲁迅是中国文化革命的主将,他是这个文化新军之最伟大和最英勇的旗手。他虽是小资产阶级知识分子,当时还没有树立起共产主义的宇宙观,也不很明白社会革命论,他只是要"思想革命",他自称为是遵革命者的命而行的,就是忠实的同盟军。当时他做得最彻底的工作,就是在小资产阶级和资产阶级的知识分子当中彻底地反对封建文化。这是中国无产阶级在当时所必须做的工作。是的,我们必须注意这个特点,知识分子归根到底是要和工农民众相结合,否则将一事无成,历史事实又告诉我们,"在中国的民主革命运动中,知识分子是首先觉悟的成份。辛亥革命和五四运动都明显地表现了这一点,而五四运动时期的知识分子则比辛亥革命时期的知识分子更广大和更觉悟。"(《毛泽东选集》,第二卷,五二二页)鲁迅在五四运动时期在促进中国知识分子觉悟方面尽了他的光荣的使命。

现在我们从鲁迅最早的杂文里举出五篇文章来说明问题,即《坟》里的《我之节烈观》和《我们现在怎样做父亲》,《热风》里《随感录》二十五、四十、四十九。

本来鲁迅彻底地反对封建文化首先是他的《狂人日记》,要分析这一篇划时代的小说我们考虑到应该留到稍后,先把他的最早的这五篇杂文研究清楚,对于鲁迅当时的进化论思想以及他的思想的阶级根源可能更容易有个明确的了解。

中国的封建道德有所谓三纲,即君为臣纲,父为子纲,夫为妇纲,也就是君权、父权、夫权三大封建堡垒。辛亥革命把皇帝打倒了,君权的残余思想在五四时期应该说是死灰不能复燃,独有家庭中老子的地位,以及妇女的节烈问题,以及男女青年的婚姻问题,在当时思想解放的初期实在成了问题。鲁迅是当时最坚决的最有力量的主张革命要革到老子身上的一个人,他以中国前此所未有的最有逻辑性、最有形象性、最有感染力的文章把家庭问题、妇女问题、婚姻问题摆在中国青年的面前,一时读者都欢喜若狂,读罢就有万夫不当之勇似的,革命就要从自己的家庭革起,情形确是如此。鲁迅在《〈中国新文学大系〉小说二集序》里说他最初的几篇小说"因那时的认为'表现的深切和格式的特别',颇激动了一部分青年读者的心",实在他最初的杂文也是以"表现的深切和格式的特别"激动了青年读者的心。杂文当中《我之节烈观》写得最早,和《狂人日记》同是一九一八年写的,同在《新青年》杂志上发表,《狂人日记》发表于一九一八年五月,《我之节烈观》发表于一九一八年八月。我们读《我之节烈观》的这一段:

> 节烈这两个字,从前也算是男子的美德,所以有过"节士"、"烈士"的名称。然而现在的"表彰节烈",却是专指女子,并无男子在内。据时下道德家的意见,来定界说,大约节是丈夫死了,决不再嫁,也不私奔,丈夫死得愈早,家里愈穷,他便节得愈好。烈可是有两种:一种是无论已嫁未嫁,只要丈夫死了,他也跟着自尽;一种是有强暴来污辱他的时候,设法自戕,或者抗拒被杀,都无不可。这也是死得愈惨愈苦,他便烈得愈好,倘若不及抵御,竟受了污辱,然后自戕,便免不了议论。万一幸而遇着宽厚的道德家,有时也可以略迹原情,许他一个烈字。可是文人学士,已经不甚愿意替他作传;就令勉强动笔,临了也不免加上几个"惜夫惜夫"了。

这是鲁迅所反映的中国在一九一八年的情况,说来令人不相信似的。那时还没有"她"这个代名词出世,文中的"他",就是"她"。把"她"的问题写一万字的大文章,新的白话的美文,这是第一篇。所谓"时下道德家"与"文人学士",当然都是士大夫阶级,所以鲁迅从他一写文章起,就是"憎恶这熟识的本阶级,毫不可惜它的溃灭"。但他当时不能有阶级观点,不知道每个时代统治阶级的思想是统治的思想,下文他说"这表彰节烈,却是全权都在人民","是多数国民的意思",他认为他是把问题"提出于这群多数国民之前"。我们总必须注意这一点,鲁迅是在知识分子的读者中反对封建的,尤其是对青年读者发生作用,本着他的爱中国的思想感情,他主观上认为问题是提出于"多数国民之前",虽然缺乏阶级分析,他的反封建的目的确实达到了,激动了青年读者的心,很好地替中国新民主主义革命服务。

我们再读这一段:

> 国民将到被征服的地位,守节盛了;烈女也从此着重。因为女子既是男子所有,自己死了,不该嫁人,自己活着,自然更不许被夺。然而自己是被征服的国民,没有力量保护,没有勇气反抗了,只好别出心裁,鼓吹女人自杀。或者妻女极多的阔人,婢妾成行的富翁,乱离时候,照顾不到,一遇"逆兵"(或是"天兵"),就无法可想。只得救了自己,请别人都做烈女,〔;〕变成烈女,"逆兵"便不要了。他便待事定以后,慢慢回来,称赞几句。好在男子再娶,又是天经地义,别计女人,便都完事。因此世上遂有了"双烈合传","七姬墓志",甚而至于钱谦益的集中,也布满了"赵节妇""钱烈女"的传记和歌颂。

这是说历史上中国屡遭侵略,屡被征服,统治阶级无能无耻,所以多的是"烈女"传。

再读这一段:

> 节烈苦么？答道，很苦。男子都知道很苦，所以要表彰他。凡人都想活；烈是必死，不必说了。节妇还要活着。精神(上)的惨苦，也姑且弗论。单是生活一层，已是大宗的痛楚。假使女子生计已能独立，社会也知道互助，一人还可勉强生存。不幸中国情形，却正相反。所以有钱尚可，贫人便只能饿死。直到饿死以后，间或得了旌表，还要写入志书。所以各府各县志书传记类的末尾，也总有几卷"烈女"，〔。〕一行一人，或是一行两人，赵钱孙李，可是从来无人翻读。就是一生崇拜节烈的道德大家，若问他贵县志书里烈女门的前十名是谁？也怕不能说出。其实他是生前死后，竟与社会漠不相关的。所以我说很苦。

这一段里有一个形象，是小说所描写不出，鲁迅用散文写出来了，就是"各府各县志书传记类的末尾"的"几卷'烈女'"，今天的青年读者读了鲁迅的文章，有机会甚至就把"各府各县志书传记类的末尾"的原物拿来对照一下，未必能知道这是如何的冤状，因为幸福时代的人的眼光未曾见过这许许多多的曾经是活人的女子！那个"从来无人翻读"的东西，记在鲁迅的心里，出在鲁迅的笔下，却是激动了五四时期的青年，要打倒封建！

我们再读《热风》里的《随感录》四十，它在当时真是"血的蒸气"，在婚姻问题上使得男女青年非要求解放不可，当然，限于资产阶级和小资产阶级知识分子当中。封建桎梏解放了，有出息的知识分子从而容易走上革命的道路。

"随感录"是当时《新青年》杂志的一栏，发表的都是对社会和时事的短文章,最初每篇都没有题目,在总题目"随感录"之下用数目字标以次序。鲁迅的随感录最有吸引力量,"先睹为快"四个字足以形容当时读者的心理。他写的这种短文章的第一篇就是《新青年》杂志上的《随感录》二十五,收在《热风》里是首篇。我们因为先讲了《我之节烈观》,故接着讲《随感录》四十,它关于男女婚姻问题。这一篇的全文是:

终日在家里坐,至多也不过看见窗外四角形惨黄色的天,还有甚么感?只有几封信,说道,"久违芝宇,时切葭思;"有几个客,说道,"今天天气很好":都是祖传老店的文字〈、〉语言。写的说的,既然有口无心,看的听的,也便毫无所感了。

有一首诗,从一位不相识的少年寄来,却对于我有意义。——

爱　　情

我是一个可怜的中国人。爱情!我不知道你是什么。

我有父〈、〉母,教我育我,待我很好;我待他们,也还不差。我有兄〈、〉弟〈、〉姊〈、〉妹,幼时共我玩耍,长来同我切磋,待我很好;我待他们,也还不差。但是没有人曾经"爱"过我,我也不曾"爱"过他。

我年十九,父母给我讨老婆。于今数年,我们两个,也还和睦。可是这婚姻,是全凭别人主张,别人撮合:把他们一日戏言,当我们百年的盟约。仿佛两个牲口听着主人的命令:"咄,你们好好的住在一块儿罢!"

爱情,可怜我不知道你是什么!

诗的好歹,意思的深浅,姑且勿论;但我说,这是血的蒸气,醒过来的人的真声音。

爱情是什么东西?我也不知道。中国的男女大抵一对或一群——一男多女——的住着,不知道有谁知道。

但从前没有听到苦闷的叫声。即使苦闷,一叫便错;少的老的,一齐摇头,一齐痛骂。

然而无爱情结婚的恶结果,却连续不断的进行。形式上的夫妇,既然都全不相关,少的另去姘人宿娼,老的再来买妾:麻痹了良心,各有妙法。所以直到现在,不成问题。但也曾造出一个"妒"字,略表他们曾经苦心经营的痕迹。

可是东方发白,人类向各民族所要的是"人",——自然也是"人之子"——我们所有的是单是人之子,是儿媳妇与儿媳之夫,不能献出于人类之前。

可是魔鬼手上,终有漏光的处所,掩不住光明:人之子醒了;他知道了人类间应有爱情;知道了从前一班少的老的所犯的罪恶;于是起了苦闷,张口发出这叫声。

但在女性一方面,本来也没有罪,现在是做了旧习惯的牺牲。我们既然自觉着人类的道德,良心上不肯犯他们少的老的的罪,又不能责备异性,也只好陪着做一世牺牲,完结了四千年的旧账。

做一世牺牲,是万分可怕的事;但血液究竟干净,声音究竟醒而且真。

我们能够大叫,是黄莺便黄莺般叫;是鸱鸮便鸱鸮般叫。我们不必学那才从私窝子里跨出脚,便说"中国道德第一"的人的声音。

我们还要叫出没有爱的悲哀,叫出无所可爱的悲哀。……我们要叫到旧账勾消的时候。

旧账如何勾消?我说,"完全解放了我们的孩子!"

鲁迅说他所引的这一首《爱情》的诗是"血的蒸气",这四个字在他写的这篇短文章上面用得着,它在当时真是使得青年知识分子们热血沸腾。

这是一九一九年的作品,"可是东方发白,人类向各民族所要的是'人'",这话里面当然有鲁迅的局限性,应该是十月革命的炮响了,无产阶级向各民族所要的是人类的解放。然而小资产阶级知识分子鲁迅向敌人进攻的号角是无产阶级所欢迎的,是它把"中国道德第一"的封建招牌粉碎!

《我们现在怎样做父亲》是五四当时反对旧道德提倡新道德的一篇标准文章。这一篇的篇幅比《我之节烈观》还要长一些,在写法上较之《我之节烈观》显得幽默些,主题思想同样是反对旧道德提倡新道德。我们看它的开首:"我作这一篇文的本意,其实是想研究怎样改革家庭;又因为中国亲权重,父权更重,所以尤想对于从来认为神圣不可侵犯的父子问题,发表一点意见。总而言之:只是革命要革到老子身上罢了。"这样的写法,极有宣传的力量,能够给读者以活泼的空气,同时就心悦诚服,老子的命到今天是要革一革的！对父权的攻击,本来是属于资产阶级文化个人解放的内容,鲁迅的文章这样做最为适合,家庭革命罢了,可以和平讲道理的。主题思想是"革命要革到老子身上","但何以大模大样,用了这九个字的题目呢？这有两个理由:〈——〉

第一、〔,〕中国的'圣人之徒',最恨人动摇他的两样东西。一样不必说,也与我辈绝不相干；一样便是他的伦常,我辈却不免偶然发几句议论,所以株连牵扯,很得了许多'铲伦常''禽兽行'之类的恶名。他们以为父对于子,有绝对的权力和威严；若是老子说话,当然无所不可,儿子有话,却在未说之前早已错了。但祖父子孙,本来各各都只是生命的桥梁的一级,决不是固定不易的。现在的子,便是将来的父,也便是将来的祖。我知道我辈和读者,若不是现任之父,也一定是候补之父,而且也都有做祖宗的希望,所差只在一个时间。为想省却许多麻烦起见,我们便该无须客气,尽可先行占住了上风,摆出父亲的尊严,谈谈我们和我们子女的事；不但将来着手实行,可以减少困难,在中国也顺理成章,免得'圣人之徒'听了害怕,总算是一举两得之至的事了,〔。〕所以说,'我们怎样做父亲。'"这都充分表现了鲁迅的幽默,而且显得幽默的文章极其"正经",比一切圣经贤传要正经得多,比中国的老子要正经得多,因为小资产阶级和资产阶级家庭出身的青年读者们都知道父亲是怎么一回事的。所说圣人之徒"最恨人动摇他的两样东西",那一样是什么,鲁迅故意不说出,仿佛替老子遮羞似的,说出来恐怕就是说老子都有姨太太！（这在《我之节烈观》里已经说了的。）总之有希望的青年读者们都知道自己的家庭,鲁迅的文章还没有读下去,所有的父亲们在青年面前都已不成其为父亲了，鲁迅的幽默实有这么大的效果。"若是老子说话，当然无所不可，儿子有话，却在未说之前早已错了。"青年读者也只是首肯，老子是这样子，鲁迅替老子画出一副可笑的脸孔。"我们便(该)无须客气，尽可先行占住了上风，摆出父亲的尊严，谈谈我们和我们子女的事"，其实这就是《狂人日记》的狂人"救救孩子"的呼声。虽然是幽默，圣人之徒听了是一样的害怕的，或者害怕得更利害，因为青年们再也"无须客气"。鲁迅在这里说着"我辈和读者"，恰好说出当时他写文章的客观和主观情况，就是先进的知识分子在知识分子尤其是青年学生当中反对旧道德提倡新道德。到说出第二个理由时，便不再幽默了，"没有法，便只能先从觉醒的人开手，各自解放了自己的孩子。自己背着因袭的重担，肩住了黑暗的闸门，放他们到宽阔光明的地方去；此后幸福的度日，合理的做人。"这便是资产阶级的个人解放思想在半封建的中国社会里以盛大的感情传布的声音。在知识分子当中当然很有效。

题目是"我们现在怎样做父亲"，说出的两个理由是"我们怎样做父亲"，九个字的题目还有"现在"两个字没有交代，作者乃写着这样的话："我自己知道，不特并非创作者，并且也不是真理的发见者。凡有所说所写，只是就平日见闻的事理里面，取了一点心以为然的道理；至于终极究竟的事，却不能知。便是对于数年以后的学说的进步和变迁，也说不出会到如何地步，单相信比现在总该还有进步还有变迁罢了。所以说，'我们现在怎样做父亲。'"我们在这里应该附带地说明一件事情，鲁迅总是不敢绝对地相信自己的，也就是不敢相信个人是真理的发见者，而他个人又相信真理。他相信"我们现在怎样做父亲"的道理，旧道德是黑暗的,自己确实应该"背着因袭的重担,肩住了黑暗的闸门",但孩子们是不是因此就真正到了"宽阔光明的地方去","此后幸福的度日,真正的做人"呢?从感情说,鲁迅希望如此。从理智说,他又并没有把握,他认为"终极究竟的事,却不能知。"这不完全是鲁迅个人主观的谦虚,因为客观的中国社会现实在那里摆着,令小资产阶级知识分子不敢自信。半封建半殖民地的中国必须走无产阶级领导的革命的道路。我们研究鲁迅,总要注意鲁迅性格中极其宝贵的因素,在真理面前、在人民面前的谦虚,是鲁迅性格的宝贵因素之一,关于这方面我们以后还要讲。

鲁迅当时所相信的道理,用他自己的话叫做"生物学的真理"。"便是依据生物界的现象,一、〔,〕要保存生命;二、〔,〕要延续这生命;三、〔,〕要发展这生命(就是进化)。生物都这样做,父亲也就是这样做。"为什么要保存生命呢?"因为生物之所以为生物,全在有这生命,否则失了生物的意义。""生命何以必须〔需〕继续呢?就是因为要发展,要进化。个体既然免不了死亡,进化又毫无止境,所以只能延续着,在这进化的路上走。走这路须有一种内的努力,有如单细胞动物有内的努力,积久才会繁复,无脊椎动物有内的努力,积久才会发生脊椎。所以后起的生命,总比以前的更有意义,更近完全,因此也更有价值,更可宝贵;前者的生命,应该牺牲于他。"这就是鲁迅从生物进化的观点认定父亲应该怎样做。本着社会科学的阶级斗争论,这当然是不能解决问题的,因为照这种进化论的观点看来,人所处的社会里仿佛没有剥削与被剥削的阶级似的,只要"父亲"做对了就行,不知这个"父亲"是小资产阶级或资产阶级的成份。我们从此就可以知道只有马克思主义是放之四海而皆准的真理。然而鲁迅在客观上是替新民主主义革命服务的,因为他本着生物进化的道理,大声疾呼未来应该是少年人的,"但可惜的是中国的旧见解,又恰恰与这道理完全相反。本位应在幼者,却反在长者;置重应在将来,却反在过去。前者做了更前者的牺牲,自己无力生存,却苛责后者又来专做他的牺牲,毁灭了一切发展本身的能力。""以为父子关系,只须'父兮生我'一件事,幼者的全部,便应为长者所有。尤其堕落的,是因此责望报偿,以为幼者的全部,理该做长者的牺牲。殊不知自然界的安排,却件件与这要求反对,我们从古以来(,)逆天行事,于是人的能力,十分萎缩,社会的进步,也就跟着停顿。我们虽不能说停顿就〔便〕要灭亡,但较之进步,总是停顿与灭亡的路相近。"这都是自有中国历史以来没有人说过的话,虽然它不是社会革命论,鲁迅自认为是"生物学的真理",但革命确是革到老子身上来了,在当时知识分子青年的思想当中起了极大的鼓动作用。在鲁迅的思想里,不是反对社会革命而抱住什么自然变化的进化论的庸俗观点,进化论对他说是一种武器,拿生物界的规则来攻击封建的"伦常",这应该说是很利害的武器,所以客观上就收了革命的效果。我们对这一点必须有明确的认识。要像资产阶级右翼知识分子如胡适口口声声讲进化论,其目的是阻碍人民革命的。

我们再把《热风》里《随感录》二十五和四十九两篇拿来互相参证。读《随感录》二十五的这一段:

> 中国娶妻早是福气,儿子多也是福气。所有小孩,只是他父母福气的材料,并非将来的"人"的萌芽,所以随便辗转,没人管他,因为无论如何,数目和材料的资

格,总还存在。即使偶尔送进学堂,然而社会和家庭的习惯,尊长和伴侣的脾气,却多与教育反背,仍然使他与新时代不合。大了以后,幸而生存,也不过"仍旧贯如之何",照例是制造孩子的家伙,不是"人"的父亲,他生了孩子,便仍然不是"人"的萌芽。

这些话都清楚地说明作者思想的阶级根源,即作者必是小资产阶级或者资产阶级的知识分子。"中国娶妻早是福气,儿子多也是福气",贫苦的工人和农民是没有这个"福气"的。"送进学堂",贫苦的工人和农民的孩子在当时的社会里是没有这个可能的。

再读这一段:

> 前清末年,某省初开师范学堂的时候,有一位老先生听了,很为诧异,便发愤说:"师何以还须受教,如此看来,还该有父范学堂了!"这位老先生,便以为父的资格,只要能生。能生这件事,自然便会,何须受教呢。却不知中国现在,正须父范学堂;这位先生便须编入初等第一年级。

这又是鲁迅的幽默的写法。这篇随感录写得最早,1918年在《新青年》杂志上发表,当时的读者佩服他的道理新鲜而正确,为之激动,也佩服他的文章新鲜而正确,为之说服。

《随感录》四十九,我们抄它的一半:

凡有高等动物,倘没有遇着意外的变故,总是从幼到壮,从壮到老,从老到死。

我们从幼到壮,既然毫不为奇的过去了;自此以后,自然也该毫不为奇的过去。

可惜有一种人,从幼到壮,居然也毫不为奇的过去了;从壮到老,便有点古怪;从老到死,却更奇想天开,要占尽了少年的道路,吸尽了少年的空气。

少年在这时候,只能先行萎黄,且待将来老了,神经血管一切变质以后,再来活动。所以社会上的状态,先是"少年老成";直待弯腰曲背时期,才更加"逸兴遄飞",似乎从此以后,才上了做人的路。

可是究竟也不能自忘其老;所以想求神仙。大约别的都可以老,只有自己不肯老的人物;〔,〕总该推中国老先生算一甲一名。

万一当真成了神仙,那便永远请他主持,不必再有后进,原也是极好的事。可惜他又究竟不成,终于个个死去,只留下造成的老天地,教少年驼着吃苦。

这真是生物界的怪现象!

这种老而想成仙的怪现象,当然是剥削阶级的怪现象。旧中国首先必须由知识分子觉悟,首先又必有觉悟的青年知识分子抱有推翻教人"驼着吃苦"的"老天地"的思想,这又是必然之势。所以鲁迅的"生物界的怪现象"的呼声发生了启蒙作用。我们现在明白,鲁迅当时所感得的切身之痛、教人驼着吃苦的东西,是封建社会的上层建筑,属于社会科学的范畴,他所谓的"生物学的真理",不是科学的提法,直到他学习马克思主义的理论时,他才明确地知道"只信进化论的偏颇","读书界的趋向社会科学,是一个好的、正当的转机"。

我们首先是要具体地认识一般所说的鲁迅早期的进化论的思想是什么,在五四初期鲁迅本着它彻底地反对封建文化,反对封建文化是新民主主义文化的内容之一。

二　鲁迅是最早对写普通话最有贡献的人

今天党和政府提出汉语规范化,写普通话是其主要内容之一,青年们对于这个幸福可能是得来全不费工夫,实在这是党和政府对祖国语文历史所作的科学的总结,给我们中国人民指出一条作文的康庄大道,叫做"写普通话"。鲁迅是对写普通话最早的最有贡献的人。

中国的做文章,做到五四文学革命以前,是一个什么局面呢?我们可以拿当时文学革命者喊出的八个字来概括,叫做"选学妖孽,桐城谬种"。这是大快人心的八个字。今天的青年要懂得这八个字的祸害,恐怕不容易,因为他们没有吃过那个苦。这就叫做幸福。懂得这八个字又实在很有必要,对于发扬祖国语言文学有不迷失方向的指导作用。"选学妖孽"是指做文章的一派,他们捧着《文选》这部书大讲其"选学",写起文章来乌烟瘴气,就凭不通的典故、难认的字。"桐城谬种"是指当时的古文家,好比"意表之外","乌托之邦",都出在他们的笔下,因为他们做文章完全靠腔调,缺乏意义,一味的哼唱,就没有想到"意表"就是"意外"而哼出"意表之外"四个字的声音来;"乌托邦"本来是一个外国名词的音译,三个字念起来不够腔调,就哼出"乌托之邦"四个字来。这些现象都给当时的新文学家揭发出来了。

这决不是偶然的事情。古文的腔调作用为害极大,就如韩愈的《原道》:"博爱之谓仁,行而宜之之谓义,由是而之焉之谓道,足乎己无待于外之谓德。"只能说是凭腔调哼出来的。又如《送孟东野序》的句子:"草木之无声,风挠之鸣。水之无声,风荡之鸣。"在这里面,"草木之无声"、"水之无声"的"之"字有何语法根据吗?只是凭腔调作用。古文的流弊到了八股,就完全是腔调。到了五四时代,文章之道当然非革命不可。《热风》里有一篇《估学衡》,是鲁迅当时对新时代里所做的不通的文章作的一点具体的分析。到了一九三〇年,鲁迅还写了一篇《做古文和做好人的秘诀》,一九三三年还写了一篇《作文秘诀》,是一个老医生对"选学妖孽"和"桐城谬种"所作的正确的诊断,今天的青年最好是把这两篇"秘诀"拿来参考一番。

我们抄《做古文和做好人的秘诀》的这两段:

> 从前教我们作文的先生,并不传授什么《马氏文通》、[,]《文章作法》之流,一天到晚,只是读,做,读,做;做得不好,又读,又做。他却决不说坏处在那里,作文要怎样。一条暗胡同,一任你自己去摸索,走得通与否,大家听天由命。但偶然之间,也会不知怎么一来——真是"偶然之间"而且"不知怎么一来",——卷子上的文章,居然被涂改的少下去,留下的,而且有密圈的处所多起来了。于是学生满心欢喜,就照这样——真是自己也莫名其妙,不过是"照这样"——做下去,年深月久之后,先生就不再删改你的文章了,只在篇末批些"有书有笔,不蔓不枝"之类,到这时候,即

可以算作"通"。……

　　这一类文章,立意当然要清楚的,什么意见,倒在其次。譬如说,做"《工欲善其事,必先利其器论》"罢,从正面说,发挥"其器不利,则工事不善"固可,即从反面说,偏以为"工以技为先,技不纯,则器虽利,而事亦不善"也无不可。就是关于皇帝的事,说"天皇圣明,臣罪当诛"固可,即说皇帝不好,一刀杀掉也无不可的,因为我们的孟夫子有言在先,"闻诛独夫纣矣,未闻弑君也",现在我们圣人之徒,也正是这一个意思儿。但总之,要从头到底,一层一层说下去。弄得明明白白,还是天皇圣明呢,还是一刀杀掉,或者如果都不赞成,那也可以临末声明:"虽穷淫虐之威,而究有君臣之分,君子不为已甚,窃以为放诸四裔可矣"的。这样的做法,大概先生也未必不以为然,因为"中庸"也是我们古圣贤的教训。

　　这里鲁迅所揭露的是唐宋八大家一直到清朝末年民国初年做古文的真实情况,到了"虽穷淫虐之威,而究有君臣之分,君子不为已甚,窃以为放诸四裔可矣"的做法,就已经是八股了。古文这个东西,表面看起来好像是恢复了《左传》、《史记》一类的白描写法,其实不是的。《左传》、《史记》的好处是有什么写什么,事情多少就写多少,其中所有的句子都经得起汉语语法的分析。古文则如鲁迅所说的,"真是自己也莫名其妙",它专门来一套正面说说,反面说说,并非为得反复讲道理,它就是这么个习惯,这么个调子。好比韩愈的《祭十二郎文》,向来很有名,我们倒应该问他为什么要这样写:"孰谓少者殁而长者存,强者夭而病者全乎?呜呼!其信然邪?其梦邪?其传之非其真邪?信也,吾兄之盛德而夭其嗣乎?汝之纯明而不克蒙其泽乎?少者强者而夭殁,长者衰者而存全乎?未可以为信也!梦也,传之非其真也,东野之书、耿兰之报,何为而在吾侧也?呜呼!其信然矣!吾兄之盛德而夭其嗣矣!汝之纯明宜业其家者,(而)不克蒙其泽矣!所谓天者诚难测,而神者诚难明矣!所谓理者不可推,而寿者不可知矣!"这就是鲁迅说的"但总之,要从头到底,一层一层说下去。"鲁迅在他的《做古文和做好人的秘诀》后面还有一个后记,后记里更说:"所以做了一大通,还是等于没有做,而批评者则谓之好文章或好人。"做古文的情况是如此。

鲁迅的《作文秘诀》,又揭穿了"选学妖孽"的底子。他说,"至于修辞,也有一点秘诀:一要蒙胧,二要难懂。那方法,是:缩短句子,多用难字。譬如罢,作文论秦朝事,写一句'秦始皇乃始烧书',是不算好文章的,必须翻译一下,使它不容易一目了然才好。这时就用得着《尔雅》、[、]《文选》了,其实是只要不给别人知道(,)查查《康熙字典》也不妨的。动手来改,成为'始皇始焚书',就有些'古'起来,到得改成'政俶燔典',那就简直有了班(、)马气,虽然跟着也令人不大看得懂。但是这样的做成一篇以至一部,是可以被称为'学者'的,我想了半天,只做得一句,所以只配在杂志上投稿。"接着是下面的三段,我们应该完全抄下来:

> 我们的古之文学大师,就常常玩着这一手。班固先生的"紫色䵷声,余分闰位",就将四句长句,缩成八

字的;杨〔扬〕雄先生的"蠢迪检柙",就将"动由规矩"这四个平常字,翻成难字的。《绿野仙踪》记塾师咏"花",有句云:"媳钗俏矣儿书废,哥罐闻焉嫂棒伤。"自说意思,是儿妇折花为钗,虽然俏丽,但恐儿子因而废读;下联较费解,是他的哥哥折了花来,没有花瓶,就插在瓦罐里,以嗅花香,他嫂嫂为防微杜渐起见,竟用棒子连花和罐一起打坏了。这算是对于冬烘先生的嘲笑。然而他的作法,其实是和杨〔扬〕〔、〕班并无不合的,错只在他不用古典而用新典。这一个所谓"错",就使《文选》之类在遗老遗少们的心眼里保住了威灵。

做得蒙胧,这便是所谓"好"么?答曰:也不尽然,其实是不过掩了丑。但是,"知耻近乎勇",掩了丑,也就仿佛近乎好了。摩登女郎披下头发,中年妇人罩上面纱,就都是蒙胧术。人类学家解释衣服的起源有三说:一说是因为男女知道了性的羞耻心,用这来遮羞;一说却以为倒是用这来刺激;还有一种是说因为老弱男女,身体衰瘦,露着不好看,盖上一些东西,借此掩掩丑的。从修辞学的立场上看起来,我赞成后一说。现在还常有骈四俪六,典丽堂皇的祭文、〔,〕挽联、〔,〕宣言、〔,〕通电,我们倘去查字典,翻类书,剥去它外面的装饰,翻成白话文,试看那剩下的是怎样的东西呵!?

不懂当然也好的。好在那里呢?即好在"不懂"中。但所虑的是好到令人不能说好丑,所以还不如做得它"难懂":有一点懂,而下一番苦功之后,所懂的也比较的多起来。我们是向来很有崇拜"难"的脾气的,每餐吃三碗饭,谁也不以为奇,有人每餐要吃十八碗,就郑重其事的写在笔记上;用手穿针没有人看,用脚穿针就可以搭帐篷卖钱;一幅画片,平淡无奇,装在匣子里,挖一个洞,化为西洋镜,人们就张着嘴热心的要看了。况且同是一事,费了苦功而达到的,也比并不费力而达到的的可贵。譬如到什么庙里去烧香罢,到山上的,比到平地上的可贵;三步一拜才到庙里的庙,和坐了轿子一径抬到的庙,即使同是这庙,在到达者的心里的可贵的程度是大有高下的。作文之贵乎难懂,就是要使读者三步一拜,这才能够达到一点目的的妙法。

以上说的就是"选学妖孽"。

五四当时反对旧文学提倡新文学之所以大快人心,就是切切实实地把"选学妖孽、桐城谬种"打倒了,在前进的新时代里再也不能容忍这种障碍。鲁迅在《做古文和做好人的秘诀》的后记里提起它来还是憎恶极了,"社会上的一切,什么也没有进步的病根就在此。"在打倒"选学妖孽、桐城谬种"的同时,新文学本身就提供了大量的好文章,鲁迅的小说和杂感是最显著的,把中国的有希望的青年知识分子都叫醒了,吸引住了。鲁迅当时的文章,就是写普通话。我们作文,必须是写普通话,鲁迅是中国文章开始写普通话的大师。

"写普通话"的内容到底是什么呢?在《花边文学》里有一篇《做文章》,鲁迅在这篇文章里说道:"高尔基说,大众语是毛胚,加了工的是文学,这该是很中肯的指示了。""写普通话"就是大众语的加工。我们所谓大众语,指的是北方的方言。鲁迅写的文章就是北方方言的加工。

　　为得说明问题起见,我们举出我们今天的一篇标准的"写普通话"的文章来,看"写普通话"的文章有哪些特点。我们举的是《人民日报》编辑部《西藏的革命和尼赫鲁的哲学》这一篇。这一篇约二万字的长文章,内容不用说,单就文章看也是中国历代文章所万万不能有的,它集中了五四以来新的文章的长处,同时证明了语言继承性方面的许多事情。五四以来新的文章有哪些长处呢?首先是它改进了旧日的文体,它用了提行分段的体裁。这是中国文章的欧化。从欧化来的这样的体裁,完全没有移动汉语原来的结构,只是文体变了。这个文体变化,关系非常之大,以便于我们写文章能够发大议论,反映复杂的生活。旧日的文章一篇就只有一段,好比《古文观止》的第一篇是《左传》"郑伯克段于鄢",它起首是"初,郑武公娶于申,……"末句是"遂为母子如初。"讲文章作法的人就批它是"'初'字起,'初'字结。"所以《左传》这一篇文章实在就是这个形式:"初——初。"它像一根绳子。它所牵扯的事情并不少。向来的人佩服《左传》的文章,是应该佩服的,首先它的一条绳子的牵扯工夫很大。古人本来是一条绳子,你如把它分起段来,就斩断它的作用了,好比《红楼梦》第一句"此开卷第一回也",照我们今天写文章的习惯,这一句应该就是一段,冒起全篇,然而曹雪芹不是,它是一根线牵下去,令我们割它不断。《水浒》里遇到不同时间的事情就插一句"一宿无话",遇到不同地点的事情就插一句"一路无话",无非是在一条绳子之中打一个结,接得很巧妙罢了。我们的《西藏的革命和尼赫鲁的哲学》,如果照旧日的文体,写起来恐怕很困难,哪怕它是一条龙,首尾也难得照顾,节节难得照顾。现在它挥写得非常之自由,用了长短不等的二十八段(中间插了引的尼赫鲁的三段话),比起古代的《左传》、《史记》以及一切有名的长篇巨制来,这完全是一个新的阵式。在这个新的阵式里,不怕内容多,它能够多多益善,秩序井然。这是五四文学革命对中国文章所起的一个大作用,就是把文体变了。

其次是用新式标点符号。这也是一件大事,不可等闲视之。我们且看引号。引号的用处很大,有了它容易知道哪些话是谁说的,或者作者引用了谁说的话。有了它我们还容易讲清是非,令读者心悦诚服,而且拍手称快,如《西藏的革命和尼赫鲁的哲学》里面的这一句文章:

请〔试〕问世界上一切大吵大闹的所谓西藏人民的同情者:你们同情的"西藏人民"是谁呢?

这一句极明白、极有力量的文章在旧日的文章里就不能写,因为旧日文章里没有加引号的办法。加了引号的"西藏人民"四个字,读者很容易知道它的意义。

再看新式标点的括号,它有时也是很必要的,有了它文章就能明白,能简洁,能周密。如《西藏的革命和尼赫鲁的哲学》里面的这一句:

尼赫鲁总理在4月27日讲话中提及五项原则的时候,只说到"互相尊重"(这无疑是必要的),而没有说"互相尊重领土完整和主权"(这是五项原则的原话,而且是任何互相尊重的前提)。

这句文章在旧日的文章里就不能写，因为没有新式标点符号。这里面的括号该有多么有用！

五四以来的新的文章里，因为采用了标点符号的原故，它的句法也可以同旧日文章的句法不同，而能接近平常口语当中的语气，这一来新的文章的逻辑性也加强了。如《西藏的革命和尼赫鲁的哲学》里面的这一句：

> 尼赫鲁先生希望我们"争取他们友好合作"，这无疑是一个好的主意，虽然尼赫鲁先生的意思是为了间接地指责我们过去和现在没有这样作。

这一句里面有一个"虽然"分句，放在后面，很有必要。因为有了句号的原故，读起来自然知道它从属于谁。在旧的文章里就没有这样的句法，旧日文章里的"虽然"分句总是在前面的。把"虽然"分句放在后面，在口语里倒是有这种语气的。

根据以上的简单的分析，我们就知道标点符号的功劳，它是五四文学革命的产物。

我们必须明白一个重要的事实，就是，五四文学革命虽然把用汉语言写的文章的文体变化了，句法也变化了，但对汉语的语法没有变，也不可能变。一个民族的语言，它的语法是有稳固性的。这是斯大林在他的《马克思主义与语言学问题》里面所作的重要的指示。我们看"虽然尼赫鲁先生的意思是为了间接地指责我们过去和现在没有这样作"这个分句，无论它放在句子的前面或者放在句子的后面，它自己本身的构造是一样，也就是从语法说这个分句没有变化。古今汉语的语法基本上是一个,"文言"和"白话"没有两样的语法。尤其是汉语的特点,"文言"和"白话"是同一个汉语的特点常常在那里起着作用。我们且谈一件事。汉语里,在意义不发生混淆的时候,主语就不说出来,古代汉语孔夫子说的"学而时习之,不亦悦乎"是如此,现代汉语《西藏的革命和尼赫鲁的哲学》里面的有些好句子之所以好也是如此。我们读这两句:

> 作为印度的朋友,作为尼赫鲁所讨论的问题的当事人,我们认为,指出这个错误是必要的。如果同意尼赫鲁的逻辑,那么,不但西藏的革命是不能允许的,整个中国的革命也是不能允许的。

这两句话该说得多么严峻,同时又是多么委婉!其妙用何在呢?就在于两个"作为"、一个"指出"和一个"同意"的主语"我们"都不说出来。所以句中的主语不说出来是汉语语法特点之一,古今汉语是一样。我们必须明白这一类的事情,对我们今天写文章很有指导作用。

因为古今汉语基本上是一个语法的原故,所以有些文言当中的词汇一般谓之"虚字"者,在今天并不是"死"的,而是活的,而且非常有生气。好比"现在历史已经作出结论:正确的是我们而不是他们。"这一句当中的"而"字就非常之活,它并不是在文言中发生作用而今天"写普通话"的时候则歧视它。其他"之"字、"其"字都是"写普通话"有时必不可少的词汇,都有它的妙用。好比这一句:"究竟有什么必要象现在这样地迫不及待,甚至不惜采取某种妨碍友好的干涉行为,这是我们所百思而不得其解的。"这里面的"百思而不得其解"固然是文言当中的成语,但今天"写普通话"里确有其必要,这里面的"其"字很有用。汉语"其"这个代名词每每是跟着它紧前的一个东西来,它确切地有所指,"百思而不得其解"的"其"就指"象现在这样地迫不及待,甚至不惜采取某种妨碍友好的干涉行为"。这一个字,读起来多么好听,多么能说明问题!"只要印度方面停止干涉西藏的言行,目前的争论就会随之结束。"这里面"随之结束"的"之"字是同前面所讲的"其"是发生同样功用的代名词,非常具体,非常灵活,在今天"写普通话"都有其特殊的地位。语言是长期历史形成的,是全民创造的,在黑暗的旧时代,人民没有当家作主,对自己的语言没有充分利用的机会,形成了鲁迅所谓"无声的中国"。今天我们伟大祖国的声音要向全世界传播,一切有用的词汇必是脱颖而出,可以说是语言还家了,所以昔日的有些"虚字",到今天才真正显出功能,逼得我们要讲出它们的语法作用来。在我们的"写普通话"的词典里必须有它们。

在我们读《西藏的革命和尼赫鲁的哲学》时,特别有一个读好文章的快乐,也就是语言的美感。好比这一句话:

对于这类"冷战的语言",我们在一个相当长的时间内一忍再忍,作了最大限度的克制,我们的报纸几乎守口如瓶。

这里的"守口如瓶"四个字把我们人民报纸的高贵品质完全刻划出来了,同时感得我们汉语的形象性真是大。我们又从而懂得写普通话时有大量的成语取之不尽用之不竭。

如这一句：

> 每个明白事理的人稍微想一想，都会懂得这个道理，而决不会去理睬什么两三发炮弹打向宫殿、落入池塘的童话。

这里面的"童话"是一个外来语，我们读了感得非常之惬意，喜于我们今天写普通话的词汇是茂盛得很。

上面的话是帮助我们明白"写普通话"到底具有怎样的内容，简单地说，它是大众语的加工。比起鲁迅在一九三三年所说的："现在还常有骈四俪六，典丽堂皇的祭文、挽联、宣言、通电，我们倘去查字典，翻类书，剥去它外面的装饰，翻成白话文，试看那剩下的是怎样的东西呵！？"我们今天的写普通话的文章就值得中国人民骄傲。

鲁迅对"写普通话"是最早的最有贡献的人。他就是以"写普通话"逼得当时的"选学妖孽、桐城谬种"在中国文坛上再也无立足之余地，彻底地垮台了。

鲁迅的《狂人日记》是新文学的第一篇小说，它就为"写普通话"奠定了基础。它的形式就是提行分段，在必要的时候它以一句而成一段。它用了新式标点符号，因为这种新的帮助书面语言的工具，在口语里本来有而旧日文章决不能有的语气，鲁迅的小说里有了。如：

> 他们——也有给知县打枷过的，也有给绅士掌过

嘴的,也有衙役占了他妻子的,也有老子娘被债主逼死的;他们那时候的脸色,全没有昨天这么怕,也没有这么凶。

这一句文章非常有力量,表示鲁迅同被压迫被剥削的人站在一个立场上,然而鲁迅是质问他们为什么不怕绅士、衙役,不怕债主,而怕脚踹封建的狂人呢?这一句的语气,在口语里是极其自然的,前无所承,突然来一个"他们",一说出这两个字的声音以后,就停顿一下,在书写上就用一个破折号,这一来,旧日文章所不能表达的东西,在新文学里都表达得出来了,只是采用了新式标点符号。

我们抄《孔乙己》的三段文章:

中秋过后,秋风是一天凉比一天,看看将近初冬;我整天的靠着火,也须穿上棉袄了。一天的下半天,没有一个顾客,我正合了眼坐着。忽然间听得一个声音,"温一碗酒。"这声音虽然极低,却很耳熟。看时又全没有人。站起来向外一望。那孔乙己便在柜台下对了门槛坐着。他脸上黑而且瘦,已经不成样子;穿一件破夹袄,盘着两腿,下面垫一个蒲包,用草绳在肩上挂住;见了我,又说道,"温一碗酒。"掌柜也伸出头去,一面说,"孔乙己么?你还欠十九个钱呢!"孔乙己很颓唐的仰面答道,"这……下回还清罢。这一回是现钱,酒要好。"掌柜仍然同平常一样,笑着对他说,"孔乙己,你又偷了东西了!"但他这回却不十分分辩,单说了一句"不要取笑!""取笑？要是不偷,怎么会打断腿?"孔乙己低声说道,"跌断,跌,跌……"他的眼色,很像恳求掌柜,不要再提。此时已经聚集了几个人,便和掌柜都笑了。我温了酒,端出去,放在门槛上。他从破衣袋里摸出四文大钱,放在我手里,见他满手是泥,原来他便用这手走来的。不一会,他喝完酒,便又在旁人的说笑声中,坐着用这手慢慢走去了。

　　自此以后,又长久没有看见孔乙己。到了年关,掌柜取下粉板说,"孔乙己还欠十九个钱呢!"到第二年的端午,又说"孔乙己还欠十九个钱呢!"到中秋可是没有说,再到年关也没有看见他。

　　我到现在终于没有见——大约孔乙己的确死了。

这就是"写普通话"的文章。在这种新的文章里,什么东西都可以写,这种新的文章比旧的白话小说的文章进步多了。不知这种文章之美者,是无目者也。所以当时的反动派的攻击文学革命,等于犬之吠日。

我们抄《热风》里《随感录》四十七:

　　有人做了一块象牙片,半寸方,看去也没有什么；用显微镜一照,却看见刻着一篇行书的《兰亭序》。我想:显微镜的所以制造,本为看那些极细微的自然物的；现在既用人工,何妨便刻在一块半尺方的象牙板上,一目了然,省却用显微镜的工夫呢？

　　张三〈、〉李四是同时人。张三记了古典来做古文；

李四又记了古典,去读张三做的古文。我想:古典是古人的时事,要晓得那时的事,所以免不了翻着古典;现在两位既然同时,何妨老实说出,一目了然,省却你也记古典,我也记古典的工夫呢?

内行的人说:什么话!这是本领,是学问!

我想,幸而中国人中,有这一类本领学问的人还不多。倘若谁也弄这玄虚:农夫送来了一粒粉,用显微镜照了,却是一碗饭;水夫挑来用水湿过的土,想喝茶的又须挤出湿土里的水:那可真要支撑不住了。

这种文章,真不愧为新式的武器,"选学妖孽、桐城谬种"抵当得住么?鲁迅的新式武器就是"写普通话"。

鲁迅对我们今天"写普通话"的贡献甚多,总的说来,鲁迅的文章都是读来顺口,一般人只注意他会用成语,用欧化句法("虽然"分句放在后面就是鲁迅开始的),其实鲁迅的语言是最合汉语的语法的,同时充分利用了汉语的特点。读来顺口就因为合乎汉语语法,充分利用汉语的特点就能够推陈出新,这两点就是文学革命导师对我们今天写普通话的示范。

三　鲁迅期待炬火和自己不以导师自居

瞿秋白《鲁迅杂感选集序言》里说："新文化运动的领袖,大家都不免要想做青年的新的导师;而诚实的愿意做一个'革命军马前卒'的,却是鲁迅。……他没有自己造一座宝塔,把自己高高供在里面,他却砌了一座'坟',埋葬他的过去,热烈的希望着这可诅咒的时代——这过渡的时代也快些过去。"这话是很能说出鲁迅的精神的。我们对鲁迅的这个精神必须加以研究。

瞿秋白所说的"新文化运动的领袖",指的是五四当时统一战线中的资产阶级知识分子(他们是当时的右翼)。根据中国新民主主义文化的特点,它是反帝反封建的,资产阶级知识分子,如果他们最初是"领袖"的话,后来就与敌妥协,站在反动方面。他们的面孔又正以"领袖"在青年学生当中出现,与无产阶级争夺青年。历史事实证明是如此。鲁迅早期的进化论思想,如我们在前面所指明的,它在中国是起了反封建的作用,是启蒙作用,虽然这种思想属于资产阶级思想范畴。革命的小资产阶级知识分子鲁迅并没有想从自己的言论中得到什么个人的利益。他只是一个回合一个回合地对敌作战。瞿秋白说他"诚实的愿做一个'革命军马前卒'",他自己说他是"呐喊"。这里面反映一个什么问题呢?就是中国的革命有它的必由之路,必须是无产阶级领导,鲁迅由于阶级出身的限制在开始时对真理不能够望得见,他又切切实实地追求真理。换句话说,鲁迅最初不能认识中国人民的力量,只是他个人总对着中国人民的敌人瞄准。欧洲的资产阶级思想对他起了进步作用,他用来促进中国的反对封建文化,但他从来就蔑视他所认识的中国资产阶级。瞿秋白《鲁迅杂感选集序言》里又有这样的话:"辛亥革命之前,譬如一九〇七年的时候,除去富国强兵和立宪民治之外,还有什么理想呢?不是伟大的天才,有敏锐的感觉和真正的世界的眼光,就不能够跳过'时代的限制';就算只是容纳和接受外国的学说,也要有些容纳和接受的能力。而鲁迅在一九〇七年说:

> 辁才小慧之徒,于是竞言武事……谓钩爪锯牙,为国家首事,又以〔引〕文明之语,用以自文。〔,〕……虽兜牟深隐其面,威武若不可陵,而干禄之色,固灼然现于外矣!计其次者,乃复有制造商估立宪国会之说。前二者素见重中国青年间,纵不主张,治之者亦将不可缕数。盖国若一日存,固足以假力图富强之名,博志士之誉;即有不幸,宗社为墟,而广有金资,大能温饱……若夫后二,可无论已……将事权言议,悉归奔走干进之徒,或至愚屯之富人,否亦善垄断之市侩……呜呼,古之临民者,一独夫也;由今之道,且顿变(而为)千万无赖之尤,民不堪命矣,于兴国何与焉。(《坟》:《文化偏至论》)

这在现在看来,几乎全是预言!中国的资产阶级,经过了短期间的革命,而现在,那些一九〇七年时候的青年,热心于提倡而实行'制造商估'的青年,正在一面做'志士',一面预备亡国,而且更进一步,积极的巧妙的卖国了。至于千万无赖之尤的假民权,也正在粉刷着新的立宪招牌。"这是说鲁迅在辛亥革命以前就不相信中国的资产阶级。这是中国资产阶级的无力与世界已经进到帝国主义时代这一客观历史事实在鲁迅思想的反映。那么欧洲的资产阶级思想,虽说鲁迅用来在反对封建文化方面起了作用,究竟它能上阵打几个回合呢?所以鲁迅对自己的不敢自信,起先他只说他是"呐喊",后来在归入集体主义以前又苦于"两间余一卒,荷戟独彷徨",并不是偶然的,表现他在半封建半殖民地的中国社会里不依靠资产阶级的高贵的品质。

在介绍《我们现在怎样做父亲》的文章时,我们已经注意了鲁迅的话:"我自己知道,不特并非创造者,并且也不是真理的发见者。凡有所说所写,只是就平日见闻的事理里面,取了一点心以为然的道理;至于终极究竟的事,却不能知。便是对于数年以后的学说的进步和变迁,也说不出会到如何地步,单相信比现在总该还有进步还有变迁罢了。"现在我们读《热风》里的《随感录》四十一,这篇文章开始两段是:

> 从一封匿名信里看见一句话,是"数麻石片"(原注江苏方言),大约是没有本领便不必提倡改革,不如去数石片的好的意思。因此又记起了本志通信栏内所载四川方言的"洗煤炭"。想来别省方言中,相类的话还多;守着这专劝人自暴自弃的格言的人,也怕并不少。
>
> 凡中国人说一句话,做一件事,倘与传来的积习有

若干抵触,须一个斤斗便告成功,才有立足的处所;而且被恭维得烙铁一般热。否则免不了标新立异的罪名,不许说话;或者竟成了大逆不道,为天地所不容。这一种人,从前本可以夷到九族,连累邻居;现在却不过是几封匿名信罢了。但意志略略薄弱的人便不免因此萎缩,不知不觉的也入了"数麻石片"党。

我们由此可以看出中国当时社会的思想状况是如何的冷,鲁迅吹的真是"热风"。这篇《随感录》后面就这样说:

> 所以我时常害怕,愿中国青年都摆脱冷气,(只是向上走,)不必听自暴自弃者流的话。能做事的做事,能发声的发声。有一分热,发一分光,就令萤火一般,也可以在黑暗里发一点光,不必等候炬火。
>
> 此后如竟没有炬火:我便是唯一的光。倘若有了炬火,出了太阳,我们自然心悦诚服的消失,不但毫无不平,而且还要随喜赞美这炬火或太阳;因为他照了人类,连我都在内。

鲁迅说他在当时是"时常害怕",同时他认为中国虽是"黑暗",前面总应该有炬火,太阳总会出来,这个感情该是多么的真实!他从辛亥革命以来积累了许多的经验,他从欧洲资本主义文化里又受到了许多的鼓舞,而结果个人的思想感情是不敢"自暴自弃",这是革命的小资产阶级知识分子忠实的自我写照。鲁迅丝毫没有那般资产阶级知识分子乘机做"领袖"的野心。他始终是爱祖国,祖国就是不容易望见出路。"倘若有了炬火,出了太阳,我们自然心悦诚服的消失",这确乎是经历了辛亥革命失败的痛苦的爱国者说的话。所以鲁迅后来归入无产阶级阵营,是他的真实的思想感情的出路,祖国给他照见了光明的前途。

《华盖集》里有一篇《导师》,值得我们注意,它的全文是:

> 近来很通行说青年;开口青年,闭口也是青年。但青年又何能一概而论?有醒着的,有睡着的,有昏着的,有躺着的,有玩着的,此外还多。但是,自然也有要前进的。
>
> 要前进的青年们大抵想寻求一个导师。然而我敢说:他们将永远寻不到。寻不到倒是运气;自知的谢不敏,自许的果真识路么?凡自以为识路者,总过了"而立"之年,灰色可掬了,老态可掬了,圆稳而已,自己却误以为识路。假如真识路,自己就早进向他的目标,何至于还在做导师。说佛法的和尚,卖仙药的道士,将来都与白骨是"一邱〔丘〕之貉",人们现在却向他听生西的大法,求上升的真传,岂不可笑!
>
> 但是我并非敢将这些人一切抹杀;和他们随便谈谈,是可以的。说话的也不过能说话,弄笔的也不过能弄笔;别人如果希望他打拳,则是自己错。他如果能打拳,早已打拳了,但那时,别人大概又要希望他翻筋斗。
>
> 有些青年似乎也觉悟了,我记得《京报副刊》征求青年必读书时,曾有一位发过牢骚,终于说:只有自己可靠!我现在还想斗胆转一句,虽然有些杀风景,就

是：自己也未必可靠的。

我们都不大有记性。这也无怪，人生苦痛的事太多了，尤其是在中国。记性好的，大概都被厚重的苦痛压死了；只有记性坏的，适者生存，还能欣然活着。但我们究竟还有一点记忆，回想起来，怎样的"今是昨非"呵，怎样的"口是心非"呵，怎样的"今日之我与昨日之我战"呵。我们还没有正在饿得要死时于无人处见别人的饭，正在穷得要死时于无人处见别人的钱，正在性欲旺盛时遇见异性，而且很美的。我想，大话不宜讲得太早，否则，倘有记性，将来想到时会脸红。

或者还是知道自己之不甚可靠者，倒较为可靠罢。

青年又何须寻那挂着金字招牌的导师呢？不如寻朋友，联合起来，同向着似乎可以生存的方向走。你们所多的是生力，遇见深林，可以辟成平地的，遇见旷野，可以栽种树木的，遇见沙漠，可以开掘井泉的。问什么荆棘塞途的老路，寻什么乌烟瘴气的鸟导师！

这篇文章是一九二五年写的，中国共产党已经产生了四年，鲁迅这时还真是"不识路"，不知道前进的路是跟着共产党走。但我们研究这一篇《导师》，它反映的现实问题就是，中国前进的道路是无产阶级领导的。这篇文章真是表现着鲁迅的紧急的呼吁，他告诉青年们资产阶级知识分子都不可靠，青年知识分子"自己也未必可靠的"！这真不愧为鲁迅的一首抒情诗，是他"有记性"、积了"厚重的苦痛"而写的。

我们读了这一篇《导师》，连忙就应该记起另外的一篇文章，那就是毛主席在五四运动二十年后写的《五四运动》。主席指示我们:"在中国的民主革命运动中,知识分子是首先觉悟的成份。辛亥革命和五四运动都明显地表现了这一点,而五四运动时期的知识分子则比辛亥革命时期的知识分子更广大和更觉悟。然而知识分子如果不和工农民众相结合,则将一事无成。革命的或不革命的或反革命的知识分子的最后的分界,看其是否愿意并且实行和工农民众相结合。"历史是真理的真实的见证,革命的小资产阶级知识分子鲁迅难道不是现身说法走着革命的道路吗?我们不是应该由个人主义走向集体主义,由知识分子走向知识分子工农化吗?在过程之中,鲁迅总保持着警惕,他确实认为自己也未必可靠,但在黑暗里有一分热,发一分光,一直到出了太阳。这样的革命的知识分子,才真正是我们的导师。伟大的毛泽东思想,是我们的太阳。

四　鲁迅的政治路线和文艺实践

　　中国近百年来是受帝国主义的侵略的,中国的社会属于半殖民地的性质,帝国主义是中国人民的最凶狠的敌人。所以中国共产党在它一登上政治舞台的时候就提出反对帝国主义的口号。党教育了全中国的人民。鲁迅在一九三四年《答国际文学社问》里面也就这样说:"我在中国,看不见资本主义各国之所谓'文化';我单知道他们和他们的奴才们,在中国正在用力学和化学的方法,还有电气机械,以拷问革命者,并且用飞机和炸弹以屠杀革命群众。"这说明鲁迅把帝国主义的狰狞面目认得清清楚楚了,资本主义发展到帝国主义时代,它的"文化"就是进步人类的死敌,它在落后的国家里比"借刀杀人"要利害得多多。然而在最早期鲁迅确曾为欧洲资本主义文化所鼓动。而又因为中国社会有半封建的性质,资本主义文化在中国新民主主义革命时期能够对反对封建文化起进步作用的还是有用。中国共产党的统一战线政策在中国革命的各个方面都发生了巨大的作用。历史事实证明,从五四统一战线中分裂后的资产阶级知识分子右翼在中国走帝国主义的道路。不跟着无产阶级领导的战线走就一定倒到帝国主义的怀抱里去,没有另外一条路。这个路线问题又是中国社会的半殖民地性质所决定的。有革命的小资产阶级知识分子,然而小资产阶级没有独立的政治路线。在反对封建主义时不用说,在两条路线的斗争的尖锐时刻,经得起考验的革命的小资产阶级知识分子必然站在无产阶级这一面。经得起考验的革命的小资产阶级知识分子也必然逐渐战胜了自己,最后认识在中国无所谓"资本主义各国之所谓'文化'",只有"他们和他们的奴才们"狼狈为奸企图扼杀中国人民革命。鲁迅就是革命的小资产阶级知识分子的最伟大的代表。毛主席说:"鲁迅的骨头是最硬的,他没有丝毫的奴颜和媚骨,这是殖民地半殖民地人民最可宝贵的性格。"这话是多么意义深长呵!

研究鲁迅思想的发展,我们从而可以画出一根红线,鲁迅的思想是跟着无产阶级的政治路线往前走的,同时他的文学活动就是顽强的政治斗争。我们在这个题目之下分作下面的三个节目来说明问题。

1 鲁迅全集第一次出现"帝国主义"

"帝国主义"这个名词第一次出现在鲁迅的笔下是在五卅时期他同反动的资产阶级知识分子作斗争一口气说出来的。我们读《华盖集》里《这回是"多数"的把戏》这一篇文章,在这篇文章里鲁迅第一次说着"俄国的多数主义现在也还叫做〔作〕过激党,为大英〈、〉大日本和咱们中(华民)国的绅士们所(·)深恶而痛绝之(·)"对中国的绅士们深恶而痛绝之的话。接着就嘲笑反动知识分子说:"'要是'帝国主义(者)抢去了中国的大部分,只剩了一二省,我们便怎样?"这就是《鲁迅全集》里第一次出现"帝国主义"的名词。我们把《这回是"多数"的把戏》这篇文章仔细读起来,从表面逻辑看,"多数主义"、"帝国主义"都没有在文章里出现的必然性,然而其中有一种极其实际的逻辑,就是在阶级斗争中敌我分清了,鲁迅同中国的反动的资产阶级知识分子作战,自己所靠拢的是无产阶级阵营,这真是鲁迅的伟大的思想感情的爆发!

我们再读《华盖集续篇〔编〕》里的《无花的蔷薇》的这一节文章:

> 法国罗曼罗兰先生今年满六十岁了。晨报社为此征文,徐志摩先生于介绍之余,发感慨道:"……但如其有人拿一些时行的口号,什么打倒帝国主义等等,或是分裂与猜忌的现象,去报告罗兰先生说这是新中国,我再也不能预料他的感想了。"(《晨副》一二九九)
>
> 他住得远,我们一时无从质证,莫非从"诗哲"的眼光看来,罗兰先生的意思,是以为新中国应该欢迎帝国主义的么?
>
> "诗哲"又到西湖看梅花去了,一时也无从质证。不知孤山的古梅,著花也未,可也在那里反对中国人"打倒帝国主义"?

这样把鲁迅的在中国的神圣的国土里不容许帝国主义存在的感情明明白白地表现出来,在鲁迅的集子里也是第一次。这决不是偶然的,这是规律的反映,反动的资产阶级知识分子走帝国主义的路,"鲁迅是在文化战线上,代表全民族的大多数,向着敌人冲锋陷阵的最正确、最勇敢、最坚定、最忠实、最热忱的空前的民族英雄。"

但我们必须注意,鲁迅,甚至在五卅时期,他也并没有完全打破"中国人学西方的迷梦"。这证明认识帝国主义是非常的不容易,也就是告诉我们阶级觉悟的重要,马克思列宁主义是放之四海而皆准的真理。当一九二五年五卅运动起来后,鲁迅很写了一些杂感(收在《华盖集》里),研究这些杂感,我们可以了解鲁迅当时思想里的矛盾。正是在这个时期,他的思想发展了,他开始感到"我们目下委实并没有认谁作敌。近来的文字中,虽然偶有'认清敌人'这些话,那是行文过火的毛病。"(《华盖集》90页)这只能是鲁迅自己思想感情的反映,目下决不能不"认清敌人",而到今天为止"委实并没有认谁作敌"。其实中国人民的主要的敌人是帝国主义,中国共产党已经给中国人民指出来了的。就是鲁迅说着"没有认谁作敌"的这一篇杂感,开头他也是这样写的:

> 我们的市民被上海租界的英国巡捕击杀了,我们并不还击,却先来赶紧洗刷牺牲者的罪名。说道我们并非"赤化",因为没有受别国的煽动;说道我们并非"暴徒",因为都是空手,没有兵器的。我不解为什么中国人如果真使中国赤化,真在中国暴动,就得听英捕来处死刑?记得新希腊人也曾用兵器对付过国内的土耳其人,却并不被称为暴徒;俄国确已赤化多年了,也没有得到别国开枪的惩罚。而独有中国人,则市民被杀之后,还要皇皇然辩诬,张着含冤的眼睛,向世界搜求公道。

> 其实,这原由是很容易了然的,就因为我们并非暴徒,并未赤化的缘故。
>
> 因此我们就觉得含冤,大叫着伪文明的破产。可是文明是向来如此的,并非到现在才将假面具揭下来。
> ……

这番话,同一九三四年《答国际文学社问》里面的话,实质是一样的,把"文明"的假面具揭下来,没有什么资本主义各国之所谓"文化"。很明白,帝国主义的"文明"就是对落后国家的侵略,帝国主义是中国人民的敌人,然而鲁迅在同一题目的文章里最后还有一小节,我们把它抄下来:

> 中国的精神文明,早被枪炮打败了,经过了许多经验,已经要证明所有的还是一无所有。讳言这"一无所有",自然可以聊以自慰;倘更铺排得好听一点,还可以寒天烘火炉一样,使人舒服得要打盹儿。但那报应是永远无药可医,一切牺牲全都白费,因为在大家打着盹儿的时候,狐鬼反将牺牲吃尽,更加肥胖了。
>
> 大概,人必须从此有记性,观四向而听八方,将先前一切自欺欺人的希望之谈全都扫除,将无论是谁的自欺欺人的假面全都撕掉,将无论是谁的自欺欺人的手段全都排斥,总而言之,就是将华夏传统的所有小巧的玩艺儿全都放掉,倒去屈尊学学枪击我们的洋鬼子,这才可望有新的希望的萌芽。

我们认为这还是鲁迅早期学西方的思想。这是鲁迅思想里的矛盾还没有完全解决。中国的先进分子马克思主义者已经作了结论,在中国必须走俄国人的路,西方是帝国主义,是我们的敌人。鲁迅早期学西方的思想是很明白的,他在《狂人日记》里借狂人的口说了这样的话:

"你们可以改了,从真心改起!要晓得将来容不得吃人的人,活在世上。

("）你们要不改,自己也会吃尽。即使生得多,也会给真的人除灭了,同猎人打完狼子一样!——同虫子一样!"

这所谓"真的人",是指西方人,鲁迅最初"委实没有认谁作敌",从小资产阶级知识分子说不可能。他倒是受了欧洲资本主义文化的鼓舞认识封建道德的"吃人"。从他认识帝国主义和反抗帝国主义这一思想发展的事实,就充分表现所有鲁迅的写作就是他的政治路线的实践,他的政治路线是跟着无产阶级走的。

2 鲁迅同反动的资产阶级知识分子作斗争因而认识人民的力量

中国的反动的资产阶级知识分子必然是认帝国主义作主了,鲁迅在同反动的资产阶级知识分子作斗争时因而认清了帝国主义,如我们在上节所述的。同样,鲁迅认识中国人民的力量,也是通过同反动的资产阶级知识分子作斗争的过程,我们现

在就研究这个事实。读《华盖集》《并非闲话》(二)的这一节:

> 据说,张歆海先生看见两个美国兵打了中国的车夫和巡警,于是三四十个人,后来就有百余人,都跟在他们后面喊"打!打!",美国兵却终于安然的走到东交民巷口了,还回头"笑着嚷道:'来呀!来呀!'说也奇怪,这喊打的百余人不到两分钟便居然没有影踪了!"
>
> 西滢先生于是在"〔《〕闲话"〔》〕中斥之曰:"打!打!宣战!宣战!这样的中国人,呸!"
>
> 这样的中国人真应该受"呸!"他们为什么不打的呢,虽然打了也许又有人来说是"拳匪"。但人们那里顾忌得许多,终于不打,"怯"是无疑的。他们所有的不是拳头么?
>
> 但不知道他们可曾等候美国兵走进了东交民巷之后,远远地吐了唾沫?《现代评论》上没有记载,或者虽然"怯",还不至于"卑劣"到那样罢。
>
> 然而美国兵终于走进东交民巷口了,毫无损伤,还笑嚷着"来呀来呀"哩!你们还不怕么?你们还敢说"打!打!宣战!宣战!"么?这百余人,就证明着中国人该被打而不作声!
>
> "这样的中国人,呸!呸!!!"

这就是毛主席说的"鲁迅的骨头是最硬的,他没有丝毫的奴颜和媚骨,这是殖民地半殖民地人民最可宝贵的性格。"我们今天读了这一节文章,鲁迅就像在我们面前一样,我们非常之感动于他的性格。这是一件事。我们还应该研究这节文章里的这两句话:"他们为什么不打的呢,虽然打了也许又有人来说是'拳匪'。"其实从鲁迅这时的观点上说,他还没有认识义和团反帝的性质,在他自己的文章里叙述义和团的事情也还是用"拳匪事件"字样(后期的文章里就改用"义和拳变"),然而碰到实际斗争,好比这次同反动的资产阶级知识分子作斗争,反动的资产阶级知识分子站在帝国主义的立场发反人民的言论,鲁迅就挺身而出站在人民的立场上,他同情于义和团了。这是多么显明的阶级斗争,一方面是反动资产阶级知识分子代表中国资产阶级的反动性,代表帝国主义,一方面是鲁迅,代表中国人民。《并非闲话》(二)的这一节文章,最能说明问题,故我们首先引了来。鲁迅思想的这个转变,开始认识帝国主义而且同时认识人民的力量,是在一九二五年,我们抄《华盖集》题记的首两段:

> 在一年的尽头的深夜中,整理了这一年所写的杂感,竟比收在《热风》里的整四年中所写的还要多。意见大部分还是那样,而态度却没有那么质直了,措辞也时常弯弯曲曲,议论也〔又〕往往执滞在几件小事情上,很足以贻笑于大方之家。然而那又有什么法子呢。我今年偏遇到这些小事情,而偏有执滞于小事情的脾气。
>
> 我知道伟大的人物能洞见三世,观照一切,历大苦恼,尝大欢喜,发大慈悲。但我又知道这必须深入山林,坐古树下,静思默想,得天眼通,离人间愈远遥,而知人间也愈深,愈广;于是凡有言说,也愈高,愈大;于是而为天人师。我幼时虽曾梦想飞空,但至今还在地

上,救小创伤尚且来不及,那有余暇使心开意豁,立论都公允妥洽,平正通达,像"正人君子"一般;正如沾水小蜂,只在泥土上爬来爬去,万不敢比附洋楼中的通人,但也自有悲苦愤激,决非洋楼中的通人所能领会。

他一方面说他在一九二五年这一年所写的《华盖集》里面的文章比《热风》收的四年的文章还要多,一方面却幽默地说"我今年偏遇到这些小事情,而偏有执滞于小事情的脾气",显然,这里不是鲁迅个人的"脾气"的关系,是中国社会实际的部分的反映。《热风》的文章(以及《坟》的一部分)是鲁迅的反封建的思想在五四初期尽量表现出来,更具体地说鲁迅是本着欧洲资本主义文化来反对中国封建社会的上层建筑,所以它在知识分子当中起了反封建的作用。《华盖集》则是鲁迅猛烈地反抗殖民主义的奴化的具体表现,并不是"执滞在几件小事情上"。又因为鲁迅早期的反封建是反封建社会的上层建筑,并不是他认识了中国社会的封建的经济基础的问题,他总不免把封建统治思想代表了"中国",因而不认识中国人民的力量,到了《华盖集》时期,遇到势必划清敌我的阶级斗争的具体事件,就是鲁迅自己所说的"几件小事情上",鲁迅就认清了敌我,在认识帝国主义的同时认识了中国人民的力量。

问题就是如此摆得清楚。

《坟》里面的《春末闲谈》,也是一九二五年写的,我们抄它的两节:

  三年前,我遇见神经过敏的俄国的E君,有一天他忽然发愁道,不知道将来的科学家,是否不至于发明一种奇妙的药品,将这注射在谁的身上,则这人即甘心永远去做服役和战争的机器了？那时我也就皱眉叹息,装着〔作〕一齐发愁的模样,以示"所见略同"之至意,殊不知我国的圣君、〔,〕贤臣、〔,〕(圣贤,)圣贤之徒,却早已有过这一种黄金世界的理想了。不是"唯辟作福,唯辟作威,唯辟玉食"么？不是"君子劳心,小人劳力"么？不是"治于人者食(去声)人,治人者食于人"么？可惜理论虽已卓然,而终于没有发明十全的好方法。要服从作威就须不活,要贡献玉食就须不死；要被治就须不活,要供养治人者又须不死。人类升为万物之灵,自然是可贺的,但没有了细腰蜂的毒针,却很使圣君、〔,〕贤臣、〔,〕圣贤、〔,〕圣贤之徒,以至现在的阔人、〔,〕学者、〔,〕教育家觉得棘手。将来未可知,若已往,则治人者虽然尽力施行过各种麻痹术,也还不能十分奏效,与果蠃并驱争先。即以皇帝一伦而言,便难免时常改姓易代,终没有"万年有道之长"；"二十四史"而多至二十四,就是可悲的铁证。现在又似乎有些别开生面了,世上挺生了一种所谓"特殊智识阶级"的留学生,在研究室中研究之结果,说医学不发达是有益于人种改良的,中国妇女的境遇是极其平等的,一切道路〔理〕都已不错,一切状态都已够好。E君的发愁,或者也不为无因罢,然而俄国是不要紧的,因为他们不像我们中国,(有)所谓"特别国情",还有所谓"特殊智识阶级"。

但这种工作,也怕终于像古人那样,不能十分奏效的罢,因为这实在比细腰蜂所做的要难得多。她于青虫,只须不动,所以仅在运动神经球上一螫,即告成功。而我们的工作,却求其能运动,无知觉,该在知觉神经中枢,加以完全的麻醉的。但知觉一失,运动也就随之失却主宰,不能贡献玉食,恭请上自"极峰"下至"特殊智识阶级"的赏收享用了。就现在而言,窃以为除了遗老的圣经贤传法,学者的进研究室主义,文学家和茶摊老板的莫谈国事律,教育家的勿视勿听勿言勿动论之外,委实还没有更好,更完全,更无流弊的方法。便是留学生的特别发见,其实也并未轶出了前贤的范围。

这就是瞿秋白在《鲁迅杂感选集序言》里所说的"猛烈的攻击阶级统治的火焰",这种火焰在《热风》里是没有的。我们注意鲁迅一再说的"特殊智识阶级",以及"上自'极峰'下至'特殊智识阶级'"的话,用我们今天的话来说,就是认帝国主义作主子的中国的反动的资产阶级知识分子同帝国主义一样勾结封建残余,这时(一九二五年)是在北京勾结北洋军阀。二年之后就到南京投奔蒋介石了。鲁迅的政治路线到这时就可以用一句话来说明白,在具体的阶级斗争的事件之中他就代表人民同反动的资产阶级作斗争。

我们再读一九二六年的《学界的三魂》(《华盖集续篇〔编〕》),把鲁迅的这一篇文章同《热风》里的杂感比较起来研究,就看出鲁迅到这时确已认识了中国历史上农民起义的意义,以及中国封建社会的历史到底是怎么一回事,换句话说鲁迅开始有了阶级分析的观点。同时很显然,鲁迅思想的这一跃进,是他同反动的资产阶级知识分子作战的巨大的胜利。下面是《学界的三魂》的一段文章：

> 但这也足见去年学界之糟了，竟破天荒的有了学匪。以大点的国事来比罢，太平盛世，是没有匪的；待到群盗如毛时，看旧史，一定是外戚、[,]宦官、[,]奸臣、[,]小人当国，即使大打一通官话，那结果也还是"呜呼哀哉"。当这"呜呼哀哉"之前，小民便大抵相率而为盗，所以我相信源增先生的话："表面上看只是些土匪与强盗，其实是些农民革命军。"（《国民新报副刊》四三）那么，社会不是改进了么？并不，我虽然也是被谥为"土匪"之一，却并不想为老前辈们饰非掩过。农民是不来夺取政权的，源增先生又道："任三五热心家〈乘势〉将皇帝推倒，自己过皇帝瘾去。"但这时候，匪便被称为帝，除遗老外，文人学者却都来恭维，又称反对他的为匪了。

这样对中国封建社会历史的正确的分析，在一九二六年出自小资产阶级知识分子的口中不是易事，尤其是同《热风》时期鲁迅自己的思想比较起来。我们研究鲁迅思想的变化感得有意义的是这样的话："我虽然也是被谥为'土匪'之一，却并不想为老前辈们饰非掩过。农民是不来夺取政权的，……"鲁迅的感情完全不像说一桩历史事件，像说自己今天切身的一件事，这表明鲁迅是多么地置身于今天的阶级斗争之中，从自己的"被谥为'土匪'"而认识历史上的农民起义，字里行间就以"农民是不来夺取政权的"为痛苦。下文接着就说："所以中国的国魂里大概总有两种魂：官魂和匪魂。"这意思就是替历史上的封建社会划阶级，即地主阶级和农民。下面鲁迅就发表他对中国当时社会的意见了，因为反动的资产阶级知识分子勾结封建势力而引起的："所谓学界，是一种发生较新的阶级，本该可以有将旧魂灵略加涮洗之望了，但听到'学官'的官话，和'学匪'的新名，则似乎还走着旧道路。那末，当然也得打倒的。这来打倒他的是'民魂'，是国魂的第三种。先前不很发扬，所以一闹之后，终不自取政权，而只'任三五热心家将皇帝推倒，自己过皇帝瘾去'了。"接着又说："惟有民魂是值得宝贵的，惟有他发扬起来，中国才有（真）进步。"这些话真值得我们研究，在鲁迅思想发展的过程中有其重要意义。他当时不是马克思主义者，只是在斗争当中有深刻的感性认识，他说的"学界"，用科学的话说就是知识分子，他所谓"还走着旧道路"，就是反动的资产阶级知识分子勾结封建势力。他所说的"'民魂'，是国魂的第三种"，其实质只能是工人阶级领导的中国农民运动。

我们再读一九二六年他写的《写在〈坟〉后面》里面的这样的话："去年我主张青年少读，或者简直不读中国书，乃是用许多苦痛换来的真话，决不是聊且快意，或什么玩笑，愤激之辞。古人说，不读书便成愚人，那自然也不错的。然而世界却正由愚人造成，聪明人决不能支持世界，尤其是中国的聪明人。"这些话，在我们今天看来，好像有些愤激，因为对待文化遗产的正确态度是批判的接受。然而我们体会鲁迅当时说话的感情是非常的迫切，而且表现他的思想的巨大的发展，他能够认识"世界却正由愚人造成"，他的这个思想又是与"聪明人决不能支持世界，尤其是中国的聪明人"对立起来的。他所说的"中国的聪明人"是指什么人呢？就是《坟》的题记里所说的"我的敌人"，就是中国的反动的资产阶级知识分子。总之一句话，置身于具体的阶级斗争之中，鲁迅的思想进步了，他认识了人民的力量。

为得说明问题起见，最后我们举出《热风》里的一篇《圣武》来稍加分析，看它与《华盖集》以后的鲁迅的思想有怎样的不同。《圣武》的全文是：

> 我前回已经说过"什么主义都与中国无干"的话了；今天忽然又有些意见，便再写在下面：
>
> 我想，我们中国本不是发生新主义的地方，也没有容纳新主义的处所，即使偶然有些外来思想，也立刻变了颜色，而且许多论者反要以此自豪。我们只要留心译本上的序跋，以及各样对于外国事情的批评议论，便能发见我们和别人的思想中间，的确还隔着几重铁壁。他们是说家庭问题的，我们却以为他鼓吹打仗；他们是写社会缺点的，我们却说他讲笑话；他们以为好的，我们说来却是坏的。若再留心看看别国的国民性格，国民文学，再翻一本文人的评传，便更能明白别国著作里写出的性情，作者的思想，几乎全不是中国所有。所以不会了解，不会同情，不会感应，[；]甚至彼我间的是非爱憎，也免不了得到一个相反的结果。
>
> 新主义宣传者是放火人么，也须别人有精神的燃料(，)才会着火；是弹琴人么，别人的心上也须有弦索(，)才会出声；是发声器么，别人也必须是发声器，才

会共鸣。中国人都有些不很像,所以不会相干。

几位读者怕要生气,说,"中国时常有将性命去殉他主义的人,中华民国以来,也因为主义上死了多少烈士,你何以一笔抹杀?吓!"这话也是真的。我们从旧的外来思想说罢,六朝的确有许多焚身的和尚,唐朝也有过砍下臂膊布施无赖的和尚;从新的说罢,自然也有过几个人的。然而与中国历史,仍不相干。因为历史的结帐,不能像数学一般精密,写下许多小数,却只能学粗人算帐的四舍五入法门,记一笔整数。

中国历史的整数里面,实在没有什么思想主义在内。这整数只是两种物质,——是刀与火,"来了"便是他的总名。

火从北来便逃向南,刀从前来便退向后,一大堆流水帐簿,只有这一个模型。倘嫌"来了"的名称不很庄严,"刀与火"也触目,我们也可以别想花样,奉献一个谥法,称作"圣武",便好看了。

古时候,秦始皇帝很阔气,刘邦和项羽都看见了;邦说,"嗟乎!大丈夫当如此也!"羽说,"彼可取而代也!"羽要"取"什么呢?便是取邦所说的"如此"。"如此"的程度,虽有不同,可是谁也想取;被取的是"彼",取的是"丈夫"。所有"彼"与"丈夫"的心中,便都是这"圣武"的产生所,受纳所。

何谓"如此"?说起来话长,〔;〕〈现在〉简单地说,便只是〈人类中的〉纯粹兽性方面的欲望的满足——威福、〔,〕子女、〔,〕玉帛,——罢了。然而在一切大小丈夫,却算最高理想(?)了。我怕现在的人,还被这理想支配着。

大丈夫"如此"之后,欲望没有衰,身体却疲敝了;而且觉得暗中有一个黑影——死——到了身边了。于是无法,只好求神仙。这在中国,也要算最高理想了。我怕现在的人,也还被这理想支配着。

求了一通神仙,终于没有见,忽然有些疑惑了。于是要造坟,来保存死尸,想用自己的尸体,永远占据着一块地面。这在中国,也要算一种没奈何的最高理想了。我怕现在的人,也还被这理想支配着。

现在的外来思想,无论如何,总不免有些自由平等的气息,互助共存的气息,在我们这单有"我",单想"取彼",单要由我喝尽了一切空间时间的酒的思想界上,实没有插足的余地。

因此,只须防那"来了"便够了。看看别国,抗拒这"来了"的便是有主义的人民。他们因为所信的主义,牺牲了别的一切,用骨肉碰钝了锋刃,血液浇灭了烟焰。在刀光火色衰微中,看出一种薄明的天色,便是新世纪的曙光。

曙光在头上,不抬起头,便永远只能看见物质的闪光。

从这篇文章,我们可以看出鲁迅早期的反封建是以欧洲资本主义文化来反对中国封建社会的上层建筑,他不能像中国共产党人一样从一开始就指出了中国人民的敌人之一是作为经济基础的封建主义，在中国的历史上存在着农民和地主两个阶级。他说着"也有过几个人的"，实际这就是欧洲资本主义文化的个人主义思想在鲁迅思想里的表现。他说着"中国的历史的整数里面，实在没有什么思想主义在内"，实际就是说历史上中国只有封建思想。历史上中国只有封建思想，这是不错的，因为是封建社会。但中国封建社会的历史充满了阶级斗争，即农民与地主阶级的斗争，它是历史发展的真正动力，鲁迅在《热风》时期是没有认识的。应该说，他所谓"刀与火"，所谓"来了"，就是历史上阶级斗争最激烈的时候。而他与"圣武"混淆起来（"圣武"是皇帝的另一个词儿）。刘邦，项羽，做了皇帝想成仙，死了要造坟，都是地主阶级的人物和地主阶级的事情，不能代表"中国历史的整数"。总之鲁迅在《热风》时期以封建统治思想代表了中国历史，又以欧洲资本主义文化来反对中国的封建统治思想，到了《华盖集》时期他的思想进步了，他开始认识了中国的农民。

附说一事，《圣武》篇末"新世纪的曙光"有些论者认为鲁迅指的是十月革命，这是断章取义。鲁迅在《我之节烈观》里面也说："时候已是二十世纪了；人类眼前，早已闪出曙光。"他还是《文化偏至论》里面的论点，他认为二十世纪不同于十九世纪，所以不同，他概括为二事，"曰非物质，曰重个人"，这就是他的"新世纪的曙光"的含义。《圣武》的主题思想正是"非物质，重个人"。鲁迅在《热风》时期并没有认识到二十世纪是十月革命的世纪，人类进入了集体主义的世纪。

3 鲁迅在文化"围剿"中成了中国文化革命的伟人

我们在前面两个节目里说明鲁迅的政治路线和文艺实践反映小资产阶级没有独立的政治路线,鲁迅在前进的道路上是跟着无产阶级一边倒,他认识了中国人民的力量。鲁迅因而接受中国共产党的领导。从鲁迅思想的发展,从鲁迅接受中国共产党的领导,就充分表明党的统一战线的科学价值。小资产阶级有革命性,党领导它,而且改造它,正是这个规律,所以小资产阶级知识分子后来是马克思主义者的鲁迅在文化"围剿"中成了中国文化革命的伟人。

鲁迅对小资产阶级知识分子的转变概括地说了一些话。他是承认突变的,"但我们知道,所谓突变者,是说 A 要变 B,几个条件已经完备,而独缺其一的时候,这一个条件一出现,于是就变成了 B。譬如水的结冰,温度须到零点,同时又须有空气的振动,倘没有这,则即便到了零点,也还是不结冰,这时空气一振动,这才突变而为冰了。所以外面虽然好像突变,其实是并非突然的事。"(《二心集》:《上海文艺之一瞥》)鲁迅自己的转变就是他的这些话的现身说法。我们在前面两个节目里所说明的问题,也就是研究鲁迅转变"几个条件已经完备"。从党的统一战线说,是客观规律发挥作用,从转变者的主观方面来研究,要说明其详细的过程,这是我们对一个问题从两个角度的说话,所说的不是两件事情。就鲁迅的转变说,究竟什么是"这一个条件一出现"的"这一个条件"呢?我们看他在同一个时间的两次的话,就是一九三二年四月写的《三闲集》的序言和《二心集》的序言。

在《二心集》序言里说"由于事实的教训,以为惟新兴的无产者才有将来",在《三闲集》序言里则提到"我看了几种科学底文艺论","并且因此译了一本蒲力汗诺夫的《艺术论》,以救正我——还因我而及于别人——的只信进化论的偏颇。"《二心集》序言所谓"事实的教训",在《三闲集》序言里也说了的:"我一向是相信进化论的,总以为将来必胜于过去;〔,〕青年必胜于老人,对于青年,我敬重之不暇,往往给我十刀,我只还他一箭。然而后来我明白我倒是错了。这并非唯物史观的理论或革命文艺的作品蛊惑我的,我在广东,就目睹了同是青年,而分成两大阵营,或则投书告密,或则助官捕人的事实!我的思路因此轰毁,……"这就是"事实"的教训。所以我们应该把这两篇"序言"一齐看,先是他的旧的思路的轰毁,就是破,接着是马克思主义理论的立。从《三闲集》的序言看,还有一个因素,我们认为也是重要的,就是革命文艺的作品的"蛊惑"作用,鲁迅指的是《铁流》和《毁灭》两部著作。他用着"蛊惑"两个字,显然是反话,他确实受了这两部著作的鼓舞,从这两部著作他相信人类的"新人",也就是无产阶级的典型。他说着"这并非唯物史观的理论或革命文艺的作品蛊惑我的",就正因为他在广东目睹了残酷的阶级斗争的事实因而有了阶级觉悟,接着就是"唯物史观的理论"和"革命文艺的作品"推动他起了转变的作用。这样就有了三件事,一是事实的教训,一是社会科学的理论,一是革命文艺的作品,其中社会科学的理论又贯穿了一切,这一个条件一出现,鲁迅就从进化论走到阶级论了。在《〈草鞋脚〉小引》里也就说得很明白:"最初,文学革命者的要求是人性的解放,他们以为只要扫荡了旧的成法,剩下来的便是原来的人,好的社会了,于是就遇到保守家们的迫压和陷害。大约十年之后,阶级意识觉醒了起来,前进的作家,就都成了革命文学者"。这说明中心问题是阶级意识的觉醒。

《三闲集》序言里鲁迅用了"感谢"两个字,这好像不重要,其实重要,"我有一件事要感谢创造社的,是他们'挤'我看了几种科学底文艺论"。事实是党教育群众的方法也适用于鲁迅,群众教育群众,群众又自己觉悟。不久鲁迅就接受党的领导,他在上海领导左翼作家联盟的工作。

从一九三〇年起鲁迅最后七年所写的八个杂文集,《二心集》到《且介亭杂文》(三集),其战绩之辉煌,充分表现鲁迅对敌作战的勇气与对人民的信心,不是"呐喊",不是"彷徨",是鲁迅自觉地为无产阶级革命服务,是中国新民主主义文化革命的诗史。在一九三五年写的《且介亭杂文》序言里鲁迅自己这样说:"这一本集子和《花边文学》,是我在去年一年中,在官民的明明暗暗,软软硬硬的围剿'杂文'的笔和刀下的结集,凡是写下来的,全在这里面。当然不敢说是诗史,其中有着时代的眉目,也决不是英雄们的八宝箱,一朝打开,便见光辉灿烂。"谦逊的话,然而自信,是诗史,光辉灿烂,应该包括八个杂文集。

这一时期,中国的历史,在反革命方面,"是在帝国主义指挥下的地主〈、〉(阶级和大)资产阶级联盟的专制主义。"这一时期,"有两种反革命的'围剿':军事'围剿'和文化'围剿'"。"反革命'围剿'的消极的结果,则是日本帝国主义打进来了。""而共产主义者的鲁迅,却正在这一'围剿'中成了中国文化革命的伟人。"如人家所熟知,这里引的都是《新民主主义论》里面的话,我们以之为纲来研究鲁迅的杂文,就可以看出它如何是诗史。

帝国主义指挥下的地主、资产阶级联盟的专制主义,通过反动的资产阶级知识分子都现出来了,这是合乎规律的,在鲁迅的《伪自由书》里就给我们留下了两篇富有形象性的文章,刻划了一个典型。这两篇文章是《王道诗话》和《"光明所到……"》。我们附说一事,两篇里的《王道诗话》是瞿秋白写的,当作鲁迅写的发表出来,所以又可以说是他们两人集体写的。鲁迅当时署名干。我们读《王道诗话》:

"人权论"是从鹦鹉开头的。据说古时候有一只高飞远走的鹦哥儿,偶然又经过自己的山林,看见那里大火,它就用翅膀蘸着些水洒在这山上;人家说它那么一点(儿)水怎么救得熄这样的大火,它说:"我总算在这里住过的,现在不得不尽点儿心。"(事出《栎园书影》,见《》胡适《》人权论集》序所引。)鹦鹉会救火,人权可以粉饰一下反动的统治。这是不会没有报酬的。胡博士到长沙去演讲一次,何将军就送了五千元程仪。价钱不算小,这"叫做"实验主义。

但是,这火怎么救,在"人权论"时期(一九二九——三○年),还不十分明白,五千元一次的零卖价格做出来之后,就不同了。最近(今年二月二十一日)《字林西报》登载胡博士的谈话说:

"任何一个政府都应当有保护自己而镇压那些危害自己的运动的权利,固然,政治犯也和其他罪犯一样,应当得(着)法律的保障和合法的审判……"

这就清楚得多了!这不是在说"政府权"了么?自然,博士的头脑并不简单,他不至于只说:"一只手拿着宝剑,一只手拿着经典!"如什么主义之类。他是说还应当拿着法律。

(下略)

这记的是一九三三年的事情。何将军是湖南军阀何健。《字林西报》是英帝国主义在中国的报纸。胡适嘴里的"政府"、"镇压",就是帝国主义通过他替蒋介石法西斯统治帮凶,欺骗中国人民,事情就是如此明白。

《"光明所到……"》同《王道诗话》是针对着同一具体事件在十天以内(一九三三年三月五——一五日)写的,发表在同一个刊物上。这两篇文章真是照妖镜,帝国主义和帝国主义的奴才的嘴脸都照出来了。这两篇文章又充分表现了"杂文"这个文学形式的艺术价值和时代特征,它同一切的艺术一样富有概括性,写出来的是社会的典型,所不同的是它取材于时事,丝毫不能有虚构的成分,它在当时的政治效果极大,是巷战的匕首,致敌以死命,而读起来,用鲁迅自己的话,给人"愉快和休息",就是有生聚教训的功用。"它给人的愉快和休息是休养,是劳作和战斗之前的准备。"(《南腔北调集》:《小品文的危机》)总之鲁迅的杂文永垂不朽。我们还是读他这一篇的原文:

中国监狱里的拷打,是公然的秘密。上月里,民权保障同盟曾经提起了这问题。

但外国人办的《字林西报》就揭载了二月十五日的《北京通信》,详述胡适博士曾经亲自看过几个监狱,"很亲爱的"告诉这位记者,说"据他的慎重调查,实在不能得最轻微的证据,……他们很容易和犯人谈话,有一次胡适博士还能够用英国话和他们会谈。监狱的情形,他(胡适博士——干注)说,是不能满意的,但是,虽然他们很自由的(哦,很自由的——干注)诉说待遇的恶劣侮辱,然而关于严刑拷打,他们却连一点儿暗示也没有。〈"〉……〈"〉

我虽然没有随从这回的"慎重调查"的光荣,但在十年以前,是参观过北京的模范监狱的。虽是模范监狱,而访问犯人,谈话却很不"自由",中隔一窗,彼此相距约三尺,旁边站一狱卒,时间既有限制,谈话也不准用暗号,更何况外国话。

而这回胡适博士却"能够用英国话和他们会谈",真是特别之极了。莫非中国的监狱竟已经改良到这地步,"自由"到这地步;还是狱卒给"英国话"吓倒了,以为胡适博士是李顿爵士的同乡,很有来历的缘故呢?

幸而我这回看见了〔《〕招商局三大案〔》〕上的胡适博士的题辞:

"公开检举,是打倒黑暗政治的唯一武器,光明所到,黑暗自消。"(原无新式标点,这是我僭加的——干注。)

我于是大澈〔彻〕大悟。监狱里是不准用外国话和犯人会谈的,但胡适博士一到,就开了特例,因为他能够"公开检举",他能够和外国人"很亲爱的"谈话,他就是"光明",所以"光明"所到,"黑暗"就"自消"了。他于是向外国人"公开检举"了民权保障同盟,"黑暗"倒在这一面。

（下略）

"民权保障同盟"是当时民主人士的一种组织。鲁迅这篇文章就是揭露帝国主义的奴才胡适向主子献媚，《字林西报》把胡适的话揭载出来，就等于欺骗中国人民说"民权保障同盟"错了，所以实质上是胡适代表帝国主义替专制主义说话。

《二心集》里的一篇《"友邦惊诧"论》，我们完全抄下来：

> 只要略有知觉的人就都知道：这回学生的请愿，是因为日本占据了辽吉，南京政府束手无策，单会去哀求国联，而国联却正和日本是一伙。读书呀，读书呀，不错，学生是应该读书的，但一面也要大人老爷们不至于葬送土地，这才能够安心读书。报上不是说过，东北大学逃散，冯庸大学逃散，日本兵看见学生模样的就枪毙吗？放下书包来请愿，真是已经可怜之至。不道国民党政府却在十二月十八日通电各地军政当局文里，又加上他们"捣毁机关，阻断交通，殴伤中委，拦劫汽车，攒击路人及公务人员，私逮刑讯，社会秩序，悉被破坏"的罪名，而且指出结果，说是"友邦人士，莫名惊诧，长此以往，国将不国"了！
>
> 好个"友邦人士"！日本帝国主义的兵队强占了辽吉，炮轰机关，他们不惊诧；阻断铁路，追炸客车，捕禁官吏，枪毙人民，他们不惊诧。中国国民党治下的连年内战，空前水灾，卖儿救穷，砍头示众，秘密杀戮，电刑

逼供,他们也不惊诧。在学生的请愿中有一点纷扰,他们就惊诧了!

好个国民党政府的"友邦人士"!是些什么东西!

即使所举的罪状是真的罢,但这些事情,是无论那一个"友邦"也都有的,他们的维持他们的"秩序"的监狱,就撕掉了他们的"文明"的面具。摆什么"惊诧"的臭脸孔呢?

可是"友邦人士"一惊诧,我们的国府就怕了,"长此以往,国将不国"了,好像失了东三省,党国倒愈像一个国,失了东三省谁也不响,党国倒愈像一个国,失了东三省只有几个学生上几篇"呈文",党国倒愈像一个国,可以博得"友邦人士"的夸奖,永远"国"下去一样。

几句电文,说得明白极了:怎样的党国,怎样的"友邦"。"友邦"要我们人民身受宰割,寂然无声,略有"越轨",便加屠戮;党国是要我们遵从这"友邦人士"的希望,否则,他就要"通电各地军政当局","即予紧急处置,不得于事后借口无法劝阻,敷衍塞责"了!

因为"友邦人士"是知道的:日兵"无法劝阻",学生们怎会"无法劝阻"?每月一千八百万的军费(,)四百万的政费,作什么用的呀,"军政当局"呀?

写此文后刚一天,就见二十一日《申报》登载南京专电云:"考试院部员张以宽,盛传前日为学生架去重伤。兹据张自述,当时因车夫误会,为群众引至中大,旋出校回寓,并无受伤之事。至行政院某秘书被拉到中大,亦当时出来,更无失踪之事。"而"教育消息"栏内,又记本埠一小部分学校赴南京请愿学生死伤的确数,则云:"中公死二人,伤三十人,复旦伤二人,复旦附中伤十人,东亚失踪一人(系女性),上中失踪一人,伤三人,文生氏死一人,伤五人……"可见学生并未如国府通电所说,将"社会秩序,破坏无余",而国府则不但依然能够镇压,而且依然能够诬陷,杀戮。"友邦人士",从此可以不必"惊诧莫名",只请放心来瓜分就是了。

这是中国新民主主义革命时代记载反革命方面的难得的史料,是一篇诗史。日本帝国主义打进来了,"而国联却正和日本是一伙",中国的反革命政府则向帝国主义献媚镇压、诬陷、杀戮爱国学生。

关于反革命的"围剿"和日本帝国主义打进来了,我们再读《伪自由书》里面《天上地下》和《"有名无实"的反驳》两篇,以及《且介亭杂文二集》《"题未定"草》之九里面的一段宝贵的记载。我们学习鲁迅,首先要学习鲁迅是以政治为灵魂,我们读他的文章若不能从这方面得到教育,是可惜的!《天上地下》写着:

中国现在有两种炸,一种是炸进去,一种是炸进来。

炸进去之·例曰:"日内除飞机往匪区轰炸外,无战事,三四两队,七日晨迄申,更番成队飞宜黄以西崇仁以南掷百二十磅弹两三百枚,凡匪足资屏蔽处炸毁

几平,使匪无从休养。……"(五月十日《申报》南昌专电)

炸进来之一例曰:"今晨六时,敌机炸蓟县,死民十余,又密云今遭敌袭四次,每次二架,投弹盈百,损害正在详查中。……"(同日《大晚报》北平电)

应了这运会而生的,是上海小学生的买飞机,和北平小学生的挖地洞。

这也是对于"非安内无以攘外"或"安内急于攘外"的题目,做出来的两股好文章。

(下略)

这记的是一九三三年的事情。今天的青年们恐怕不能完全体会鲁迅"两股好文章"的话说得如何的沉痛,中国的统治阶级历来就是这样亡国的,在半殖民地时代的国民党统治尤其如此。没有共产党就没有新中国。

《"有名无实"的反驳》最能反映转变后鲁迅思想的光辉,我们把它完全抄下来:

新近的《战区见闻记》有这么一段记载:

"记者适遇一排长,甫由前线调防于此,彼云,我军前在石门寨,海阳镇,秦皇岛,牛头关,柳江等处所做阵地及掩蔽部……化洋三四十万元,木材重价尚不在内……艰难缔造,原期死守,不期冷口失陷,一令传出,即行后退,血汗金钱所合并成立之阵地,多未重用,弃若敝屣,至堪痛心;不抵抗将军下台,上峰易人,我士兵莫不额手相庆……结果心与愿背。不幸生为中国人!尤不幸生为有名无实之抗日军人!"(五月十七日《申报》特约通信〈。〉)

这排长的天真,正好证明未经"教训"的愚劣人民,不足与言政治。第一,他以为不抵抗将军下台,"不抵抗"就一定跟着下台了。这是不懂逻辑:将军是一个人,而不抵抗是一种主义,人可以下台,主义却可以仍旧留在台上的。第二,他以为化了三四十万大洋建筑了防御工程,就一定要死守的了(总算还好,他没有想到进攻)。这是不懂策略:防御工程原是建筑给老百姓看看的,并不是教你死守的阵地,真正的策略却是"诱敌深入"。第三,他虽然奉令后退,却敢于"痛心"。这是不懂哲学:他的心非得治一治不可!第四,他"额手称庆",实在高兴得太快了。这是不懂命理:中国人生成是苦命的。如此痴呆的排长,难怪他连叫两个"不幸",居然自己承认"是有名无实的抗日军人"。其实究竟是谁"有名无实",他是始终没有懂得的。

至于比排长更下等的小兵,那不用说,他们只会"打开天窗说亮话,咱们弟兄,处于今日局势,若非对外,鲜有不哗变者"(同上通信)。这还成话么?古人说,"无敌国外患者,国恒亡"。以前我总不大懂得这是什么意思:既然连敌国都没有了,我们的国还会亡给谁呢?现在照这兵士的话就明白了,国是可以亡给"哗变者"的。

> 结论：要不亡国，必须多找些"敌国外患"来，更必须多多"教训"那些痛心的愚劣人民，使他们变成"有名有实"。

这就是鲁迅认识了人民，中国人民要抗日。怎么叫做"使他们变成'有名有实'"呢？这就是中国共产党领导的全民抗战，以工人农民为根本的力量。

再读《且介亭杂文二集》《"题未定"草》之九里面如下的话："刚刚接到本日的《大美晚报》，有'北平特约通讯'，记学生游行，被警察水龙喷射，棍击刀砍，一部分则被闭于城外，使受冻馁，'此时燕冀中学、师大附中及附近居民纷纷组织慰劳队，送水烧饼馒头等食物，学生略解饥肠……'谁说中国的老百姓是庸愚的呢，被愚弄诓骗压迫到现在，还明白如此。"这记的是"一二九"时的事情。这说明鲁迅重视人民，把人民跟统治者分别开来。

在反革命文化"围剿"中，鲁迅领导左翼作家联盟，捍卫无产阶级革命文学阵地，其结果是敌人溃不成军。我们必须注意，这方面的文章，不完全是用笔来写的，"用我们的同志的鲜血写了第一篇文章"，鲁迅自己也随时准备用自己的血来写，当时的斗争是残酷的。我们谁都记得《二心集》里《中国无产阶级革命文学和前驱的血》，鲁迅在这篇文章的开头第一句话就是："中国的无产阶级革命文学在今天和明天之交发生，在诬蔑和压迫之中滋长，终于在最黑暗里，用我们的同志的鲜血写了第一篇文章。"大凡血写的文章，有两个特点，首先要从它替人民所立下的功勋来读，其次看烈士留给同志们的记忆。关于它的功勋，鲁迅写道：

> ……我们的同志的血,已经证明了无产阶级革命文学和革命的劳苦大众是在受一样的压迫,一样的残杀,作一样的战斗,有一样的运命,是革命的劳苦大众的文学。
>
> 现在,军阀的报告,已说虽是六十岁老妇,也为"邪说"所中,租界的巡捕,虽对于小学儿童,也时时加以检查;他们除从帝国主义得来的枪炮和几条走狗之外,已将一无所有了,所有的只是老老小小——青年不必说——的敌人。而他们的这些敌人,便都在我们的这一面。
>
> 我们现在以十分的哀悼和铭记,纪念我们的战死者,也就是要牢记中国无产阶级革命文学的历史的第一页,是同志的鲜血所记录,永远在显示敌人的卑劣的凶暴和启示我们的不断的斗争。

当时被蒋介石匪帮暗杀的有柔石、胡也频、白莽(殷夫)、冯铿、李伟森等五个作家。鲁迅的这篇文章,同他所有的文章不同,因为笔不能代替血,所以它显得没有文辞,它表示悲愤化为力量,鲁迅已经同革命的劳苦大众站在一起。

同革命的劳苦大众站在一起,这个力量该有多么大,这是鲁迅在晚年勇气和信心倍加的来源。在反革命方面,作为"剿灭革命文学"的"武器",在鲁迅看来,直等于鬼魅,那是当然的。他揭穿当时所谓"民族主义文学"和"第三种人"反动阶级的本相,写了许多有力的文章,我们只从《中国文坛上的鬼魅》《且介亭杂文》)这一篇里抄一些直截了当的话:"最先用的是极普通的手段:禁止书报,压迫作者,终于是杀戮作者,五个左翼青年作家就做了这示威的牺牲。然而这事件又并没有公表,他们很知道,这事是可以做,却不可以说的。古人也早经说过,'以马上得天下,不能以马上治之。'所以要剿灭革命文学,还得用文学的武器。

作为这武器而出现的,是所谓'民族文学'。他们研究了世界上各人种的脸色,决定了脸色一致的人种,就得取同一的行为,所以黄色的无产阶级,不该和黄色的有产阶级斗争,却该和白色的无产阶级斗争。他们还想到了成吉思汗,作为理想的标本,描写他的孙子拔都汗,怎样率领了许多黄色的民族,侵入斡罗斯,将他们的文化摧残,贵族和平民都做了奴隶。

中国人跟了蒙古的可汗去打仗,其实是不能算中国民族的光荣的,但为了扑灭斡罗斯,他们不能不这样做,因为我们的权力者,现在已经明白了古之斡罗斯,即今之苏联,他们的主义,是决不能增加自己的权力,财富和姨太太的了。然而,现在的拔都汗是谁呢?

一九三一年九月,日本占据了东三省,这确是中国人将要跟着别人去毁坏苏联的序曲,民族主义文学家们可以满足的了。但一般的民众却以为目前的失去东三省,比将来(的)毁坏苏联还紧要,他们激昂了起来。于是民族主义文学家也只好顺风转舵,改为对于这事件的啼哭,叫喊了。许多热心的青年们往南京去请愿,要求出兵;然而这须经过极辛苦的试验,火车不准坐,露宿了几日,才给他们坐到南京,有许多是只好用自己的脚走。到得南京,却不料就遇到一大队曾经训练过的'民众',手里是棍子,皮鞭,手枪,迎头一顿打,使他们只好脸上或身上肿起几块,当作结果,垂头丧气的回家,有些人还从此找不到,有的是在水里淹死了,据报上说,那是他们自己掉下去的。

民族主义文学家们的啼哭也从此收了场,他们的影子也看不见了,他们已经完成了送丧的任务。这正和上海的葬式行列是一样的,出去的时候,有杂乱的乐队,有唱歌似的哭声,但那目的是在将悲哀埋掉,不再记忆起来;目的一达,大家走散,再也不会成什么行列的了。"以上是一个鬼魅,所谓"民族主义文学"。

鲁迅接着写道:"但是,革命文学是没有动摇的,还发达起来,读者们也更加相信了。

于是别一方面,就出现了所谓'第三种人',是当然决非左翼,但又不是右翼,超然于左右之外的人物。他们以为文学是永久的,政治的现象是暂时的,所以文学不能和政治相关,一相关,就失去它的永久性,中国将从此没有伟大的作品。不过他们,忠实于文学的'第三种人',也写不出伟大的作品(。)为什么呢?是因为左翼批评家不懂得文学,为邪说所迷,对于他们的好作品,都加以严酷而不正确的批评,打击得他们写不出来了。所以左翼批评家,是中国文学的刽子手。

至于对于政府的禁止刊物,杀戮作家呢,他们不谈,因为这是属于政治的,一谈,就失去他们的作品的永久性了;况且禁压,或杀戮'中国文学的刽子手'之流,倒正是'第三种人'的永久的文学,伟大的作品的保护者。

这一种微弱的假惺惺的哭诉,虽然也是一种武器,但那力量自然是很小的,革命文学并不为它所击退。"后来国民党反动政府在上海设立"书籍杂志检查处","第三种人"就"坐上了检查官的椅子。"这都叫做"中国文坛上的鬼魅"。所以鲁迅说:"现在,在中国,无产阶级的革命的文艺运动,其实就是唯一的文艺运动。"向前看,在这个运动十二年之后就是毛主席《在延安文艺座谈会上的讲话》。这个运动,一九三一年用五个青年同志的鲜血写了第一篇文章,是中国无产阶级革命总的事业的一部分,其功勋永垂不朽。

再说血写的文章留给同志们的记忆,首先是留给鲁迅的记忆,鲁迅写了一篇《为了忘却的记念》。这一篇有名的文章,中国的青年都读过了,它的意思却实在是不容易体会。鲁迅自己也说:"年青时读向子期《思旧赋》,很怪他为什么只有寥寥的几行,刚开头却又煞了尾。然而,现在我懂得了。"可见有许多文章,是不容易懂。"只因为两年以来,悲愤总时时来袭击我的心,至今没有停止,我很想借此算是竦身一摇,将悲哀摆脱,给自己轻松一下,照直说,就是我倒要将他们忘却了。""忘却"就是再不要总是记住同志们的血痕,重要的是我们要继续战斗。"将来总会有记起他们,再说他们的时候的。"

青年们很怪鲁迅"为了忘却的记念"这个题目,记念为什么"为了忘却"? 这种文章,不只是一个作家在写作品,鲁迅写时有毛主席说的精神,"他们从地下爬起来,揩干净身上的血迹,掩埋好同伴的尸首,他们又继续战斗了。"

我们在这一个节目里最后还要举两篇文章,从而看出鲁迅对敌作战的狠和准,同时他爱祖国爱无产阶级的感情就是一张洁白的纸,写出来的天真无瑕的文字把敌人打得寸骨寸伤,我们读了又好像走进了春日的花园,怡情悦目,足以培养我们的坚强的党性。这是文学史上的奇事,包括古今中外。这两篇文章是《"丧家的""资本家的乏走狗"》和《"题未定"草》(一至三)。《"丧

家的"""资本家的乏走狗"》篇幅不长,我们完全抄下来:

梁实秋先生为了《拓荒者》上称他为"资本家的走狗",就做了一篇自云"我不生气"的文章。先据《拓荒者》第二期第六七二页上的定义,"觉得我自己便有点像是无产阶级里的一个"之后,再下"走狗"的定义,为"大凡做走狗的都是想讨主子的欢心因而得到一点恩惠",于是又因而发生疑问道——

"《拓荒者》说我是资本家的走狗,是那一个资本家,还是所有的资本家?我还不知道我的主子是谁,我若知道,我一定要带着几分杂志去到主子面前表功,或者还许得到几个金镑或卢布的赏赍呢。……我只知道不断的劳动下去,便可以赚到钱来维持生计,至于(如何可以做走狗,)如何可以到资本家的帐房去领金镑,如何可以到××党去领卢布,这一套本领,我可怎么能知道呢?……"

这正是"资本家的走狗"的活写真。凡走狗,虽或为一个资本家所豢养,其实是属于所有的资本家的,所以它遇见所有的阔人都驯良,遇见所有的穷人都狂吠。不知道谁是它的主子,正是它遇见所有阔人都驯良的原因,也就是属于所有的资本家的证据。即使无人豢养,饿的精瘦,变成野狗了,但还是遇见所有的阔人都驯良,遇见所有的穷人都狂吠的,不过这时它就愈不明白谁是主子了。

梁先生既然自叙他怎样辛苦,好像"无产阶级"(即梁先生先前之所谓"劣败者"),又不知道"主子是谁",那是属于后一类的了,为确当计,还得添个字称为"丧家的""资本家的走狗"。

然而这名目还有些缺点。梁先生究竟是有智识的教授,所以和平常的不同。他终于不讲"文学是有阶级性的吗?"了,在《答鲁迅先生》那一篇里,很巧妙地插进电杆上写"武装保护苏联",敲碎报馆玻璃那些句子去,在上文所引的一段里又写出"到××党去领卢布"字样来,那故意暗藏的两个×,是令人立刻可以悟出的"共产"这两字,指示着凡主张"文学有阶级性",得罪了梁先生的人,都是在做"拥护苏联",或"去领卢布"的勾当,和段祺瑞的卫兵枪杀学生,《晨报》却道学生为了几个卢布送命,自由大同盟上有我的名字,《革命日报》的通信上便说为"金光灿烂的卢布所买收",都是同一手段。在梁先生,也许以为给主子嗅出匪类("学匪"),也就是一种"批评",然而这职业,比起"刽子手"来,也就更加下贱了。

我还记得,"国共合作"时代,通信和演说,称赞苏联,是极时髦的,现在可不同了,报章所载,则电杆上写字和"××党",捕房正在捉得非常起劲,那么,为将自己的论敌指为"拥护苏联"或"××党",自然也就髦得合时,或者还许会得到主子的"一点恩惠"了。但倘说梁先生意在要得"恩惠"或"金镑",是冤枉的,决没有这回事,不过想借此助一臂之力,以济其"文艺批评"之穷罢了。所以从"文艺批评"方面看来,就还得在"走狗"

之上,加上一个形容字:"乏"。

这篇文章,是集体主义的作战,响应同志们攻打资本家的走狗,从此这乏狗再也吠不出声来。这就叫做胜利。原来他是挂"文艺批评"的招牌的,写过《文学是有阶级性的吗?》了,所以是"有智识的教授"。然而他终于不讲"文学是有阶级性的吗?"了,他用了他的政治标准,也就是比起刽子手来更加下贱的伎俩,指自己的论敌为"到××党去领卢布",那他的文章的阶级性还用问吗?所以他是资产阶级文学的代表。把他做一个典型,就是鲁迅的这个题目:"'丧家的''资本家的乏走狗'"。鲁迅的这篇文章,虽然不是小说,形象性非常之大,用了这么小的篇幅。

《"题未定"草》(一至三)是揭露西崽相,也是一个典型。这篇文章写得长,是鲁迅的杰作之一,我们简单地谈一谈它的特点。鲁迅的长文章都是抒写他的悲愤的,我们说它像"黄河之水天上来",一点也不夸张,他的笔就是掉得动,掉到面前来又像跟你弹琴似的,令你爱听。早期写的如《说胡须》,看它头一段:"今年夏天游了一回长安,一个多月之后,胡里胡涂的回来了。知道的朋友便问我:'你以为那边怎样?'我这才栗然地回想长安,记得看见很多的白杨,很大的石榴树,道中喝了不少的黄河水。……"这是一个壮士的声调,谁也没有想到下面是要谈他的胡须的故事。因为他的经验多,他的知识丰富,爱国情切,遇事关心,在任何时候都表示他的坚强的态度,鲁迅的《说胡须》自有他的"离骚"空气,我们爱他的"发出连绵不断的感慨来",爱他的长文章,爱他的信笔挥写一气呵成。到了晚年就更不同了,他没有感慨,他是一个无产阶级的战士,他辛勤地工作,他不放松任何阶级敌人,《"题未定"草》就是这样写出来的。本来只不过要给"'圆通自在',所以也自得其乐,除非你扫了他的兴头"的西崽相扫一扫兴头,而一提笔,我们的巨人的各个方面表现得可敬可爱,主要的是他的为人民服务的精神,他的爱祖国的感情,相形之下奴才在天地之间算得一个什么呢?"还是翻译《死魂灵》的事情。躲在书房里,是只有这类事情的。"这是鲁迅说他本来是躲在书房里翻译《死魂灵》。他又说他工作时"冷汗不离身"。我们要学习他的辛勤工作。"到得烦厌,疲倦了的时候,就随便拉本新出的杂志来翻翻,算是休息。这是我的老脾气,休息之中,也略含幸灾乐祸之意,其意若曰:这回是轮到我舒舒服服的来看你们在闹什么花样了。"所以《"题未定"草》就是鲁迅翻译《死魂灵》的休息时写的,他的气魄该有多么大,他的精力该有多么饱满,他的思虑是上下古今无所不至,好像孙悟空纵身云端,视察妖怪一样。妖怪现出原形,林语堂自鸣得意地说:"今人一味仿效西洋,自称摩登,甚至不问中国文法,必欲仿效英文,分'历史地'为形容词,'历史地的'为状词,以模仿英文之 historic-al-ly,拖一西洋辫子"。巨人轻轻一句,其实是当头一棒:"其实(是)'地'字之类的采用,并非一定从高等华人所擅长的英文而来的。'英文''英文',一笑一笑。"在奴才的意识形态里,天下只有英文。林语堂摇头摆尾地说:"其在文学,今日绍介波兰诗人,明日绍介捷克文豪,而对于已经闻名之英、美、法、德文人,反厌为陈腐,不欲深察,求一究竟。此与妇女新装求入时一样,总是媚字一字不是,自叹女儿身,事人以颜色,其苦不堪言。"巨人当头棒喝之:"诚然,'英〈、〉美〈、〉法〈、〉德'(,)在中国有宣教师,在中国现有或曾有租界,几处有驻军,几处有军舰,商人多,用西崽也多,至于使一般人仅知有'大英','花旗','法兰西'和'茄门'(,)而不知世界上还有波兰和捷克。但世界文学史,是用了文学的眼睛看,而不用势利眼睛看的,所以文学无须用金钱和枪炮作掩护,波兰〈、〉捷克,虽然未曾加入八国联军来打过北京,那文学却在,不过有一些人,并未'已经闻名'而已。""所以一样的没有打过中国的国度的文学,如希腊的史诗,印度的寓言,亚剌伯的《天方夜谈》,西班牙的《堂·吉诃德》,纵使在别国'已经闻名',不下于'英〈、〉美〈、〉法〈、〉德文人'的作品,在中国却被忘记了,他们或则国度已灭,或则无能,再也用不着'媚'字。"所以"英文""英文",是奴才的"媚"。从此我们可以看出,鲁迅在任何时候是拥护正义、爱祖国、憎恶奴才的。什么样的奴才就给以什么样的打击。

我们从鲁迅所开辟的战场可以得到一个规律,就是,胜负之数无须到战场上去决定,决定于敌我的阶级力量的对比,梁实秋、林语堂、"民族主义文学"、"第三种人",经得起革命文学的一击吗?

五　鲁迅早期思想里的矛盾和中国新民主主义革命现实在鲁迅作品的反映

1

读鲁迅早期的作品,对今天的青年说,需要有一枚钥匙,才能好好地打开库藏。我们现在在这个题目之下就试着做这件事,从鲁迅早期的作品里找出普遍存在的东西来。

我们归纳为下面的三点。

一、如《"草鞋脚"小引》里面所说,"最初,文学革命者的要求是人性的解放","大约十年之后,阶级意识觉醒了起来",这就是鲁迅自己的思想的线索。"人性的解放"是资产阶级思想的范畴,而中国社会是半殖民地性质,世界已经进到帝国主义时期,过了时的欧洲资产阶级思想在中国只能上阵打几个回合,在外国帝国主义的奴化思想和中国封建主义的复古思想的反动同盟势力之下,它是显得非常空洞的。我们读《华盖集》里的《忽然想到》(六):

> 现在,外国的考古学者们便联翩而至了。
> 他们活有余力,则以考古,但考古尚可,帮同保古

就更可怕了。有些外人,很希望中国永是一个大古董以供他们的赏鉴,这虽然可恶,却还不奇,因为他们究竟是外人。而中国竟也有自己还不够,并且要率领了少年、[,]赤子,共成一个大古董以供他们的赏鉴者,则真不知是生着怎样的心肝。

中国废止读经了,教会学校不是还请腐儒做先生,教学生读"四书"么?民国废去跪拜了,犹太学校不是偏请遗老做先生,要学生磕头拜寿么?外国人办给中国人看的报纸,不是最反对五四以来的小改革么?而外国总主笔治下的中国小主笔,则倒是崇拜道学,保存国粹的!

这是鲁迅早期作品的第一个特点:民主主义思想,而反映的是新民主主义革命现实。

二、鲁迅早期反封建是反封建主义的上层建筑。因为他还不是马克思主义者,他不能了解上层建筑与经济基础的关系以及在阶级社会里统治阶级的思想就是统治思想这一规律,所以在他反封建的范围里也包括中国的农民。如《狂人日记》借狂人的口说:"前几天,狼子村的佃户来告荒,对我大哥说,他们村里的一个大恶人,给大家打死了;几个人便挖出他的心肝来,用油煎炒了吃,可以壮壮胆子。我插了一句嘴,佃户和大哥便都看我几眼。"大哥是地主阶级,当然是代表礼教吃人的,而鲁迅把佃户同地主阶级相提并论。这是观点上的问题,缺乏分析。但我们最要注意,鲁迅的文章在写出两个阶级对立的时候,总是站在人民的立场上,如狂人对大哥——也就是鲁迅站在佃户的立场上对地主阶级说的话:"……说是不能!大哥,我相(信)你能说,前天佃户要减租,你说过不能。"这说明鲁迅早期作品的又一个特点:他在观点上缺乏阶级分析,而他的立场总是同人民站在一个立场上。

三、鲁迅自己是小资产阶级,因此他常常是代表小资产阶级的利益说话。他笔下的"国民"、"百姓",每每是指小资产阶级和一般的市民。他有"国民性"的观念,但他所谓"国民性",按其实质主要地是指中国统治阶级的阶级性,也包括小资产阶级及一般的市民。他不曾具体地考虑到占绝对大多数人口的中国农民,更不用说他当时没有想到现代中国还有"新兴的无产者"。我们读《华盖集》里面的一篇《通讯》,他说:"我现在住在一条小胡同里,这里有所谓土车者,每月收几吊钱,将煤灰之类搬出去。搬出去怎么办呢?就堆在街道上,这街就每日增高。有几所老房子,只有一半露出在街上的,就正在豫告着别的房屋的将来。我不知道什么缘故,见了这些人家,就像看见了中国人的历史。

姓名我忘记了,总之是一个明末的遗民,他曾将自己的书斋题作'活埋庵'。谁料现在的北京的人家,都在建造'活埋庵',还要自己拿出建造费。看看报章上的论坛,'反改革'的空气浓厚透顶了,满车的'祖传'、'老例'、'国粹'等等,都想来堆在道路上,将所有的人家完全活埋下去。'强聒不舍',也许是一个药方罢,但据我所见,则有些人们——甚至于竟是青年——的论调,简直和'戊戌政变'时候的反对改革者的论调一模一样。你想,二十七年了,还是这样,岂不可怕。大约国民如此,是决不会有好的政府;好的政府,或者反而容易倒。也不会有好议员的;现在常有人骂议员,说他们收贿,无持操,趋炎附势,自私自利,但大多数的国民,岂非正是如此的么? 这类的议员,其实确是国民的代表。"这里是都市居民对每月出几吊钱搬运煤灰的事引起的感慨。所谓"大多数的国民,岂非正是如此的么?"显然不是大多数的国民,是鲁迅他自己这一阶层的人。就在这《通讯》前面的一篇《忽然想到》(四)里,有"难道所谓国民性者,真是这样地难于改变的么"的话,其下文所引的"国民性"的具体事例是:

> 其实这些人是一类,都是伶俐人,也都明白,中国虽完,自己的精神是不会苦的,——因为都能变出合式的态度来。倘有不信,请看清朝的汉人所做的颂扬武功的文章去,开口"大兵",闭口"我军",你能料得到被这"大兵"、"我军"所败的就是汉人的么? 你将以为汉人带了兵将别的一种什么野蛮腐败民族歼灭了。
>
> 然而这一流人是永远胜利的,大约也将永久存在。在中国,惟他们最适于生存,而他们生存着的时候,中国便永远免不掉反复着先前的运命。
>
> "地大物博,人口众多",用了这许多好材料,难道竟不过老是演一出轮回把戏而已么?

这所说的是做颂扬清朝武功的文章的汉奸的阶级性,不是"国民性",与"地大物博,人口众多"并没有关系。鲁迅笔下的"国民性",都要作阶级性看,这是我们读鲁迅早期作品必须注意的第三点。

2

我们分析《灯下漫笔》,作为怎样读鲁迅早期的杂文举例。

灯下漫笔

一

有一时,就是民国二三年时候,北京的几个国家银行的钞票,信用日见其好了,真所谓蒸蒸日上。听说连一向执迷于现银的乡下人,也知道这既便当,又可靠,很乐意收受,行使了。至于稍明事理的人,则不必是"特殊知识阶级",也早不将沉重累坠的银元装在怀中,来自讨无谓的苦吃。想来,除了多少对于银子有特别嗜好和爱情的人物之外,所有的怕大都是钞票了罢,而且多是本国的。但可惜后来忽然受了一个不小的打击。

就是袁世凯想做皇帝的那一年,蔡松坡先生溜出北京,到云南去起义。这边所受的影响之一,是中国和交通银行的停止兑现。虽然停止兑现,政府勒令商民照旧行用的威力却还有的;商民也自有商民的老本领,不说不要,却道找不出零钱。假如拿几十几百的钞票去买东西,我不知道怎样,但倘使只要买一枝笔,一盒烟卷呢,难道就付给一元钞票么?不但不甘心,也没有这许多票。那么,换铜元,少换几个罢,又都说没有铜元。那么,到亲戚朋友那里借现钱去罢,怎么会有?于是降格以求,不讲爱国了,要外国银行的钞票。但外国银行的钞票这时就等于现银,他如果借给你这钞票,也就借给你真的银元了。

我还记得那时我怀中还有三四十元的中交票,可是忽而变了一个穷人,几乎要绝食,很有些恐慌。俄国革命以后的藏着纸卢布的富翁的心情,恐怕也就这样的罢;至多,不过更深更大罢了。我只得探听,钞票可能折价换到现银呢?说是没有行市。幸而终于,暗暗地有了行市了:六折几。我非常高兴,赶紧去卖了一半。后来又涨到七折了,我更非常高兴,全去换了现银,沉垫垫地坠在怀中,似乎这就是我的性命的斤两。倘在平时,钱铺子如果少给我一个铜元,我是决不答应的。

但我当一包现银塞在怀中,沉垫垫地觉得安心,喜欢的时候,却突然起了另一思想,就是:我们极容易变成奴隶,而且变了之后,还万分喜欢。

以上是在一九二五年北洋军阀时代一个"怀中(还)有三四十元的中交票,可是忽而变了一个穷人,几乎要绝食,很有些恐慌"的人发的感慨,换句话说是小资产阶级知识分子鲁迅从他自己的阶级的利益发的感慨。鲁迅特别憎恶反动的资产阶级右翼知识分子,所以任何时候都要讽刺他们一下,就是所谓"特殊智识阶级",这篇文章里也就有这个名词。鲁迅所说的"乡下人",也是"一向执迷于现银的乡下人",他们也乐意收受银行的钞票,行使钞票,这些人当然不是贫雇农,这一点也是我们要注意的。因为北洋政府的中、交银行钞票停止兑现,于是人们"降格以求,不讲爱国了,要外国银行的钞票",在当时中国有英美等外国银行,这反映中国的半殖民地地位。当中、交钞票"幸而终于,暗暗地有了行市了:六折几。我非常高兴,赶紧去卖了一半。后来又涨到七折了,我更非常高兴,全去换了现银,沉垫垫地坠在怀中,似乎这就是我的性命的斤两。……""但我当一包现银塞在怀中,沉垫垫地觉得安心,喜欢的时候,却突然起了另一思想,就是:我们极容易变成奴隶,而且变了之后,还万分喜欢(。)"〈。〉这就是《写在〈坟〉后面》里面说的"我的确时时解剖别人,然而更多的是更无情(面)的〔地〕解剖我自己"的实例。这种解剖,是小资产阶级知识分子的自我批评。

  假如有一种暴力,"将人不当人",不但不当人,还不及牛马,不算什么东西;待到人们羡慕牛马,发生"乱离人,不及太平犬"的叹息的时候,然后给与他略等于牛马的价格,有如元朝定律,打死别人的奴隶,赔一头牛,则人们便要心悦诚服,恭颂太平的盛世。为什么呢?因为他虽不算人,究竟已等于牛马了。

  我们不必恭读《钦定二十四史》,或者入研究室,审察精神文明的高超。只要一翻孩子所读的《鉴略》,——还嫌烦重,则看《历代纪元编》,就知道"三千余年古国古"的中华,历来所闹的就不过是这一个小玩艺。但在新近编纂的所谓"历史教科书"一流东西里,却不大看得明白了,只仿佛说:咱们向来就很好的。

  但实际上,中国人向来就没有争到过"人"的价格,至多不过是奴隶,到现在还如此,然而下于奴隶的时候,却是数见不鲜的。中国的百姓是中立的,战时连自己也不知道属于那一面,但又属于无论那一面。强盗来了,就属于官,当然该被杀掠;官兵既到,该是自家人了罢,但仍然要被杀掠,仿佛又属于强盗似的。这时候,百姓就希望有一个一定的主子,拿他们去做百姓,——不敢,是拿他们去做牛马,情愿自己寻草吃,只求他决定他们怎样跑。

假使真有谁能够替他们决定,定下什么奴隶规则来,自然就"皇恩浩荡"了。可惜的是往往暂时没有谁能定。举其大者,则如五胡十六国的时候,黄巢的时候,五代时候,宋末元末时候,除了老例的服役纳粮以外,都还要受意外的灾殃。张献忠的脾气更古怪了,不服役纳粮的要杀,服役纳粮的也要杀,敌他的要杀,降他的也要杀:将奴隶规则毁得粉碎。这时候,百姓就希望来一个另外的主子,较为顾及他们的奴隶规则的,无论仍旧,或者新颁,总之是有一种规则,使他们可上奴隶的轨道。

"时日曷丧,余及汝偕亡!"愤言而已,决心实行的不多见。实际上大概是群盗如麻,纷乱至极之后,就有一个较强,或较聪明,或较狡滑,或是外族的人物出来,较有秩序地收拾了天下。厘定规则:怎样服役,怎样纳粮,怎样磕头,怎样颂圣。而且这规则是不像现在那样朝三暮四的。于是便"万姓胪欢"了;用成语来说,就叫作"天下太平"。

任凭你爱排场的学者们怎样铺张,修史时候设些什么"汉族发祥时代"、"汉族发达时代"、"汉族中兴时代"的好题目,好意诚然是可感的,但措辞太绕湾子了。有更其直捷了当的说法在这里——

一、想做奴隶而不得的时代;

二、暂时做稳了奴隶的时代。

这一种循环,也就是"先儒"之所谓"一治一乱";那些作乱人物,从后日的"臣民"看来,是给"主子"清道辟路的,所以说:"为圣天子驱除云尔。"

以上是鲁迅概括过去中国的历史。用科学的话来说,鲁迅所概括的历史情况是阶级斗争史。鲁迅的这篇文章是一九二五年写的,鲁迅的思想里还没有一九二六年写的《学界的三魂》里所表现出的"农民革命军"的思想,也就是说在《灯下漫笔》里鲁迅还没有很好地认识阶级斗争。虽没有很好地认识阶级斗争,但鲁迅最反对复古派以及"特殊智识阶级"一齐鼓吹的中国的"精神文明"——封建文化,所以在这文章里也就说了"我们不必恭读《钦定二十四史》,或者入研究室,审察精神文明的高超"的讽刺的话。总之鲁迅没有明确的阶级斗争的观点,而他所反映的是阶级斗争的事实。鲁迅自己是小资产阶级,所以他认为在历史上"中国的百姓是中立的",不属于"强盗",也不属于"官"。因之他对于黄巢、张献忠的论述就不能不有偏见。他说:"张献忠的脾气更古怪了,不服役纳粮的要杀,服役纳粮的也要杀,敌他的要杀,降他的也要杀:将奴隶规则毁得粉碎。"这些话就表现鲁迅缺乏阶级分析,至少我们要分析"敌他的"是什么人?分明是地主阶级。"降他的"是不是就是先前"敌他的"呢?也可以说是很分明的。"将奴隶规则毁得粉碎",鲁迅当然不是拥护"奴隶规则"的,是主张粉碎的,但鲁迅在这里的态度还是"中立的"。"想做奴隶而不得的时代",正是农民起义的时代;"暂时做稳了奴隶的时代",就是农民革命中和革命后被地主和贵族利用了去改朝换代的时代。鲁迅的划分时代的语气也还缺乏积极乐观的精神,也就是不完全符合科学的分析。科学的分析是:"中国历史上的农民起义和农民战争的规模之大,是世界历史所仅见的。在中国封建社会里,只有这种农民的阶级斗争、农民的起义和农民的战争,才是历史发展的真正动力。"(《毛泽东选集》,第二卷,五九五页)

> 现在入了那一时代,我也不了然。但看国学家的崇奉国粹,文学家的赞叹固有文明,道学家的热心复古,可见于现状都已不满了。然而我们究竟正向着那一条路走呢?百姓是一遇到莫名其妙的战争,稍富的迁进租界,妇孺则避入教堂里去了,因为那些地方都比较的"稳",暂不至于想做奴隶而不得。总而言之,复古的,避难的,无智愚贤不肖,似乎都已神往于三百年前太平盛世,就是"暂时做稳了奴隶的时代"了。
>
> 但我们也就都像古人一样,永久满足于"古已有之"的时代么?都像复古家一样,不满于现在,就神往于三百年前的太平盛世么?
>
> 自然,也不满于现在的,但是,无须反顾,因为前面还有道路在。而创造这中国历史上未曾有过的第三样时代,则是现在的青年的使命!

鲁迅说他也不了然"现在入了那一时代",不完全是反话,他是不了然。"但是,无须反顾,因为前面还有道路在",应该创造"中国历史上未曾有过的第三样时代"。这种感情,在鲁迅的笔下常有,《故乡》里"其实地上本没有路,走的人多了,也便成了路"的话也就是的。我们现在受了党的教育,知道社会发展规律就是道路。毛主席把马克思列宁主义的普遍真理和中国革命的具体实践相结合,中国革命走的是新民主主义革命的道路。中国近百年史是半封建半殖民地时代。这个半封建半殖民地的现实在鲁迅的这段文章里就反映了:"百姓是一遇到莫名其妙的战争,稍富的迁进租界,妇孺则避入教堂里去了,因为那些地方都比较的'稳'"。"莫名其妙的战争"指当时的军阀混战,是外国帝国主义勾结中国封建军人在中国搞势力范围因而打起来的。内战而"租界"和"教堂"比较的"稳",这就因为中国是半殖民地。很显然,现代的"奴隶(的)时代"如果"做稳"了,那就不是什么"暂时"不"暂时"的话,也不是什么"三百年前的太平盛世",而是中国由半殖民地变为殖民地。所以中国在新民主主义革命的时候,是中华民族到了最危险的时候,中国共产党领导中国人民"创造这中国历史上未曾有过的第三样时代"。鲁迅在写《灯下漫笔》时,还不是马克思主义者,朦胧地把希望寄托于"现在的青年",到了《二心集》时便完全觉悟了,"惟新兴的无产者才有将来"。我们在这里又应该注意鲁迅笔下的"百姓"指的是什么人,"百姓是一遇到莫名其妙的战争,稍富的迁进租界,妇孺则避入教堂里去了",很显然,这"百姓"是小资产阶级以上的人。

二

但是赞颂中国固有文明的人们多起来了,加之以外国人。我常常想,凡有来到中国的,倘能疾首蹙额而憎恶中国,我敢诚意地捧献我的感谢,因为他一定是不愿意吃中国人的肉的!

鹤见祐辅氏在《北京的魅力》中,记一个白人将到中国,预定的暂住时候是一年,但五年之后,还在北京,而且不想回去了。有一天,他们两人一同吃晚饭——

"在圆的桃花心木的食桌前坐定,川流不息地献着山海的珍味,谈话就从古董、画、政治这些开头。电灯上罩着支那式的灯罩,淡淡的光洋溢于古物罗列的屋子中。什么无产阶级呀,Proletariat 呀那些事,就像不过在什么地方刮风。

"我一面陶醉在支那生活的空气中,一面深思着对于外人有着'魅力'的这东西。元人也曾征服支那,而被征服于汉人种的生活美了;满人也征服支那,而被征服于汉人种的生活美了。现在西洋人也一样,嘴里虽然说着 democracy 呀,什么什么呀,而却被魅于支那人费六千年而建筑起来的生活的美。一经住过北京,就忘不掉那生活的味道。大风时候的万丈的沙尘,每三月一回的督军们的开战游戏,都不能抹去这支那生活的魅力。"

这些话我现在还无力否认他。我们的古圣先贤既给与我们保古守旧的格言,但同时也排好了用子女玉帛所做的奉献于征服者的大宴。中国人的耐劳,中国人的多子,都就是办酒的材料,到现在还为我们的爱国者所自诩的。西洋人初入中国时,被称为蛮夷,自不免个个蹙额,但是,现在则时机已至,到了我们将曾经献于北魏、献于金、献于元、献于清的盛宴,来献给他们的时候了。出则汽车,行则保护;虽遇清道,然而通行自由的;虽或被劫,然而必得赔偿的;孙美瑶掳去他们站在军前,还使官兵不敢开火。何况在华屋中享用盛宴呢?待到享受盛宴的时候,自然也就是赞颂中国固有文明的时候;但是我们的有些乐观的爱国者,也许反而欣然色喜,以为他们将要开始被中国同化了罢。古人曾以女人作苟安的城堡,美其名以自欺曰"和亲",今人还用子女玉帛为作奴的贽敬,又美其名曰"同化"。所以倘有外国的谁,到了已有赴宴的资格的现在,而还替我们诅咒中国的现状者,这才是真有良心的真可佩服的人!

以上就是半殖民地中国现实的反映。"一个白人将到中国,预定的暂住的时候是一年,但五年之后,还在北京,而且不想回去了。"西洋人"却被魅于支那人费六千年而建筑起来的生活的美"。中国的军阀混战从住在中国的白人看来当然等于看把戏,所以"每三月一回的督军们的开战游戏,都不能抹去这支那生活的魅力"。当时的军阀同皇帝一样出门要清道,不许行人通过,而洋人地位在封建势力之上,所以"虽遇清道,然而通行自由的"。"虽或被劫,然而必得赔偿的;孙美瑶掳去他们站在军前,还使官兵不敢开火。"这是洋人在中国也不怕绑票,绑票的孙美瑶还借他们的光。虽然他们受了虚惊,他们在中国的土匪手下,其地位是如泰山之安的。"何况在华屋中享用盛宴呢?"殖民主义者怎么会"替我们诅咒中国的现状"呢？只有中国共产党领导中国人民翻了身,中国人民站起来了,帝国主义从中国滚出去了,到了一九五八年人民公社像初升的太阳一样,在亚洲东部的广大的地平线上出现了,杜勒斯之流就死不甘心地诅咒新中国。所以杜勒斯就是"赞颂中国固有文明的"。

但我们自己是早已布置妥帖了,有贵贱,有大小,有上下。自己被人凌虐,但也可以凌虐别人;自己被人吃,但也可以吃别人。一级一级的制驭着,不能动弹,也不想动弹了。因为倘一动弹,虽或有利,然而也有弊。我们且看古人的良法美意罢——

"天有十日,人有十等。下所以事上,上所以共神也。故王臣公,公臣大夫,大夫臣士,士臣皂,皂臣舆,舆臣隶,隶臣僚,僚臣仆,仆臣台。"(《左传》昭公七年〈。〉)

但是"台"没有臣,不是太苦了么？无须担心的,有比他更卑的妻,更弱的子在。而且其子也很有希望,他日长大,升而为"台",便又有更卑更弱的妻子,供他驱使了。如此连环,各得其所,有敢非议者,其罪名曰不安分!

虽然那是古事,昭公七年离现在也太辽远了,但"复古家"尽可不必悲观的。太平的景象还在:常有兵燹,常有水旱,可有谁听到大叫唤么？打的打,革的革,可有处士来横议么？对国民如何专横,向外人如何柔媚,不犹是差等的遗风么？中国固有的精神文明,其实并未为共和二字所埋没,只有满人已经退席,和先前稍不同。

因此我们在目前,还可以亲见各式各样的筵宴,有烧烤,有翅席,有便饭,有西餐。但茅檐下也有淡饭,路傍也有残羹,野上也有饿莩;有吃烧烤的身价不资的阔人,也有饿得垂死的每斤八文的孩子(见《现代评论》二十一期)。所谓中国的文明者,其实不过是安排给阔人享用的人肉的筵宴。所谓中国者,其实不过是安排这人肉的筵宴的厨房。不知道而赞颂者是可恕的,否则,此辈当得永远的诅咒!

外国人中,不知道而赞颂者,是可恕的;占了高位,养尊处优,因此受了蛊惑,昧却灵性而赞叹者,也还可恕的。可是还有两种,其一是以中国人为劣种,只配悉照原来模样,因而故意称赞中国的旧物。其一是愿世间人各不相同以增自己旅行的兴趣,到中国看辫子,到日本看木屐,到高丽看笠子,倘若服饰一样,便索然无味了,因而来反对亚洲的欧化。这些都可憎恶。至于罗素在西湖见轿夫含笑,便赞美中国人,则也许别有意思罢。但是,轿夫如果能对坐轿的人不含笑,中国也早不是现在似的中国了。

这文明,不但使外国人陶醉,也早使中国一切人们无不陶醉而且至于含笑。因为古代传来而至今还在的许多差别,使人们各各分离,遂不能再感到别人的痛苦;并且因为自己各有奴使别人,吃掉别人的希望,便也就忘却自己同有被奴使被吃掉的将来。于是大小无数的人肉的筵宴,即从有文明以来一直排到现在,人们就在这会场中吃人,被吃,以凶人的愚妄的欢呼,将悲惨的弱者的呼号遮掩,更不消说女人和小儿。

这人肉的筵宴现在还排着,有许多人还想一直排下去。扫荡这些食人者,掀掉这筵席,毁坏这厨房,则是现在的青年的使命!

这些话就十分明显地表现了鲁迅的立场和他的观点。鲁迅总是站在人民的立场上说话,这是决定鲁迅最后成为马克思主义者的主要因素。"轿夫如果(能)对坐轿的人不含笑,中国也早不是现在似的中国了",这就是鲁迅的根本精神,他站在轿夫的立场反抗坐轿的人,这是最明显不过的。但鲁迅的观点还摆脱不了旧民主主义的思想,"中国固有的精神文明,其实并未为共和二字(所)埋没",他不是否认"共和"二字,是说"共和"在中国没有实现。"中国固有的精神文明"是封建主义,封建主义"并未为共和二字所埋没",是旧民主主义在中国行不通,中国革命必须是新民主主义革命,否则半封建半殖民地性质的中国状况就不能改变,这是鲁迅思想所不能及的。然而鲁迅是清醒的现实主义者,他给我们反映了新民主主义革命的现实,即半封建半殖民地的中国:"因此我们在目前(,)还可以亲见各式各样的筵宴,有烧烤,有翅席,(有便饭,)有西餐。但茅檐下也有淡饭,路旁〔傍〕也有残羹,野上也有饿莩;有吃烧烤的身价不资的阔人,也有饿得垂死的每斤八文的孩子。"还有我们在上文所引的"现在则时机已至,到了我们将曾经献于北魏、献于金、献于元、献于清的盛宴,来献给他们(西洋人)的时候了"等等。鲁迅的清醒的现实主义是从他的伟大的立场来的,所以鲁迅从未表现过改良主义的气氛,他要"扫荡这些食人者,掀掉这筵席,毁坏这厨房",当初他认为这是"现在的青年的使命",后来他觉悟了,就是阶级觉悟,"惟新兴的无产者才有将来"。

我们分析鲁迅早期的思想,又必须注意鲁迅早期常常把人性解放的要求同阶级斗争混淆起来,这也正是他的民主思想的表现。如他在这里引了《左传》"人有十等"的话,诚如瞿秋白所说的,"他(就)渐渐的了解到封建的等级制度和中国社会(里)的层层压榨",但说到最下一层"仆臣台"的"台"鲁迅并不休止,他更说:"但是'台'没有臣,不是太苦了么?无须担心的,有比他更卑的妻,更弱的子在。而且其子也很有希望,他日长大,升而为'台',便又有更卑更弱的妻子,供他驱使了。"这也是很自然的,因为思想上偏于要求人性的解放,就对妇女与儿童问题注意得多,在明明是讲阶级斗争的时候,把问题分散了,因之不能解决问题。这是鲁迅的局限性。

上面的分析,我们认为很明白地摆出了鲁迅早期思想里的矛盾,这个矛盾,就是民主主义与中国新民主主义革命的社会现实的矛盾在鲁迅思想里的反映,而鲁迅的作品正反映了中国新民主主义革命的社会现实。

六　鲁迅重视思想改造

如大家所熟知的,鲁迅在很早的时候(一九二〇年)从一个正直的普通的人力车夫受了很大的教育,他因而写了《一件小事》。《一件小事》也就是鲁迅的自我解剖,"甚而至于要榨出皮袍下面藏着的'小'来"。一个知识分子,同一个人力车夫比起来,是渺小的。鲁迅在这个小故事里说了"催我自新"的话,说了"增长我的勇气和希望"的话。这个小故事是有说服力的,是能感动人的,因为它真实,因为它的情节都摆出来了,没有不完全的地方。

然而鲁迅的有些重要的话对青年人来说就不免隔膜。如《二心集》序言里说的:"只是原先是憎恶这熟识的本阶级,毫不可惜它的溃灭,后来又由于事实的教训,以为惟新兴的无产者才有将来,却是的确的。"这是鲁迅积一生的经验说的一句极其深刻的话,我们必须把鲁迅的全部著作、整个思想都有体会,而且还要把那个时代的知识分子思想上共同的倾向有所了解,然后可能对鲁迅的这句话有着感性的和理性的认识。这句话是鲁迅背叛本阶级的宣言,鲁迅在背叛本阶级的同时他看出了在中国现代出现了过去历史上没有的东西——新兴的无产阶级,所以他有了信心。而鲁迅的话说得这么简单,只是一句话。我们不理解鲁迅的这一句话,就无法理解鲁迅在那么早何以能如此重视思想改造。鲁迅重视思想改造的话也都是些简短的句子,然而非常深刻。

问题的关键就在于辩证法,认识了新兴的东西就看出了前途,陈旧的东西是要灭亡的。"惟新兴的无产者才有将来",鲁迅的这句话不但在《二心集》序言这一篇文章里是突如其来,在整个鲁迅集子里也是突如其来,是鲁迅思想里新认识的。在鲁迅思想里是新认识的,鲁迅的伟大就因为他接受党的教育在中国认识了新兴的阶级,而与鲁迅同辈份的知识分子则由于阶级偏见对新兴的无产者始终是视而不见。鲁迅能够终于认识新兴的无产者,又与他"原先是憎恶这熟识的本阶级,毫不可惜它的溃灭"分不开,这就是辩证法,看见了新的东西,新的东西必定成长起来,而旧的东西就要灭亡。我们根据鲁迅对他自己过去思想的总结来回顾一下鲁迅在《二心集》以前的小说和杂文,就都是"憎恶这熟识的本阶级,毫不可惜它的溃灭"的注解。鲁迅在《二心集》序言里所谓"本阶级",是指家庭出身,指统治阶级,这是鲁迅所最憎恶的。有时本阶级又指小资产阶级,对小资产阶级他也憎恶。大家可能说,鲁迅憎恶统治阶级,是当然的事,但我们认为向来对这一点还注意不够,没有注意到鲁迅早期所说的"国民性"按其实质是指他所憎恶的统治阶级的阶级性。在鲁迅自己一有阶级觉悟之后他就明白了,他具体地知道他原先所憎恶的到底是什么东西,里面没有包括劳动人民。劳动人民,如中国的农民,历史上充满了革命的事实,鲁迅在《学界的三魂》里就曾叹惜"老前辈们"不夺取政权,现在则有新兴的无产者的领导,开宗明义第一章就是夺取政权,这怎么能不给鲁迅以巨大的鼓舞呢？所以我们说鲁迅的简单的话集中了他一生的经验。鲁迅也确是不惜小资产阶级的灭亡,他决没有留恋可耻的独立王国的意思,他只有憎恶它。我们读:"在现在中国这样的社会中,最容易希望出现的,是反叛的小资产阶级的反抗的,或暴露的作品。因为他生长在这正在灭亡着的阶级中,所以他有甚深的了解,甚大的憎恶,而向这刺下去的刀也最为致命与有力。"(《二心集》:《上海文艺之一瞥》)这所谓"这正在灭亡着的阶级"分明是指小资产阶级。话讲到这里,鲁迅重视思想改造的原故就容易明白了,他认识了工人阶级,从他自己的思想他就知道小资产阶级的思想非按照工人阶级的思想来改造不可。"惟新兴的无产者才有将来",在一篇文章里表面上好像是突如其来的话,鲁迅是本着他一生的经验而说的呵!

下面我们就从鲁迅的片言只语里体会他的重视思想改造的深心,对我们有重大的教育意义。

一、毛主席教导我们:"无产阶级要按照自己的世界观改造世界,资产阶级也要按照自己的世界观改造世界。在这一方面,社会主义和资本主义之间谁胜谁负的问题还没有真正解决。"(《关于正确处理人民内部矛盾的问题》)这件大事就在今天我们有许多人并不是认识得亲切的。鲁迅在一九三一年批判梁实秋"无产者本来并没有阶级的自觉。是几个过于富同情心而又态度偏激的领袖把这个阶级观念传授了给他们"的时候说:"但我以为传授者(应该)并非由于同情,却因了改造世界的思想。况且'本尢其物'的东西,是无从自觉,无从激发的,会自觉,能激发,足见那是原有的东西。"(《二心集》:《"硬译"与"文学的阶级性"》)这说明鲁迅认识了工人阶级改造世界的思想。

二、在《关于翻译的通信》(《二心集》)里,鲁迅和瞿秋白对法捷耶夫的《毁灭》的主题表示了一致的意见:"新人"的产生。这个认识又非常重要,因为"新人"是指经过改造具有无产阶级思想的人。这说明鲁迅对待思想改造的态度,对个人前进的道路有着显明的选择。

上面两点是纲。鲁迅明确了工人阶级改造世界的思想,具体地认识了新人。

我们再看鲁迅是怎样认真改造自己的,以及怎样帮助同志认真改造。

瞿秋白在《鲁迅杂感选集序言》里指出:"他没有自己造一座宝塔,把自己高高供在里面,他却砌了一座'坟',埋葬他的过去"。这话很得要领。鲁迅的《坟》不是消极的东西,是积极的东西。鲁迅的满腔自我改造的热情和勇气,就充分表现在《写在〈坟〉后面》这一段话里面:

> 偏爱我的作品的读者,有时批评说,我的文字是说真话的。这其实是过誉,那原因就因为他偏爱。我自然不想太欺骗人,但也未尝将心里的话照样说尽,大约只要看得可以交卷就算完。我的确时时解剖别人,然而更多的是更无情面地解剖我自己,发表一点,酷爱温暖的人物已经觉得冷酷了,如果全露出我的血肉来,末路正不知要到怎样。我有时也想就此驱除旁人,到那时还不唾弃我的,即使是枭蛇鬼怪,也是我的朋友,这才真是我的朋友。倘使并这个也没有,则就是我一个人也行。但现在我并不。因为,我还没有这样勇敢,那

> 原因就是我还想生活,在这社会里。还有一种小缘故,先前也曾屡次声明,就是偏要使所谓正人君子也者之流多不舒服几天,所以自己便特地留几片铁甲在身上,站着,给他们的世界上多有一点缺陷,到我自己厌倦了,要脱掉了的时候为止。

这当然还不是无产阶级战士的话,因为他还处在那肮脏的社会里,他说他还要讨生活,不"留几片铁甲在身上"怎么行呢?但明明白白他的精神是要"更无情面地解剖我自己","全露出我的血肉来","到那时还不唾弃我的,……这才真是我的朋友。"这就完全合乎无产阶级自我批评的精神!无产阶级对于"全露出我的血肉来"的同志,怎么会唾弃呢?那是热情的帮助。所以鲁迅对思想改造的精神准备确非一朝一夕之故,只要在他的思想里认识了"新兴的无产者",他就能跃进。事实证明是如此。

我们读:

> 得了这一种苦楚的教训之后,转而去求医于根本的,切实的社会科学,自然,是一个正当的前进。(《二心集》:《我们要批评家》)

这就是教育我们要学习马克思主义。最令我们感动的是鲁迅"得了这一种苦楚的教训之后"的感触。小资产阶级知识分子如果不从自身得到"苦楚的教训",是很危险的。

我们读:

……莫非克服了自己的小资产阶级的意识之后,就连先前的文学本领也随着消失了么?不会的。俄国的老作家亚历舍·托尔斯泰和威垒赛耶夫、普理学文,至今都还有好作品。(《"硬译"与"文学的阶级性"》)

这同毛主席教导我们学习马克思主义并不破坏创作情绪是一样的亲切,"而在破坏的同时,就可以建设起新东西来。"

鲁迅翻译马克思主义的文学理论,自喻为"但我从别国里窃得火来,本意却在煮自己的肉的"。"打着我的伤处了的时候我就忍疼,却决不肯有所增减,这也是始终'硬译'的一个原因。"(《"硬译"与"文学的阶级性"》)我们今天读了这些话能不受感动吗?难道鲁迅是无病呻吟吗?鲁迅自我改造的精神是真正憎恶本阶级的表现。

在《二心集》里有《关于小说题材的通信》,是答复沙汀和艾芜的,信上说:"两位所问的,是写短篇小说的时候,取来应用的材料的问题。而作者所站的立场,如信上所写,则是小资产阶级的立场。""我想,这对于目前的时代,还是有意义的,然而假使永是这样的脾气,却是不妥当的。"后面又说:"然而两位都是向着前进的青年,又抱着对于时代有所助力和贡献的意志,那时也一定能逐渐克服自己的生活和意识,看见新路的。"最后说"不可苟安","以致沉没了自己"。鲁迅对青年人说话是最负责任的,在一九二六年他说过这样的话:"倘说为别人引路,那就更不容易了,因为连我自己还不明白应当怎么走。""还记得三四年前,有一个学生来买我的书,从衣袋里掏出钱来放在我手里,那钱上还带着体温。这体温便烙印了我的心,至今要写文章〔字〕时,还常使我怕毒害了这类的青年,迟疑不敢下笔。"(《写在〈坟〉后面》)现在对沙汀、艾芜说的话口气非常肯定,态度坚决,这是他确信无产阶级的领导,小资产阶级作家必须经过思想改造。

最后我们注意《三闲集》序言里这一句话:"现在我将那时所做的文字的错的和至今还有可取之处的,都收纳在这一本里。"这话的意义很深刻,鲁迅承认他的文章(如同创造社的笔战)有做错的,别的同志的文章也不都是对的,意思就是重视思想改造,自己错的等于自己的暴露,"至今还有可取之处的"等于向同志们提的意见。

七　鲁迅确信无产阶级文学

我们讲了鲁迅重视思想改造。鲁迅重视思想改造,同时他确信无产阶级文学。关于这方面的话他说得不多,不多的话都是说得斩钉截铁的。

"现在,在中国,无产阶级的革命的文艺运动,其实就是唯一的文艺运动。因为这乃是荒野中的萌芽,除此以外,中国已经毫无其他的文艺。"(《二心集》:《黑暗中国的文艺界的现状》)五四新文学到了左联时,无产阶级的革命的文艺运动是唯一的文艺运动,中国已毫无其他的文艺,这是鲁迅的费尽了思量的正确的判断。这个判断任何的文学史家不能推翻。

当然,那时小资产阶级作家还可以写作,如鲁迅所答复沙汀、艾芜的:"因此我想,两位是可以各就自己能写的题材,动手来写的。不过选材要严,开掘要深,不可将一点琐屑的没有意思的事故,便填成一篇,以创作丰富自乐。这样写去,到一个时候,我料想必将觉得写完,——虽然这样的题材的人物,即使几十年后,还有作为残渣〔滓〕而存留,但那时来加以描写刻划的,将是别一种作者,别一样看法了。"这话是在一九三一年说的,当时他就料到小资产阶级作家的创作泉源将会干枯,"到一个时候,我料想必将觉得写完"。"即使几十年后,还有作为残渣〔滓〕而存留",

只是残渣〔滓〕而存留而已,这个教训意义难道不够人深思吗?"别一种作者,别一种看法",就是具有无产阶级立场、观点的作者。这"几十年"的具体数字比鲁迅料想的要快些,只有一十一年,就是鲁迅说话时的一九三一年到一九四二年毛主席《在延安文艺座谈会上的讲话》出世。

鲁迅在一九三一年又说:"所可惜的,是左翼作家之中,还没有工农出身的作家。"(《二心集》:《黑暗中国的文艺界的现状》)他表示了他的真正的"可惜"的感情,同时就是他预料到将来有工农出身的作家。他对于真正的工人农民的文学,向来是相信有的,如一九二七年他说:"在现在,有人以平民——工人农民——为材料,做小说做诗,我们也称之为平民文学,其实这不是平民文学,因为平民还没有开口。""必待工人农民得到真正的解放,然后才有真正的平民文学。"(《而已集》:《革命时代的文学》)

当"第三种人"苏汶对连环图画和唱本表示轻蔑的时候,鲁迅讽刺他道:"左翼虽然诚如苏汶先生所说,不至于蠢到不知道'连环图画是产生不出托尔斯泰,产生不出弗罗培尔来',但却以为可以产出密开朗该罗、达文希那样伟大的画手。而且我相信,从唱本说书里是可以产生托尔斯泰、弗罗培尔的。"(《南腔北调集》:《论"第三种人"》)这话的意义非常重要,有两点,一点是相信民族形式,资产阶级的文人所看不起的唱本说书可以产生伟大的文学;一点是无产阶级有无产阶级的托尔斯泰、弗罗培尔。

上面是左联时期鲁迅对无产阶级文学有了确信,是他积一生的经验,尤其是资产阶级文学和五四新文学的经验,学习马克思主义文艺理论,接受党的领导,因而用斩钉截铁的话表示出来。要对无产阶级文学有确信,很不容易,因为到今天为止人们受资产阶级的影响,抱着偏见。高尔基说:"我们有充分理由可以希望:在马克思主义者将来写成文化史的时候,我们就会深信资产阶级在文化创造过程中的作用曾经是大大地被夸大了的,在文学部门中特别是如此,而在绘画部门中更加是如此,在这里资产阶级始终就是雇主,因而就是立法者。"又说:"资产阶级从不曾把文化发展过程的意义理解为整个人类群众发展的必要。"(《苏联的文学》)高尔基这话的意思就是叫我们相信未来的文化是无产阶级的文化,相信无产阶级的文学。鲁迅相信连环图画可以产生密开朗该罗、达文希,唱本说书可以产生托尔斯泰、弗罗培尔,同高尔基是一样的精神。鲁迅把问题提得更具体,指出了连环图画的伟大前景,指出了唱本说书的伟大前景,替中国的无产阶级文学艺术指出了民族形式。到了一九四二年毛主席向我们指示工农兵文艺方向,作家必须长期地无条件地到工农兵群众中去,无产阶级的文艺就真正是开始行动的时候了,凡属英雄都有用武之地。到了一九五八年的采风运动,新民歌大量产生,工农大众开一代诗风,令我们确信在共产党领导之下中国正在出现无产阶级的"文艺复兴"时代!

八　鲁迅的局限性的表现

我们在分析《灯下漫笔》的时候,曾说鲁迅把妇女与儿童问题同阶级斗争混淆了,因之并不能解决问题。而综观鲁迅所有的写作都是和他的政治斗争分不开的,他是要解决中国的问题,——这是文学家鲁迅的最伟大之处,他是一个革命家。因为中国社会的半封建半殖民地性质,决定中国革命是新民主主义革命,所以革命家鲁迅的路线必然是跟着无产阶级走,政治上往前进,他自己的阶级的局限性就给突破了,就是从量变到质变。这是鲁迅思想发展的规律。然而不认识鲁迅早期思想上的局限性是没有好处的,他的这个局限性就是到晚期也还偶有流露。《三闲集》同《二心集》是同时编的,同时写了两篇序言,在《三闲集》序言里鲁迅自己说收在这本集子里的文章有错的,这是作者的自我批评精神,我们曾经指出。对他所有的文章,如果取绝对肯定的态度,首先就不合乎鲁迅的精神。如早期写的《娜拉走后怎样》,就表现了鲁迅的局限性,而许多论者把鲁迅的这篇文章同易卜生的戏剧作比较,认为鲁迅看出了社会的经济问题,比易卜生深刻,显然是不恰当的。易卜生的戏剧同鲁迅的文章,都是小资产阶级思想的反映,但两个国家的小资产阶级各有其社会力量,反映在作品里的不同的思想,我们不能像对同一国家同一时代的作家那样作比较的。若说经济问题,鲁迅和易卜生又都没有超过小资产阶级利益的范围。鲁迅的《娜拉走后怎样》写在一九二三年,中国共产党已经登上了中国的政治舞台,中国的娜拉是可以走出家庭参加无产阶级革命的。认为娜拉走后只有两条路,"不是堕落,就是回来",鲁迅虽然讽刺这样说话的态度,但他认为实在没有第三条路,分明是阶级局限性的表现。我们认为这个问题有特别指出来的必要。

鲁迅的《娜拉走后怎样》,是一九二三年在北京女子高等师范学校的讲演,提出中国的女子争取较为切近的经济权的问题。若像娜拉的出走,鲁迅说,"就得问:她除了觉醒的心以外,还带了什么去?倘只有一条像诸君一样的紫红的绒绳的围巾,那〔可〕是无论宽到二尺或三尺,也完全是不中用。她还须更富有,提包里有准备,直白地说,就是要有钱。"在下文里又说,"人类有一个大缺点,就是常常要饥饿。为补救这缺点起见,为准备不做傀儡起见,在目下的社会里,经济权就见得最要紧了。第一、在家应该先获得男女平均的分配;第二、在社会应该获得男女相等的势力。"下文又说,"一说到经济的平均〔匀〕分配,或不免面前就遇到〔见〕敌人,这就当然要有剧烈的战斗。""战斗不算好事情,我们也不能责成人人都是战士,那么,平和的方法也就可贵了,这就是将来利用了亲权来解放自己的子女。中国的亲权是无上的,那时候,就可以将财产平匀地分配子女们,使他们平和而没有冲突地都得到相等的经济权,此后或者去读书,或者去生发,或者为自己去享用,或者为社会去做事,或者去花完,都请便,自己负责任。"这些话就同《我们现在怎样做父亲》那篇文章里的思想情感是一样,不过重点是解放自己的女子,话不是向"父亲"说而是向

"母亲"说,鲁迅当着小资产阶级以上的女性青年面前认为这一点起码应该做得到。至于"此后去读书,或者去生发"云云,当然是幽默的话,表现了他对中国的事情很难有把握的神情。篇末他便说:"可惜中国太难改变了,即使搬动一张桌子,改装一个火炉,几乎也要血;而且即使有了血,也未必一定能搬动,能改装。不是很大的鞭子打在背上,中国自己是不肯动弹的。我想这鞭子总要来。好坏是别一问题,然而总要打到的。但是从那里来,怎么地来,我也是不能确切地知道。"这都是小资产阶级知识分子鲁迅的老实话。帝国主义是打在中国人民背上的很大的鞭子,中华民族到了最危险的时候,半封建半殖民地社会必定是要动弹的。十月革命一声炮响,给我们送来了马克思列宁主义。鲁迅当时确是"不能确切地知道"。不过我们要注意,鲁迅是一个革命家,他不是什么改良主义者,他的《娜拉走后怎样》一方面表现他思想上的局限性,一方面又表现他的苦闷,他要求中国革命而不知道中国革命的道路。他在文章里说,"如果经济制度竟改革了,那上文当然完全是废话",这是他的真实的感情,他希望中国的改革,如果他的话是废话,那中国就有希望了。到了"三一八"时期,他感到他写的东西是"无聊的文字",并说着"苟活到现在的我"的话。"血债必须用同物偿还。拖欠得愈久,就要付更大的利息!"这就完全不是"搬动一张桌子,改装一个火炉"的问题了。

所以我们认清鲁迅早期思想上的局限性,同时就是体会中国新民主主义革命的正确性,中国的民主革命必须由无产阶级领导,革命的小资产阶级知识分子在革命事业的发展中必然会突破自己的局限性,接受无产阶级的领导。

鲁迅晚期的文章,如一九三二年写的《上海的儿童》(《南腔北调集》),还是早期关心妇女、关心儿童的思想的流露,所谈的都是本阶级的事情,因此表现着局限性。当然,这不属于鲁迅晚期思想的主流,我们只是举出来让青年善于区别而已。

九 "狂人日记"

　　《狂人日记》本来是我们应该首先要讲的,它是五四前夕鲁迅发表的第一篇文章,也是中国新文学的第一篇小说,无论从反对中国封建文化来说,无论从中国新文学的诞生来说,令人感到最亲切的是鲁迅的《狂人日记》。我们的方法则是先研究了鲁迅的杂文,研究了鲁迅的思想的发展。回头再来读鲁迅的《狂人日记》,我们认为就容易理解些,否则像这样的小说,要今天的青年完全理解,是很有困难的。首先是它的内容,相当复杂,中国新民主主义革命的社会现实,鲁迅的立场,鲁迅的观点,鲁迅的迫切的感情,都交织在小说的字里行间,难以一下子理得清。而这些同样在鲁迅早期的杂文里存在着,我们现在已经明白了。思想内容之外,就《狂人日记》的技巧说,在鲁迅当初是读了不少的外国短篇小说的结果,它同我们今天写小说的方法很有不同,接触起来,也是有些隔膜的。下面我们试着把这篇小说逐章分析一遍,求能对读者有些帮助。

1 小说全文的分析

一

以日记作为一篇小说的体裁,在五四后新小说里是普遍的,是从外国文学学来的。因为是日记,可以用第一人称自叙,易于收抒情诗的效果。因为是日记,不是诗,可以容得小说的描写。狂人日记,又是鲁迅从俄国文学学来的,果戈里有他的有名的《狂人日记》。因为是狂人日记,则可以不受日常生活的逻辑的约束,二十四史可以把它当作一页纸撕了。所以,一篇小说,在短篇里也不算长的,短短的篇幅而能放进中国革命的目标之一——反封建的内容,等于一声霹雳,真不能不说是伟大的匠心。

鲁迅首先用很少的文字给我们制造空气,换句话说在陌生的读者面前导引一个狂人出来。这里一定要很少的文字,因为制造空气不是小说主要的事情,而且文字多了容易为写狂人而写狂人。而空气又一定是要制造成功的。鲁迅小说的第一章便达到了这个目的。

第一章,分作三段。第一段,只有一句话。第三段,也只有一句话。第二段是三个句子。这个格式,对当时中国的读者完全是新的。新的,然而令人一定要看下去,看作者到底要说些什么事情。这就是吸引了读者。

鲁迅的格式是新的,是欧化的,然而鲁迅的句子完全是汉语式的,丝毫也不蹩扭,这件事情我们也必须指出来。如果鲁迅的

第一篇小说,像后来写小说的人的造句一样,句子很长,不合汉语的习惯,读起来不顺口,那也一定是不行的,读者就不肯读它,更谈不到它能吸引读者了。好比这第一句:"今天晚上,很好的月光。"在后来一般的作品里,就很少有这样的句子,因为受欧化语法家的影响,我们不敢写这样的句子,怕人家挑剔,首先作者自己也挑剔,这样写,主语在哪里呢?动词是哪一个呢?其实鲁迅的第一篇小说的第一句是一个道地的汉语的句子。其余的句子也都是道地的汉语句子,只是句子里所叙述的事情,也就是说句与句的连贯同平常生活逻辑不同,——这个倒不令读者奇怪,因为它是"狂人日记",读者正要懂得它的究竟。

鲁迅在他的小说的第一句何以一定要说"今天晚上,很好的月光"?这有什么意义?说别的话不行吗?这倒确乎是一个问题。然而是很小的一个问题。我们如果在这些问题上面去追究,那我们就不能说是会读小说了。我们已经说过,这第一章是制造空气,是要导引一个狂人出来,能够达到这个目的便行,第一句一定要写什么倒确乎是没有一定的,只要说的话合乎狂人的口气,合乎狂人的心理。鲁迅的文章就合乎狂人的口气,合乎狂人的心理。鲁迅之所以能够如此,如周遐寿《鲁迅小说里的人物》里面所说的,鲁迅在当时接触到一个狂人,对狂人有了解,在另一方面,鲁迅的叙述还是通过生活的真实来的,我们推想作者在开始写他的小说的时候是"今天晚上,很好的月光",于是他就把这个做背景来替一个狂人说话了。我们不必再深究,深究便没有意义。一定要像"索隐"家那样搞起来,我想我们也一定是胜利的,鲁迅当时白天在衙门里办公,他写小说是他的"业余"时间,总在夜晚,没有例外。

"那赵家的狗,何以看我两眼呢?"这一匹"狗"恐怕是从果戈里的《狂人日记》里面引来的,果戈里的《狂人日记》里面那匹狗起了作用。"赵家"的"赵"与旧日的《百家姓》有关系,所以《阿Q正传》里面的赵秀才也姓赵,假洋鬼子便姓钱,《百家姓》是从"赵钱孙李"起头的。我们这样说,不属于"索隐"的范围,这些事说清楚,足以见鲁迅笔下的旧中国的任何事都有其代表性。

"我怕得有理",这句话当然合乎狂人的心理。这句话也代表了以"狂人"作为觉悟了的中国人的鲁迅自己的思想感情。鲁迅的这种思想感情表现在《狂人日记》里,也表现在《热风》的文章里。

二

我们已经说过,鲁迅在开始写他的这篇小说的时候是在晚上,那天晚上可能月光很好,他就从"今天晚上,很好的月光"写起,以之作为背景代替狂人说话。第一章写得很短,不需要费多大的工夫。于是就写第二章(就小说的体裁说当然是另一天的日记)。第二章开头乃是这样的话:"今天全没月光,我知道不妙。"这是根据前文来学狂人说话。前文是"今天晚上,很好的月光",现在便说"今天全没月光,我知道不妙。"妙在话说得没有逻辑,而有心理的根据。在第二章的起头这样一句话确乎合乎狂人的性格,而这一句话是从第一章发展来的。第一章制造空气,第二章第一句很快地把空气带过来了,往下就要发展故事,首先要替小说布置一个所在地出来。所以接着"早上小心出门"以下便写出所在地来了。替小说写出所在地,而又不能有描写,要靠狂人口里的话。"早上小心出门"以下写狂人的心理写得极真实，这个真实我们想是因为有生活的根据的，就是作者以作者自己的生活为根据，把这个生活的轮廓用狂人的心理叙述下来，便成功〔为〕狂人的话了，小说便真实了。我们有什么理由这样说呢？有的。鲁迅那时在北京住在绍兴会馆里，照例每天早上上衙门，他是很孤独的人，他走在路上也总是深思的人，他总不免观察路上的情形，"早上小心出门"以下便是孤独者鲁迅早上在路上之所见。赵贵翁正同《阿Q正传》里的赵太爷是一类的，鲁迅后来在生活当中所遇见的"正人君子"之流，也正是新派的赵贵翁，他们对于爱中国的人，对于要求中国革命的人，如鲁迅，真是怕，真是想陷害，所以《狂人日记》便有这样的文章："早上小心出门，赵贵翁的眼色便怪：似乎怕我，似乎想害我。"接着"还有七八个人，交头接耳的议论我。〔,〕又怕我看见。一路上的人〈,〉都是如此。"是街上的闲人们聚在一块儿谈闲话的速写。现在作为小说《狂人日记》的背景，写狂人的性格，作为狂人的话，当然要说交头接耳议论"我"，"又怕我看见。"实际生活是街上说闲话，声音小，怕人听见。在旧社会里，北京街道很长，到处看见闲人无事交谈，那怕是"一日之计在于晨"！鲁迅很注意这些事，正如后来在上海写《知了世界》说上海从早到晚街头有戏唱一样见他对街上的关心。如果这里的"早上出门"不是有北京的街上在那里作为背景的话，则"一路上的人，都是如此"的话是胡为乎来哉，哪里的闲人也没有这么多，哪里的路也没有这么长，看见"一路上的人"，——因为这里的"出门"分明不是远行，不是从甲地到乙地去。若鲁迅在北京早上出门的事，还有《一件小事》里面的叙述可证："我因为生计关系，不得不一早在路上走。"我们在这里也不可犯了"索隐"的毛病，但小说之所以能够写得真实，常常是依靠细节上有真的生活作底子的。

"其中最凶的一个人,张着嘴,对我笑了一笑;我便从头直冷到脚跟,晓得他们布置,都已妥当了。"这便是作者善于把这一段暂作结束,而这个形象是取得很自然的,也就是说这句话确乎是狂人说的,看见街上的人,其中有一个张着嘴笑,他认为"对我笑了一笑",他认为最凶的一个。

"我可不怕,仍旧走我的路。"狂人的这句话就表现着作者鲁迅的一种精神。战斗者鲁迅常常有这样的神气:"我可不怕,仍旧走我的路。"鲁迅的这篇小说确乎是鲁迅的抒情诗,作为抒情诗的小说不同于抒情诗的特点,就在于它不要有诗的警句,不要诗的精炼,而它的效果很可能胜过诗的警句。鲁迅的"我可不怕,仍旧走我的路"的话在这里证明是如此。接着"前面一伙小孩子,也在那里议论我;眼色也同赵贵翁一样,脸色也都铁青。我想我同小孩子有什么仇,他也这样。忍不住大声说,'你告诉我!'他们可就跑了。"这里便是小说,这里也便是抒情诗。小说者,是说这里有描写,描写路上有一群小孩子在那里玩耍,他们当然都是交头接耳的,可是一个狂人走来,认为他们是议论他,就向他们大吼一声,小孩子当然就跑了。所以这里的描写是生动的。抒情诗者,作为一个诗人的鲁迅的形象完全绘给我们了,他本着他的进化论的观点把中国的希望寄在年青一代,但在实际生活当中他有时又感到这个希望可能是渺茫的,小孩子也都不免像赵贵翁,于是诗人鲁迅就着急了,这到底是什么原故呢?"你告诉我!"这句文章,等于屈原的《天问》,爱国诗人要问出一个道理来。鲁迅用了他整个的思想感情发出这一问,它的意义是:"孩子呵,你们可要进步!如果你们不进步,还是老一代的封建头脑,国事将不堪设想!"所以在下一段狂人便说:"这真叫〔教〕我怕,叫〔教〕我纳罕而且伤心!"

小说写到这里,虽然只有不多的文字,空气已制造成功了,场景也布置出来了,——这是伟大的技巧!作者的主题思想渐渐就可以拿出来,于是很自然地写了下面的话:"我想,我同赵贵翁有什么仇,同路上的人又有什么仇;只有廿年以前,把古久先生的陈年流水簿子,踹了一脚,古久先生很不高兴。赵贵翁虽然不认识他,一定也听到风声,代抱不平;约定路上的人,同我作冤对。""古久先生"便指着封建中国。狂人代表当时中国的觉醒者,辛亥革命前后以及五四前夕鲁迅处在中国的社会里正像《狂人日记》里的狂人。

三

第三章的开头还是"晚上",——当然,很可能还是"今天晚上,很好的月光"的晚上写的。

在第三章的第二段,我们应该给以注意。鲁迅的立场总是站在被压迫者方面。他就觉得奇怪,告诉社会上那些被压迫的人说:你们又不是知县,不是绅士,不是衙役,不是高利贷者,为什么怕我呢?我是告诉你们要打倒旧道德!可见封建社会之所谓道德是维护知县、绅士、衙役、高利贷者的利益的,换句话说是维护剥削阶级的利益。所以鲁迅是伟大的,他初期不可能有阶级观点,而他从实际生活当中认识被压迫者不应该害怕革新者的"狂人"!在中国共产党出世以前,只有鲁迅这样的思想感情——站在被压迫被剥削者的立场揭穿封建道德的本质,是最进步的思想感情。

第三段又属于场景的描写，取了女人打小孩子的形象。这个形象却不一定是从北京街上摄取来的，在中国各处都有，女人打小孩子确乎总是"嘴里说道，'老子呀！我要咬你几口才出气！'"鲁迅便利用这个"咬你几口"可以很生动地联到下面的"吃人"。鲁迅也认为做母亲的这样打骂小孩是野蛮。女人打小孩当然不是同自己的小孩有什么仇恨，只是一种坏习惯，很容易自己和解的，所以一面打的时候一面又瞧街上的什么，鲁迅在生活当中很可能遇见了这样的眼光，此刻便记录下来。借这个形象来写狂人的心理，是最合式的，所以《狂人日记》就有这一句："他(她)眼睛却看(着)我。""我出了一惊，遮掩不住；那青面獠牙的一伙人，便都哄笑起来。"这样的文章也都是从实生活来的，鲁迅在街上走路遇见令他出惊的事多得很，而街上的人，却都青面獠牙似的哄笑，——《明天》那篇小说不就是这一类的最悲惨的形象吗？鲁迅的《狂人日记》之所以动人，确乎是因为作者把社会生活以及作者自己的思想感情都集中起来的。

第三段最后一句："陈老五赶上前，硬把我拖回家中了。"这可以说是"说时迟那时快"的表现法，由上文忽而转到下文，而这句的形象又是极真实的，在旧社会里我们看见疯子，疯子在街上走路被他家里来寻他的人一下子拖回去了。《狂人日记》从这一句起，一直到小说完了，都是狂人关在家中的事情。(这个"家中"，都是鲁迅故乡绍兴的"家中"，所以小说在这以下的背景完全离开北京了。)我们从这里可以看出鲁迅写小说的技巧，他善于布置，往下只要狂人在家里的事情就够了，因为"路上"的事情写得太精采了，已经制造了空气，导引了人物，而且狂人之所以为"狂"，读者已经亲切地接近了。

第四〔五〕段所反映的是一件真实的历史，"他们村里的一个大恶人，给大家打死了；几个人便挖出他的心肝来，用油煎炒了吃"，即革命志士"徐锡麟是被挖了心，给恩铭的亲兵炒食净尽"。（《范爱农》）这件事对鲁迅的刺激太深，这才是真的吃人，比女人口里"咬你几口"一种口头上的话大不同了，所以接着作者就写了这样格式的两行：

想起来，我从顶上直冷到脚跟。
他们会吃人，就未必不会吃我。

在狂人被拖回家之后，"进了书房，便反扣上门，宛然是关了一只鸡鸭"，这是很形象的叙述。然而鲁迅的小说不是为叙述而叙述，鲁迅的小说是"诗"，诗是作者要说他最要说的话，所以连忙就把作者最为痛心的徐锡麟被挖了心的事实记录下来。《狂人日记》的主题思想是要说明封建历史是"吃人"的，那么作者把徐锡麟被挖了心的事实在这里记录一笔，就表示"吃人"两个字并不是作者故意危言耸听，读者在未读到下文之先已为小说的真实性所说服了，——读者纵然不一定知道小说的本事，即是徐锡麟被吃的事实，然而是这个事实激动了作者的感情，所以读者很自然地为作者下笔时的感情所传染了。艺术是依赖技巧的，伟大的匠心同一般的形式主义不同，总要以真实来感人，不以文章作法之类为能事，用文章作法之类的话，将说鲁迅的《狂人日记》写到这里开始点题，拈出了"吃人"两个字。错当然也不怎么错的，然而有些可笑。

下文"我翻开历史一查，这历史没有年代，歪歪叙叙〔斜斜〕的每叶上都写着'仁义道德'几个字。我横竖睡不着,仔细看了半夜,才从字缝里看出字来,满本都写着两个字是'吃人'!"于是在中国历史上开始把"仁义道德"的性质同"吃人"连起来了。这是鲁迅小说的伟大的主题。很明白,伟大的主题,完全吸引了读者,是艺术的力量,不是逻辑的力量。若说逻辑,那是社会生活的逻辑,即是中国已不是完全的封建社会,封建的"仁义道德"在社会生活面前已经成了问题,所以人们能够为鲁迅的艺术力量所耸动。

从这一章里又表现出鲁迅的反封建的思想是一种启蒙时期的个人解放思想。"他们会吃人,就未必不会吃我。"所谓"他们",里面有佃户,也有"大哥",而从后文看来,"大哥,我相信你能说,前天佃户要减租,你说过不能",可见"大哥"同佃户是立于敌对地位的,可见鲁迅这时不能从阶级上分清敌我。同时,很显然,鲁迅是背叛他的本阶级的。呼喊礼教吃人,就是背叛本阶级;"我也是人,他们想要吃我了",所谓"人"是求解放的个人。

"大恶人"是革命爱国主义者。鲁迅的愤怒的感情要替"大恶人"的被吃作一记录,但这一件血写的历史在小说里没有法子交代清楚,只好借狂人的口说这一句话:"照我自己想,虽然不是恶人,自从踹了古家的簿子,可就难说了。"后文又把"疯子"与"恶人"相提并论。那么徐锡麟的历史在小说里虽没有法子交代清楚(也无须乎交代清楚),然而作者还是从逻辑上告诉了我们的。主要的当然还是艺术的感染作用。鲁迅是以"狂人"的姿态出现于五四前夕的中国社会的,同时鲁迅念念不忘于辛亥革命时代的"恶人",这充分说明前期鲁迅是革命爱国主义者,是战斗的启蒙主义者。

四

前面的三章是很不容易写的,鲁迅乃能如此成功地写出,制造了空气,布置了场景,导引了人物,拿出了主题。往下就比较地容易写了,好比一条水流一样,开始难得流动,流动以后水就会畅快地往下流,要怎么流就怎么流了。在文章是应该怎么发挥就怎么发挥。《狂人日记》的第四章便能很完整地写出一个形象来,旧日中医诊病的形象。

启蒙主义者的鲁迅对封建社会中医(包括迷信与欺骗)害人的现象看得太多,他真是深恶而痛绝之,后来的小说和杂文里留有许多记载。现在这里的一位"何先生",根据周遐寿《鲁迅小说里的人物》所说,是实有其人的,鲁迅借狂人的口把他描写出来。首先写狂人吃饭,"陈老五送进饭来,一碗菜,一碗蒸鱼;这鱼的眼睛,白而且硬,张着嘴,同那一伙想吃人的人一样。"我们从这里也可以看出小说家鲁迅的本领,他本来是要给读者介绍"家中",因为上文已经说到"拖回家中"了,家中的具体情况怎么样呢?不能不说一点,当然也不能多费文字,就简单地写吃饭,写一碗蒸鱼,这个鱼写得多么好呵,很自然地"张着嘴,同那一伙想吃人的人一样。"我们读着像读一篇童话,很不厌倦。接着本来就可以写开门,因为医生来了,然而鲁迅要写一句狂人的话:"老五,对大哥说,我闷得慌,想到园里走走。"我们读着真感到狂人"想到园里走走"的感情是很重的,这就表现作者的感情是很重的。下面"老五不答应,走了,〔;〕停一会,可就来开了门。"该写得多么精炼,多么形象,因为狂人是被关在门里面的。往下才正式地写医生。

"我大哥引了一个老头子，慢慢走来；他满眼凶光，怕我看出，只是低头向着地，从眼镜横边暗暗看我。"这几句话把旧日社会里家中有了病人请了医生进屋来的形象写得逼真，而是通过狂人口说的，狂人的心理也写得逼真。那般骗人害人的医生的眼光是最令病人害怕的，而从坚强性格的狂人看来他是"满眼凶光，怕我看出"。病人亲属引了一个"满眼凶光"的人进屋，又是极深刻的描写，是第三章"我那里猜得到他们的心思，究竟怎样；况且是要吃的时候"的思想的形象化。"大哥说，'今天你仿佛很好。'我说'是的。'大哥说，'今天请何先生来，给你诊一诊。'我说'可以！'"这真是善于写病人亲属的口吻，善于写狂人的口吻，写出了狂人的愤怒和纳闷。"其实我岂不知道这老头子是刽子手扮的！无非借了看脉这名目，揣一揣肥瘠：因这功劳，也分一片肉吃。我也不怕；虽然不吃人，胆子却比他们还壮。伸出两个拳头，看他如何下手。"这固然是写狂人的说话，也确是表现鲁迅自己的愤怒，他后来说过，"所谓中国者，其实不过是安排这人肉的筵宴的厨房。"把害人骗人的医生认为是"刽子手扮的"，决不是夸大其辞，我们看一看《明天》那篇小说里"指甲足有四寸多长"的何小仙罢，在可怜的宝儿的生命的面前，他不是刽子手扮的是什么？鲁迅确是有许多的实际的接触的，他的小说的概括性是很大的。当然，他概括的人物的形象又是生动的。他又决不放弃他的抒情诗的力量，只要得着机会。"我也不怕；虽然不吃人，胆子却比他们还壮。伸出两个拳头，看他如何下手。"多么可爱的鲁迅的诗句呵！"老头子坐着，闭了眼睛，摸了好一会，呆了好一会；便张开他鬼眼睛说，'不要乱想。静静的养几天，就好了。'"这当然又是会写小说，生动的描写。

在上一段最后的生动的描写之后,鲁迅又有机会写他的抒情诗了,他这样写:"我忍不住,便放声大笑起来,十分快活。自己晓得这笑声里面,有的是义勇和正气。老头子和大哥,都失了色,被我这勇气正气镇压住了。"我们读着只觉得狂人可爱,也就是小说人物的个性写得生动。

下一段:"老头子跨出门,走不多远,便低声对大哥说道,'赶紧吃罢!'大哥点点头。原来也有你!这一件大发现,虽似意外,也在意中:合伙吃我的人,便是我的哥哥!"这里又表现小说的伟大的技巧,从狂人的耳朵听见了一个"吃"字,又看见了"大哥点点头",于是"合伙吃我的人,便是我的哥哥"的思想证实了。这是多么善于写狂人的心理,写得多么自然。这样的狂人的心理,又反映着作者的立场和观点,不是偶然写得出来的。鲁迅的观点是个人解放的观点,他要求个人解放,他反抗封建,因之小说里的狂人同"大哥"是取着敌对的立场,在五四前夕乃能有这样伟大的声音:

吃人的是我哥哥!
我是吃人的人的兄弟!
我自己被人吃了,可仍然是吃人的人的兄弟!

五

在第四章里通过何医生看脉把狂人对"吃人"的愤怒写得很形象了,但作者还得向读者提出一些根据来,然后才真是持之有故,不是无的放矢。第五章便提出一些根据的材料,这样写:"这几天是退一步想:假使那老头子不是刽子手扮的,真是医生,也仍然是吃人的人。他们的祖师李时珍做的'本草什么'上,明明写着人肉可以煎吃;他还能说自己不吃人么?"这就说得叫人没有话答,等于在法庭上拿出的证件〔据〕,因为割股饵亲在封建社会是孝子的标准,用狂人的话说就是"吃人"。李时珍的《本草纲目》是鲁迅所佩服的书,在《南腔北调集》里面有一篇《经验》曾说到这部书"含有丰富的宝藏",大约因为它是药物的著作,故狂人把人肉这一味药饵记在它的帐上,应该属于篇首引言里说的"记中语误"之类。总之从子女对父母的义务的实质看来,人肉煎吃是一件标准的事。在后文第十一章里还记有这样的话:"记得我四五岁时,坐在堂前乘凉,大哥说爷娘生病,做儿子的须割下一片肉来,煮熟了请他吃,才算好人;母亲也没有说不行。一片吃得,整个的自然也吃得。"我们可以推想,这种"药",在鲁迅做小孩子的时候还是有权威的。鲁迅因为从小对于这些事情怀着极大的义愤,所以在《狂人日记》里才"有的是义勇和正气",写出医生是"刽子手扮的"动人的形象来。小说主要是靠形象说服人,但材料根据也是不可少的,也就是说感情之外也需要逻辑,《狂人日记》于写了医生的形象之后,又援引"本草什么",就是这个道理。

"易子而食","食肉寝皮",都是最好的证件〔据〕,令人没有话答。"我那时年纪还小,心跳了好半天。"这句文章我们推想确是代表鲁迅小时听人讲书的心理,讲书的人自以为"讲道理",而小孩子听了心跳。《朝华夕拾》里面的《二十四孝图》便是鲁迅记了小时许多令他心跳的事情,都是吃人的"道德"。"我从前单听他讲道理,也糊〔胡〕涂过去;现在晓得他讲道理的时候,不但唇边还抹着人油,而且心里满装着吃人的意思。"这话充分表现出士大夫阶级出身的人对他本阶级的背叛的思想感情。鲁迅小说的力量就在于他有这个背叛本阶级的思想感情,虽然他当时不可能有阶级观点。

六

第六章,又是鲁迅写他的抒情诗。因为是在小说里面插写的,情节上必然前后有联系,故写一句"赵家的狗又叫起来了。"而这一句就把读者的注意力集中在这篇小说的场景上面,不感到是泛写。从前面所写的,又真令读者感到中国的前途"黑漆漆的,不知是日是夜。"很可能作者自己写到这里有这个感觉:"黑漆漆的,不知是日是夜。"作者是在夜里写作,也很可能夜深人静听见狗叫,故写一句"赵家的狗又叫起来了。"总之一句话,作者要感动读者,所写的东西首先要感动自己,要对自己是生动的。就写小说说,还要善于依靠细节的描写,把故事联系起来,发展下去。《狂人日记》的这一章,虽然只有短短的两行,实有这些作用。总之这两行是插在小说里面的两行诗。鲁迅之所以是小说家的原故,是因为他的抒情诗离开小说就不能存在了。这两行所证明的是如此。"狮子似的凶心,兔子的怯弱,狐狸的狡猾,……"这真表现鲁迅的伟大,如他自己后来说的,"憎恶这熟识的本阶级,毫不可惜它的溃灭"!狡猾的狐狸,怯弱的兔子,凶的狮子,分明是指统治阶级,"他们——也有给知县打枷过的,也有给绅士掌过嘴的,也有衙役占了他妻子的,也有老子娘被债主逼死的",分明不在内。"大哥"当然也在内,因为"大哥,我相信你能说,前天佃户要减租,你说过不能。"

七

第七章所写的正是"狮子似的凶心,兔子的怯弱,狐狸的狡猾",中国历史上从屈原一直到鲁迅正是小说写的那样遭受迫害的。

"最可怜的是我的大哥。他也是人,何以毫不害怕;而且合伙吃我呢?还是历来惯了,不以为非呢?还是丧了良心,明知故犯呢?

我诅咒吃人的人,先从他起头;要〈劝〉转〈劝〉吃人的人,也先从他下手。"

以上两段话反映鲁迅思想的矛盾,也就是没有阶级觉悟的局限性。其实在下文第九章里有了明白的认识:"他们可是父子兄弟夫妇朋友师生仇敌〈和〉各不相识的人,都结成一伙,互相劝勉,互相牵掣,死也不肯跨过这一步。"所以"大哥"的思想意识还是从"大哥"的阶级决定的。

八

第八章反映的是什么呢?我们应该加一番考察。(我们对第二章里狂人对小孩子说"你告诉我"的分析已属于这种考察。)

鲁迅后来在《三闲集》序言里说,"我一向是相信进化论的,总以为将来必胜于过去,青年必胜于老人"。在《灯下漫笔》里他明白地将中国的希望寄在青年一代,"扫荡这些食人者,掀掉这筵席,毁坏这厨房,则是现在的青年的使命!"然而在实际接触中他又感到他的这种思想每每不合乎情况,在阶级斗争的人类社会里运用生物进化论的观点如何而能不陷于失望,鲁迅的深心便把他的实际的观察记录下来,这便是他写了"老头子是刽子手扮的"之后现在第八章又不能不写"年纪不过二十左右"的人的原故。这是伟大的现实主义的精神的表现。在《药》里面也是如此。《药》里叙了刽子手说夏瑜关在牢里还要劝牢头造反之后便是这么地写:"'阿呀,那还了得。'坐在后排的一个二十多岁的人,很现出气愤模样。"往后这二十多岁的人坐在茶馆里还说了一句话,说夏瑜"发了疯了。"这都是鲁迅的深心,是清醒的现实主义的精神。如果说前面看脉的老头子是鲁迅写辛亥革命前中国农村的封建情形,第八章所写的青年应该包括辛亥革命后鲁迅在北京遇见的学生出身的官僚。鲁迅到这时真急了,二十左右的人为什么居然也是一伙!狂人对他一连几个质问"对么?"是问得太天真了,太可爱了,我们到现在仿佛还听见鲁迅的声音:"对么?"

九

在这第九章里,鲁迅用了两个字我们应该注意,就是"他们可是父子兄弟夫妇朋友师生仇敌和各不相识的人,都结成一伙"里面的"仇敌"两个字。这所谓"仇敌",不是人民口中分清敌我那个"敌"字的意义,是封建统治阶级内部的党派作用,如《阿Q正传》里面的赵秀才和钱洋鬼子的"历来也不相能"。只有狂人从"父子兄弟夫妇朋友师生仇敌"当中脱离开了,所以狂人是他本阶级的叛徒。

十

到了这第十章,通过狂人的口,鲁迅把他的进化论的思想都说出来了,也就是他以生物进化论的观点来看中国社会。

在小说里,通过人物的对话发表作者自己的思想,最容易变成说教,那是顶失败的。鲁迅的《狂人日记》没有这个缺点,总是以狂人的形象和狂人说话的感情说服了读者。这当然因为鲁迅有写小说的本领,同时他是诗人,他的小说又有抒情诗的成分。第十章正是如此。"大清早,去寻我大哥;他立在堂门外看天,我便走到他背后,拦住门,格外沉静,格外和气的对他说,'大哥,我有话告诉你。'"狂人这个出来说话的形象,出乎"大哥"的意外,也出乎读者的意外。出乎"大哥"的意外,所以只得让说话的人说,"'你说就是,'他赶紧回过脸来,点点头。"出乎读者的意外,便是小说的惊人的描写,读者要往下听了。所要说的便是作者的进化论的思想,通过狂人的口说出来。首先两句:"我只有几句话,可是说不出来。"这当然是学狂人的口吻,但确实表现着鲁迅自己久欲说话的感情,便是从严复翻译《天演论》以来中国的知识分子当中存在着"自然淘汰"、"天演公例"的思想,怕国人以历史悠久地大物博而骄傲,结果将有亡国之忧。鲁迅通过狂人的口郑重地说着:

"我只有几句话,可是说不出来。大哥,大约当初野蛮的人,都吃过一点人。后来因为心思不同,有的不吃人了,一味要好,便变了人,变了真的人。有的却还吃,——也同虫子一样,有的变了鱼鸟猴子,一直变到人。有的不要好,至今还是虫子。……"

在后文又有:

"你们可以改了,从真心改起!要晓得将来容不得吃人的人,活在世上。

("）你们要不改,自己也会吃尽。即使生得多,也会给真的人除灭了,同猎人打完狼子一样!——同虫子一样!"

这些话代表鲁迅当时全盘的观点。所谓"吃人",按其实质鲁迅并不能够意识到中国社会的封建基础,他借狂人的口具体地说出来是"易牙蒸了他儿子,给桀纣吃,还是一直从前的事。谁晓得从盘古开辟天地以后,一直吃到易牙的儿子;从易牙的儿子,一直吃到徐锡林;从徐锡林,又一直吃到狼子村捉住的人。去年城里杀了犯人,还有一个生痨病的人,用馒头蘸血舐。"我们分析鲁迅当时的思想感情,他确实笼统地认为中国还是"野蛮"的,有"给真的人除灭了"的危险。他心目中的"真的人"是指具有资本主义文化的人,就是指西方人。等到他觉悟到"我在中国,看不见资本主义各国之所谓'文化'",他就尽量揭穿帝国主义的狰狞面目,那是后来的事。因为是学狂人的口吻,所以在话里有的是语误,如"易牙蒸了他儿子(,)给桀纣吃"便是,易牙与桀纣并不同时,应是蒸给齐桓公吃。这一误写很有意趣,反正桀纣是古代有名的暴君,佞臣蒸了自己的儿子给暴君吃正是他们的面孔。"从易牙的儿子,一直吃到徐锡林;从徐锡林,又一直吃到狼子村捉住的人。"徐锡林是徐锡麟的语误。这充分表现鲁迅的愤怒,把这件历史重复记录一下。"徐锡林"是实写,"狼子村捉住的人"是虚写,指的是一件事。"去年城里杀了犯人,还有一个生瘰病的人,用馒头蘸血舐。"从这个记录,再同《药》的故事比较看,可以推知生瘰病的人用馒头蘸血舐一定是事实,对鲁迅有很大的刺激,到后来写成《药》的小说乃把事实诗化了一下罢了,即把"犯人"写成一个革命志士。这里也是鲁迅的小说所写的东西首先感动了他自己的证据。他一定要把它记录下来!"虽然从来如此,我们今天也可以格外要好,说是不能!大哥,我相信你能说,前天佃户要减租,你说过不能。"这又是鲁迅的诗,诗有时是诗人善于鼓动感情,把读者意外的激动的事情像浪潮一样涌到意识边来,像这里由"不能"两个字的声音联想到地主说不能减租,伟大的诗人呵!鲁迅的小说感动人岂是偶然的。

小说快要结束了,小说里的人物最后最好也集中一下,作者便趁着狂人在堂门外说话的机会把人物都召集来了。这个形象是非常自然的。在旧日社会里,常常有一群人挤着谁家的门口看热闹,好比看疯子便是的。这一群人,首先是"大哥","当初,他还只是冷笑,随后眼光便凶狠起来,一到说破他们的隐情,那就满脸都变成青色了。""赵贵翁和他的狗,也在里面,都探头探脑的挨进来。有的是看不出面貌,似乎用布蒙着;有的是仍旧青面獠牙,抿着嘴笑。我认识他们是一伙,都是吃人的人。可是也晓得他们心思很不一样,一种是以为从来如此,应该吃的;一种是知道不该吃,可是仍然要吃,又怕别人说破他,所以听了我的话,越发气愤不过,可是抿着嘴冷笑。"——这不是鲁迅"憎恶这熟识的本阶级"是什么?

"这时候,大哥也忽然显出凶相,高声喝道,

'都出去!疯子有什么好看!'"这里又是鲁迅写小说的本领,写得多么形象,谁读着都要喝采。通过这个形象鲁迅又借狂

人的口讲出大道理:"这时候,我又懂得一件他们的巧妙了。他们岂但不肯改,而且早已布置;豫备下一个疯子的名目罩上我。将来吃了,不但太平无事,怕还会有人见情。佃户说的大家吃了一个恶人,正是这方法。这是他们的老谱!"这说明了封建中国的历史,反抗者都是这样被吃掉的,"不但太平无事,怕还会有人见情。"

最后"陈老五也气愤愤的直走进来。"(在小说里最初的时候也是陈老五把狂人拖回家中。)狂人说,"如何按得住我的口,我偏要对这伙人说,……"

这按不住口的话我们已经引过了。

故事到这里应该算完了,所以小说这样收结着:"那一伙人,都被陈老五赶走了。大哥也不知那里去了。陈老五劝我回屋子里去。屋里面全是黑沉沉的。横梁和椽子都在头上发抖;抖了一会,就大起来,堆在我身上。

万分沉重,动弹不得;他的意思是要我死。我晓得他的沉重是假的,便挣扎出来,出了一身汗。可是偏要说,

'你们立刻改了,从真心改起!你们要晓得将来是容不得吃人的人,……'"

这最后的文章,就表示鲁迅"有的是义勇和正气"。

十一

在第十章里,作者已经准备结束故事了,从读者看来,《狂人日记》也确实有了结局了,那么第十一章、第十二章又写的什么呢?为什么又有写这些的必要呢?这对我们学习鲁迅又是一个有意义的课题。狂人是封建士大夫阶级的叛徒,狂人的勇敢,狂

人的清醒的头脑,都是丝毫没有疑问的,正因为勇敢的叛徒具有清醒的头脑才有《狂人日记》的第十一、十二两章,其重要性相当于鲁迅后来认识思想改造的重要。鲁迅认识了封建道德是吃人的东西,他是封建家庭出身的,狂人猛烈地攻击"大哥",封建家长,但自己是不是也吃了"我妹子的几片肉"呢?想到这里,真不能不有第十二章的文章:

不能想了。

四千年来时时吃人的地方,今天才明白,我也在其中混了多年;大哥正管着家务,妹子恰恰死了,他未必不和在饭菜里,暗暗给我们吃。

我未必无意之中,不吃了我妹子(的)几片肉,现在也轮到我自己,……

有了四千年吃人履历的我,当初虽然不知道,现在明白,难见真的人!

鲁迅的思想该是如何地深刻,考虑到国家社会问题该是如何地负责,《狂人日记》的狂人最后要审问自己!

第十二章的文章是从第十一章来的,第十一章的叙述一定是有生活作根据的,所以才叙得那么亲切,那么沉痛。我们推知这与害人骗人的医生有关。在《呐喊》自序里鲁迅有过"对于被骗的病人和他的家族的同情"的话。小说《在酒楼上》主人公吕纬甫说着"我曾经有一个小兄弟,是三岁上死掉的,……但听母亲说,是一个很可爱念的孩子,和我也很相投,至今她提起来还似乎要下泪。"据周遐寿《鲁迅小说里的人物》的说明,这个小兄弟的事指的是鲁迅自己死去的六岁的弟弟的事。那么综合起来,《狂人日记》第十一章所说的妹子的死,在实生活上很可能是作者隐含着自己弟弟死时的情境,其中有医生这个因素在内。文中也点明了:"记得我四五岁时,坐在堂前乘凉,大哥说爷娘生病,做儿子的须割下一片肉来,煮熟了请他吃,才算好人;母亲也没有说不行。"这是指割股饵亲,同前面第五章一样。接着的两句:"一片吃得,整个的自然也吃得。但是那天的哭法,现在想起来,实在还教人伤心,这真是奇极的事!"这是狂人指妹子的死。我们联系起来读,应该说与鲁迅痛恨医生有关。当然,鲁迅是当作社会问题来考虑,他认为吃人的是整个封建文化,所以借狂人的口说:"我提〔捏〕起筷子,便想起我大哥;晓得妹子死掉的原故,也全在他。"又说:"妹子是被大哥吃了,母亲知道没有,我可不得而知。"下文便再补出"母亲也没有说不行。"这既合狂人的口吻,又最能表达鲁迅的思想感情,他是和他所出身的阶级为敌的,虽然他当时还不可能有阶级观点。

十二

《狂人日记》最后一章是:

没有吃过人的孩子,或者还有?
救救孩子……

这就是鲁迅本着进化论的观点自己陷入了不可解的矛盾之中,在人类社会里分不清剥削与被剥削两个阶级,徒徒抱有"救救孩子"的希望。然而在客观效果上,鲁迅《狂人日记》的"救救孩子"的呼声"颇激动了一部分青年读者的心",在五四前夕成了一篇声讨封建的檄文。

2 总论"狂人日记"

根据我们在前一节的分析,鲁迅的《狂人日记》,同他的杂文一样,表现鲁迅是站在人民的立场上,用资产阶级的个人解放思想来观察国家命运的。它充分现〔显〕示出鲁迅是在中国共产党出世以前先进的中国人,同时就表现了他的局限性。《狂人日记》写作的时间在十月革命后五个月,然而很分明,鲁迅写这篇小说与十月革命并没有关系,如他自己在《中国新文学大系小说二集序》里的话,他是把他的"后起的《狂人日记》"同果戈里和尼采作比较的。有些论者摘取《圣武》那一篇杂感里"新世纪的曙光"的字面,因而推定鲁迅的《狂人日记》是受了十月革命的影响写的,显然不合乎鲁迅思想的实际。鲁迅当时思想的实际是属于资产阶级思想的范畴。而中国社会是半殖民地半〈反〉封建社会,所以《狂人日记》所反映的社会现实,正是半殖民〈地〉半封建的中国社会,在它里面,充满了礼教吃人的势力,这是封建;它有被外国"除灭"的危险,"同猎人打完狼子一样!"这是半殖民地。因此,鲁迅的资产阶级个人解放思想,是从欧洲资本义主〔主义〕文化吸取的,反抗礼教吃人的狂人乃是封建家庭的逆子,所以他高呼:

吃人的是我哥哥!
我是吃人的人的兄弟!

我自己被人吃了,可仍然是吃人的人的兄弟!

这就是向封建家庭要求个人解放。所以资产阶级个人解放思想在鲁迅的思想里是起了进步作用的,同时在五四前夕中国的知识界起了进步作用,就是彻底地反对封建文化。鲁迅的反封建思想,又是和他的爱国思想分不开的,他怕国人"死也不肯跨过这一步",结果"会给真的人除灭了"。虽然当时他不知道他所谓"真的人"按其实叫做帝国主义,但因为他是爱国主义者,经过时事的教育,慢慢他就知道了。

我们又分明地看出,鲁迅的《狂人日记》并没有反映中国社会的新生力量。因为外国资本主义的侵入,在十九世纪的六十年代,中国近代工业开始出现,中国社会生长了一个新的阶级即工人阶级,这是二十四史上所没有的。鲁迅因为世界观的局限性,不能认识中国的工人阶级,所以在《狂人日记》里也就没有反映。狂人是充满了小资产阶级的"义勇和正气"。"屋里面全是黑沉沉的。横梁和椽子都在头上发抖;抖了一会,就大起来。[,]堆在我身上。

万分沉重,动弹不得;他的意思是要我死。我晓得他的沉重是假的,便挣扎出来,出了一身汗。"这是宝贵的革命的小资产阶级知识分子的热情。

因为世界观的局限性,鲁迅以"狼子村"作为封建中国的象征,对中国社会不能有阶级分析的观点。"前几天,狼子村的佃户来告荒,对我大哥说,他们村里的一个人恶人,给人家打死了;几个人便挖出他的心肝来,用油煎炒了吃,可以壮壮胆子。我插了一句嘴,佃户和大哥便都看我几眼。"这是把农民同"大哥"——地主阶级同样当作封建道德的代表了,混淆了剥削者与被剥削者的界限。然而鲁迅的观点总没有影响其爱国主义者的立场,没有影响其人民的立场。在《狂人日记》里鲁迅就觉得奇怪:"他们——也有给知县打枷过的,也有给绅士掌过嘴的,也有衙役占了他妻子的,也有老子娘被债主逼死的;他们那时候的脸色,全没有昨天这么怕,也没有这么凶。"被压迫者被剥削者是不是真是对呼喊封建吃人的狂人"这么怕","这么凶",这里面很有作者的主观成分,但作者的立场则是正确的,他把压迫者与被压迫者、剥削者与被剥削者分别开了,他站在被压迫者与被剥削者的立场上认为他们不应该"怕"。

在《狂人日记》里,"佃户"确乎是虚构的,没有具体的形象。若从小说的形象说,"狮子似的凶心,兔子的怯弱,狐狸的狡猾",鲁迅所刻划的都是本阶级,"他们可是父子兄弟夫妇朋友师生仇敌和各不相识的人,都结成一伙",而且"妹子是被大哥吃了","母亲也没有说不行"。

以上是我们概括了鲁迅的《狂人日记》的思想性。

我们从鲁迅的第一篇小说所反映的鲁迅的思想,再来看他后来在《二心集》序言里所说的话就知道鲁迅对自己是分析得极其中肯的:"只是原先是憎恶这熟识的本阶级,毫不可惜它的溃灭,后来又由于事实的教训,以为惟新兴的无产者才有将来,却是的确的。"我们必须注意鲁迅在《狂人日记》里没有反映出中国社会的新兴的无产者来。本着生物进化论的观点来观察人类社会,是资产阶级的世界观,必然地有其局限性。毛主席说:"十月革命帮助了全世界的也帮助了中国的先进分子,用无产阶级的宇宙观作为观察国家命运的工具,重新考虑自己的问题。"(《论人民民主专政》)毛主席在这里所说的"中国的先进分子"是中国共产党人。鲁迅在当时是革命的小资产阶级知识分子。毛主席在《新民主主义论》里面说:"在'五四'以前,中国文化战线上的斗争,是资产阶级的新文化和封建阶级的旧文化的斗争。"鲁迅的《狂人日记》正是这种新旧文化斗争最后一次的而且最激烈的冲锋陷阵。因为无产阶级的领导,因为反封建是中国新民主主义文化的伟大内容之一,所以鲁迅的冲锋陷阵是无产阶级同盟军的队伍了,毛主席称他是最伟大和最英勇的旗手。

下面我们从中国新文学的角度就《狂人日记》谈三件事。

一是文艺为政治服务。《狂人日记》是中国新文学的第一篇小说,它标志着中国新文学确实已经诞生了,《狂人日记》之于新文学,正如屈原《离骚》之于古典文学。中国新文学第一篇小说的最大的特点在于它是鲜明地为政治服务的。作者的主观意图是如此,作品的客观效果是如此,为革命的政治服务。作者的主观意图,如鲁迅自己所说,他所写的是"遵命文学"。"不过我所遵奉的,是那时革命的前驱者的命令,也是我自己所愿意遵奉的命令。"这些话对我们有极其深刻的教育意义,鲁迅用了"命令"两个字,他用得多么欢欣鼓舞呵!作品的客观效果,那是举世承认的,鲁迅的一篇小说做了反抗封建的檄文,五四时期中国的有希望的青年知识分子没有不受其影响的,只是"当时还没有可能普及到工农群众中去"。鲁迅的为政治服务的思想,又切切实实地表现在他服从于政治,他没有丝毫的空头文学思想,到了一九二七年,中国文化革命第二期末、第三期初,他对他的《狂人日记》便这样说:"现在倘再发那些四平八稳的'救救孩子'似的议论,连我自己听去也觉得空空洞洞了。"这是鲁迅认识在中国共产党领导之下中国的革命的政治已经前进了。凡属具有为政治服务精神的人，一定认为政治标准应该是第一，艺术标准是第二。

二是读者问题。鲁迅当时是为知识分子而写作的，在知识分子当中，他也认为是少数。所以在《呐喊》自序里鲁迅说，"而悬揣人间暂时还有读者，则究竟也仍然是高兴的。"到了一九二五年，他在一篇《通讯》里(《华盖集》)还这样说："我想，现在的办法，首先还得用那几年以前《新青年》上已经说过的'思想革命'。还是这一句话，虽然未免可悲，但我以为除此没有别的法。而且还是准备'思想革命'的战士，和目下的社会无关。待到战士养成了，于是再决胜负。"又说："我想，现在没奈何，也只好从智识阶级——其实中国并没有俄国之所谓智识阶级，此事说起来话太长，姑且从众这样说——一面先行设法，民众俟将来再谈。"很显然，这都属于鲁迅的局限性，他认为应该从少数人"先行设法，民众俟将来再谈"。小资产阶级知识分子观点上的局限性是一个问题，鲁迅的《狂人日记》在中国新民主主义文化革命运动中立下的伟大功劳又是一个问题，我们都必须有明白的认识。这个"读者问题"，鲁迅后来解决了，他在晚年非常关心大众文艺，他认为"为了大众，力求易懂，也正是前进的艺术家正确的努力。"(《论"旧形式"的采用》)他对此是有极其深刻的经验的，是辩证的统一。

三是外来形式和民族形式的问题。中国的封建文化，在文学方面，所谓正统文学，到了五四时代，它非彻底垮台不可了，欧洲资本主义国家的文学对它就有摧枯拉朽的作用，在进步的知识分子当中。鲁迅是最早有准备的人，他在日本留学的时候就为欧洲文学所吸引。到了一九三四年写《拿来主义》的时候,他还说,"没有拿来的,人不能自成为新人,没有拿来的,文艺不能自成为新文艺。"《狂人日记》就是他自己的"拿来"的成绩。在《我怎么做起小说来》里面他更特别指出这篇小说的写成,"大约所仰仗的全在先前所看过的百来篇外国作品和一点医学上的知识,此外的准备,一点也没有。"这里主要说的就在于外国小说的形式。换句话说,鲁迅的"拿来",突出地表现在文艺形式上面,对当时的新的读者是一新耳目。在《〈中国新文学大系〉小说二集序》里说,"又因那时的认为'表现的深切和格式的特别',颇激动了一部分青年读者的心",所谓"格式的特别"就是用的是外国小说的形式。文艺形式问题和读者问题有密切关系,当读者变成了广大群众的时候,广大群众又要求民族形式。这是前进当中的了不起的大事。鲁迅自己到后来就确实表现了他的倾向于民族形式的感情。如我们所已知道的,他反对"第三种人",他相信从唱本说书里可以产生伟大的作家作品。他对文艺的民族形式又曾作过精辟的分析,如《连环图画琐谈》里他说,"中国画是一向没有阴影的,我所遇见的农民,十之九不赞成西洋画及照相,他们说:人脸那有两边颜色不同的呢?西洋人的看画,是观者作为站在一定之处的,但中国的观者,却向不站在定点上,所以他说的话也是真实。那么(,)作'连环图画'而没有阴影,我以为是可以的;人物旁边写上名字,也可以的"。这些话同鲁迅最初的小说《狂人日记》、《药》所采取的外来形式处于对立面,从艺术形式上面探索出了中国文艺的浪漫主义与现实主义相结合的精神。如"人物旁边写上名字",在画里可以,在小说戏曲里也是可以的,所以舞台上人物自己登台报名,为中国老百姓所喜闻乐见。可以说,鲁迅是通过自己的实践树立了这个对立面。在前后两个时期,他都起了促进的作用。因此,我们对他最早的"拿来"表示极大的敬意。

十 "药"

1 "药"的主题思想

《药》的主题思想是什么,到今天还没有取得一致的认识。我们现在谈谈我们的看法。

首先应该看看鲁迅自己对这篇小说说什么。《〈呐喊〉自序》里面说,"但既然是呐喊,则当然须听将令的了,所以我往往不恤用了曲笔,在《药》的瑜儿的坟上平空添上一个花环,在《明天》里也不叙单四嫂子竟没有做到看见儿子的梦,因为那时的主将是不主张消极的。""消极"两个字当然根本上同鲁迅连不起来,但他以为瑜儿坟上的花环是平空添上去的,是他不恤用了曲笔,那么《药》的主题不是歌颂革命的志士,而是揭露"愚弱的国民"(这五个字也见于《〈呐喊〉自序》),换句话说鲁迅是要把他所认识的辛亥革命时代中国社会的不觉醒的程度写出来。我们认为就是如此。

鲁迅在一九二八年还写了一篇《太平歌诀》(《三闲集》),对于探讨《药》的主题思想,这篇《太平歌诀》应该有参考的价值,我们把它完全引了来:

四月六日的《申报》上有这样的一段记事：〈——〉

"南京市近日忽发现一种无稽谣传,谓总理墓行将工竣,石匠有摄收幼童灵魂,以合龙口之举。市民以讹传讹,自相惊扰,因而家家幼童,左肩各悬红布一方,上书歌诀四句,藉〔借〕避危险。其歌诀约有三种:(一)人来叫我魂,自叫自当承。叫人叫不着,自己顶石坟。(二)石叫石和尚,自叫自承当。急早回家转,免去顶坟坛。(三)你造中山墓,与我何相干？一叫魂不去,再叫自承当。"(后略)

这三首中的无论那一首,虽只寥寥二十字,但将市民的见解:对于革命政府的关系,对于革命者的感情,都已经写得淋漓尽致。虽有善于暴露社会黑暗面的文学家,恐怕也难有做到这么简明深切的了。"叫人叫不着,自己顶石坟。"则竟包括了许多革命者的传记和一部中国革命的历史。

看看有些人们的文字,似乎硬要说现在是"黎明之前"。然而市民是这样的市民,黎明也好,黄昏也好,革命者们总不能不背着这一伙市民进行。鸡肋,弃之不甘,食之无味,就要这样地牵缠下去。五十一百年后能否就有出路,是毫无把握的。

近来的革命文学家往往特别畏惧黑暗,掩藏黑暗,但市民却毫不客气,自己表现了。那小巧的机灵和这厚重的麻木相撞,便使革命文学家不敢正视社会现象,变成婆婆妈妈,欢迎喜鹊,憎厌枭鸣,只检一点吉祥之兆来陶醉自己,于是就算超出了时代。

> 恭喜的英雄,你前去罢,被遗弃了的现实的现代,在后面恭送你的行旌。
>
> 但其实还是同在。你不过闭了眼睛。不过眼睛一闭,"顶石坟"却可以不至于了,这就是你的"最后的胜利"。

鲁迅在这里提出了"市民"两个字,我们认为很重要,占据他的思想的中国"国民",除了他所熟识的"本阶级"以外,就是"这一伙市民"。若中国的农民阶级和新兴的无产者,小资产阶级知识分子鲁迅在早期对之不能有科学的分析,或者没有加以考虑过。当他写《太平歌诀》的时候,中国虽然在大革命失败之后,然而是"黎明之前",中国共产党在领导着新民主主义革命,鲁迅个人则处在"彷徨"时期,"五十一百年后能否就有出路,是毫无把握的。"这是"彷徨"时期的鲁迅比"呐喊"时期苦闷的表现。本来在《药》里,瑜儿坟上的花环应该就是"黎明之前"的象征,作者是极其珍贵它的。《太平歌诀》这一篇短文章特地作一番"枭鸣",把鲁迅的藏之已久的思想表现得最为突出罢了。借用《太平歌诀》的话,《药》的主题思想是鲁迅认为中国问题是革命者同市民的"厚重的麻木"是"同在"。他极其悲愤:"'叫人叫不着,自己顶石坟。'则竟包括了许多革命者的传记和一部中国革命的历史。"很显然,这是小资产阶级知识分子对中国革命的认识,辛亥革命对他留下了极深的记忆。鲁迅所经常考虑的确实是"这一伙市民"的问题。

2　关于小说题材二三事

小说可以写真人真事,就典型的概括性说,真人真事正没有必要的意义。《药》里面的夏瑜是秋瑾的影射,革命志士秋瑾的被杀是真人真事,然而秋瑾是女子,夏瑜则改为男子,所以又并非真人真事。小说里又特别写明"古□亭口",就艺术形象说,"古□亭口"对读者并没有什么形象作用,而且还要参考故事以外的历史知识,这却是作者要小说起的教育作用,他要人知道秋瑾的被杀。写小说一般不需要注解,故事本身应该是明明白白的,像"古□亭口"之类的注解,不是作者应该加的,是作者要读者替他加的。鲁迅在《病后杂谈之余》(《且介亭杂文》)里面却也无意间替《药》加了一条注解:"轩亭口离绍兴中学(并)不远,就是秋瑾小姐就义之处"。

除了"古□亭口",此外《药》里面没有需要注解的地方,作者用的是外国小说的形式,读者把前后文联系起来,故事可以读得明白。像当时的兵穿的"号衣"前后有一个大白圆圈,杀人在丁字街口,对于今天的读者说当然加一些注解的好,然而从小说的叙述的手法说都是恰当的,作者是通过小说人物的心理来描写这些细节,不宜也不需写得更多。

关于那个鲜红的馒头,在《狂人日记》里对它可算是有一个注解:"去年城里杀了犯人,还有一个生痨病的人,用馒头蘸血舐。"这个"犯人"并不是革命党,只是当时有这个人血馒头的事实罢了。因为要写秋瑾的故事,集中主题思想,乃写这一篇《药》,把馒头所蘸的血写作革命党的血。我们于此知道鲁迅是怎样选择题材的。

3　小说全文的分析

一

《药》的故事分四个章节叙述。第一节是华老栓怎样买得血馒头。

《药》的形式是外国短篇小说的形式。外国的短篇小说，我们可以把它当作剧本看，在剧本里，先要把故事所发生的时间、地点指出来，再来一个布景，然后人物登场，说话，说话时的动作也在剧本上注明出来（当然更多的是在舞台上表演出来），说话者是谁都在话上写出名字来。所有剧本上的这些环节，在小说里也都有，比如《药》的第一节第一段第一句："秋天的后半夜，月亮下去了，太阳还没有出，只剩下一片乌蓝的天；除了夜游的东西，什么都睡着。"就是说明故事发生的时间。在剧本里只简单地表明是"秋天的后半夜"就够了，如果需要的话就靠布景，在小说里则靠语言的描写发生作用，鲁迅的《药》的第一句的描写就是的。接着两句："华老栓忽然坐起身。〔,〕擦着火柴，点上遍身油腻的灯盏，茶馆的两间屋子里，便弥满了青白的光。"这第一句的描写没有法子放到舞台上去，在舞台上也就没有必要。华老栓从睡在床上而坐起身以及擦火柴点油灯的情景，在舞台上也还是有限制的，舞台上揭起幕来只能是已经点了灯的茶馆的屋子。小说的艺术有时比戏剧更能真实地表现生活，然而外国小说导引故事的手段同外国剧本基本上是一致的。我们在讲《药》

的时候首先交代这些话,是因为外国小说形式在中国创作上出现《药》是显著的代表作(《狂人日记》和《孔乙己》的叙事方法还没有完全脱离中国原有的),我们应该知其然,更知其所以然。接着两段:

"小栓的爹,你就去么?"是一个老女人的声音。里面的小屋子里,也发出一阵咳嗽。

"唔。"老栓一面听,一面应,一面扣上衣服;伸手过去说,"你给我罢。"

这样的格式对中国当时的读者是太陌生了。我们如果了解到西洋的小说基本上同于西洋的戏剧,便知道这样写人物出场,写人物说话,写人物说话时的动作,并没有什么奇怪。这里同剧本不同的只不过说话的老女人的名字没有标明出来,然而这也只是一点表面的差异,说话的老女人是谁,读者从"小栓的爹"的称呼里已经知道,所以下文接着的一段首先就描写华大妈了。我们读这一段:

华大妈在枕头底下掏了半天,掏出一包洋钱,交给老栓,老栓接了,抖抖的装入衣袋,又在外面按了两下;便点上灯笼,吹熄灯盏,走向里屋子去了。那屋子里面,正在窸窸窣窣的响,接着便是一通咳嗽。老栓候他平静下去,才低低的叫道,"小栓……你不要起来。……店么?你娘会安排的。"

小说又到底是小说，人物的动作都靠语言的描写，鲁迅在这里便充分表现他的小说家的本领，把华大妈同华老栓对于一包洋钱的授受该描写得多么真实！我们要注意，鲁迅是用十分同情的笔触写这两个人物的。"枕头底下掏了半天"，"抖抖的装入衣袋，又在外面按了两下"，这当然是熟悉生活，从典型的动作上把人物的性格，一个开茶馆的老头儿，一个老女人，一下子让读者认识了。而最难得的，"便点上灯笼，吹熄灯盏，走向里屋子去了"，是真真善于刻划细节，因之也表现了人物。写到这里，华老栓便永远是华老栓，留在读者的脑子里。因为华老栓已经这么真实，而且作者只费了很少的笔墨，所以下文写他走到街上，作者就存心来渲染一下，"天气比屋子里冷得多了；老栓倒觉爽快，仿佛一旦变了少年，得了神通，有给人生命的本领似的，跨步格外高远。"读者也很爱这种渲染，所以然就是华老栓已经是华老栓，不会变成没有个性的人物了，否则渲染就容易失真。鲁迅在《药》里极其成功地掌握了这两种手法，一方面抓住细节白描，一方面渲染，往下我们还要举例。鲁迅的小说格外有乡土色彩，他用了外国形式而格外显得是中国的作品，他善于选择他的时代里的中国生活就是一个原因，《药》里的"灯盏"，尤其是"灯笼"，尤其是"点上灯笼"，"吹熄灯盏"，都是中国生活的画龙点睛。在这一段里，本来是交代华老栓拿了洋钱出去买"药"，同时也要把患痨病的小栓介绍出来，在伟大的作家的手下，艺术就是艺术，不光是交代故事，不光是介绍人物，总要求给读者以形象，鲁迅的《药》确乎是榜样。

　　第五段写华老栓从自己的家里出来，"走到街上"。这"走到街上"四个字也是作者告诉我们故事发生的地点，从此读者知道这个故事是叙一个城里发生的事情,不是在乡村的市上,如果单从前面对茶馆的叙述看,这个茶馆也可以出现于乡村的市上。"街上黑沉沉的一无所有,只有一条灰白的路,看得分明。灯光照着他的两脚,一前一后的走。"在鲁迅以前,在中国的小说里,是没有作这样的真实的细节的描写的。今日的青年作家必须学习鲁迅描写黑夜走路就真正懂得黑夜提着灯笼走路的实际,"灯光照着他的两脚,一前一后的走。"接着"有时也遇到几只狗,可是一只也没有叫"也是实际情形,街上的狗对于点灯笼的人是如此。在没有生活经验的作家的笔下很可能遇着狗就是吠了,那就叫做一般化。接着"天气比屋子里冷得多了;老栓倒觉爽快,仿佛一旦变了少年,得了神通,有给人生命的本领似的,跨步格外高远。而且路也愈走愈分明,天也愈走愈亮了。"我们已经说过,这是鲁迅故作渲染,这种渲染也是合乎华老栓的心理的。他是一个饱有生活经历的人,他的衣袋里有洋钱,是他开了多少年的茶馆攒下来的,现在拿出去近乎孤注一掷,而他的孤注一掷是非常谨慎的,是他同华大妈两人共同的目的,一生的生活哪有像今夜一样提着灯笼奔往前途呢?所以鲁迅说这个可怜的老人"跨步格外高远"。事实上路是愈走愈分明,因为天亮了。而社会现实,华老栓个人的命运,是黑暗,这个愚昧无知的老年人无法知道。在描写和叙述之中,作者把自己的思想感情渲染以墨色,中国的小说也是从鲁迅的《药》才开始有的。中国的诗歌倒向来用过这种手法,像陶渊明的"田畴交远风,良苗亦怀新"是有名的。小说则一般认为是闲书。是的,是鲁迅把中国的小说庄严起来了。

第六段:"老栓正在专心走路,忽然吃了一惊,远远里看见一条丁字街,明明白白横着。他便退了几步,寻到一家关着门的铺子,蹩进檐下,靠门立住了。好一会,身上觉得有些发冷。"我们已经说过,鲁迅写华老栓、华大妈是用同情的笔触,这里写华老栓看见丁字街而吃惊,又把他写得是很善良的。对此我们应该有一个疑问,我们在作《药》的主题思想的探讨时,确定《药》是暴露性的作品,鲁迅是写市民对革命者没有感情,并把他后来写的《太平歌诀》拿来作比较,在《太平歌诀》里,鲁迅极其愤慨,哪里有什么同情可言呢?现在对华老栓确乎是同情,那么同情与暴露怎么联系得起来呢?是的,我们可以作一番说明。《太平歌诀》没有接触到具体的人,鲁迅愤慨于一般市民对孙中山没有感情,鲁迅认为这是社会的黑暗面。同样,《药》里面的华老栓是市民,对大清天下造反的人没有感情,拿他的血蘸馒头,鲁迅写《药》就是写"革命者的传记和一部中国革命的历史",如《太平歌诀》所说的,所以《药》也正是暴露社会的黑暗。然而《药》是一篇小说,在黑暗的社会里给我们写出了许多形象,鲁迅的立场当然是站在瑜儿一面,也就是华老栓一面,所以才愤慨他对革命者为什么这样漠不相关!愤慨他对革命者漠不相关,就是告诉他人民应该同革命者一起了。总之鲁迅是人民的立场,他描写人民的愚昧生活时,他应该同情人民了,因为他是在这里教育人民。我们说鲁迅同情华老栓,与说《药》是暴露性的作品,是不相矛盾的。等到我们分析《药》里面的统治阶级人物时,再看鲁迅对他们的憎恶的感情,便知道鲁迅爱憎分明了。我们一方面很容易接触到鲁迅对他的小说的人物的爱和憎,一方面也丝毫不难辨别他的小说的性质。我们还是回到华老栓看见丁字街而吃惊的善良的形象。他"正在专心走路",他"忽然吃了一惊",他为什么

"忽然吃了一惊"呢？因为这里是丁字街，因为天正在亮，这里就要杀人！"他便退了几步，寻到一家关着门的铺子，蹩进檐下，靠门立住了。"这一句话也同前面的"点上灯笼"，"吹熄灯盏"一样，真正是华老栓的动作。"好一会，身上觉得有些发冷"，这是在他走一阵子路"跨步格外高远"之后，忽然又站到冷酷的现实面前来了。而在这冷酷的现实面前有他的希望，他的生活的光明，他同华大妈两人共同的，所以他"靠门立住"，就是说他等着。

接着照中国旧小说的写法应该是"话分两头"一类的句子，因为要从说话人口里把另一方面人物介绍出来。《药》却是第一次采用西洋方法，由人物自己登场，登场就说话，话都给"靠门立住"的华老栓听见了，两个人各说了一句：

"哼，老头子。"
"倒高兴……。"

这些人的话老栓是怕听的，是熟悉他们的声音的，而今天是自己衣袋里装了洋钱来买这怕听的话。听了两个人的话，所以小说接着写："老栓又吃一惊，睁眼看时，几个人从他面前过去了。一个还回头看他，样子不甚分明，但很像久饿的人见了食物一般，眼里闪出一种攫取的光。"这个回头看他的人我们想就是今天的刽子手，那一句"倒高兴……。"也是他指着华老栓说的。他自己是高兴，因为华老栓到了。这时天色本来还不大亮，善良的华老栓又确实吃了惊，他的精神可能有些恍惚，所以他不是很清楚地看见那人，小说特地写着那人"样子不甚分明"。虽说"样子不甚分明"，华老栓已经是他的"食物"了，他是食人的狼。老栓确是害怕。所以小说接着写："老栓看看灯笼,已经熄了。按一按衣袋,硬硬的还在。"这又是伟大的描写。老栓如果不是吃了惊,天亮了他会自己把灯笼吹熄的,如同在家里吹熄灯盏一样,现在是灯笼自己熄了,熄了他不知道。再一动作就应该是按一按衣袋,是的,"还在",这两个字的心理与灯笼"已经熄了"对照得多么真实,这就叫做会写人物。而鲁迅在这一段里是告诉读者刽子手已经到了。接着就从老栓的眼里写出许多看众。"仰起头两面一望,只见许多古怪的人,三三两两,鬼似的在那里徘徊;定睛再看,却也看不出什么别的奇怪。"这里面"鬼似的在那里徘徊",一点也不是空话,是真写得好,如果说有什么东西像鬼,这三三两两的人就是鬼徘徊! 我们还要记得,丁字街店铺的门都是关着的,街上是阴森的。老栓自己是有很大的事,但旁人是做什么呢?所以"定睛再看,却也看不出什么别的奇怪。"

接着一段:"没有多久,又见几个兵,在那边走动;衣服前后的一个大白圆圈,远地里也看得清楚,走过面前的,并且看出号衣上暗红色的镶边。——一阵脚步声响,一眨眼,已经拥过了一大簇人。那三三两两的人,也忽然合作一堆,潮一般向前赶;将到丁字街口,便突然立住,簇成一个半圆。"这同《水浒》上描写的簇拥法场的情形不一样,这是白描。白描的文章令人吃惊,"一阵脚步声响,一眨眼,已经拥过了一大簇人",在反革命时代,中国的革命志士不知有多少被拥在这样一大簇人之中,作了这样的记录的第一个是鲁迅! 鬼一般的人潮一般向前赶,他们围着看杀革命党人! 因为是丁字街,所以他们簇成一个半圆。

接着在白描之后鲁迅又用渲染的手法了:"老栓也向那边看,却只见一堆人的后背;颈项都伸得很长,仿佛许多鸭,被无形的手捏住了的,向上提着。"鲁迅这样写着,我们可以推想他的悲哀的。同时他认为他必须大胆地诚实地把"愚弱的国民"给读者指示出来。我们于佩服他的爱国的精神之外,又佩服他的新颖的艺术手法,他把一向认为闲书的中国小说提高到哲学地位了,作家有作家的世界观。很分明,这里所反映的作家鲁迅的世界观是从生物学的观点看社会问题,同《头发的故事》里面这一句话是一样的:"阿,造物的皮鞭没有到中国的脊梁上时,中国便永远是这一样的中国,决不肯自己改变一枝〔支〕毫毛!"这就是"只信进化论的偏颇",不能用阶级分析方法分析一切人,一切阶级,一切群众,而笼统地有着"愚弱的国民"的认识,仿佛被"造物","被无形的手捏住了的",这样就不能解决社会问题。在鲁迅本着他的哲学塑造中国的看客的时候,中国的革命党人就被杀了,小说是这样写着:"静了一会,似乎有点声音,便又动摇起来,轰的一声,都向后退;一直散到老栓立着的地方,几乎将他挤倒了。"看起来,鲁迅决定要写《药》,是愤慨于愚昧无知的人可以拿革命党的血做迷信物品,他认为这样的人足以为中国市民的代表,对革命党没有感情,完全不知道革命是怎么一回事,而从人物的形象看来,愚昧无知的人倒还是很可同情的,他不能作为市民的代表,鲁迅另外写了许多看客,小说的笔锋完全针对着他们了,——这样《药》的主题思想并没有改变,只是形象更真实了,真实的市民的形象。我们认为鲁迅的小说《药》的产生就是如此。

接着就是刽子手拿了鲜红的馒头来了,就是他杀了夏瑜,拿馒头蘸了夏瑜的血,拿来同华老栓做买卖。小说写了下面的两段:

"喂,〔!〕一手交钱,一手交货!"一个浑身黑色的人,站在老栓面前,眼光正像两把刀,刺得老栓缩小了一半。那人一只大手,向他摊着;一只手却撮着一个鲜红的馒头,那红的还是一点一点的往下滴。

老栓慌忙摸出洋钱,抖抖的想交给他,却又不敢去接他的东西。那人便焦急起来,嚷道,"怕什么?怎的不拿!"老栓还踌躇着;黑的人便抢过灯笼,一把扯下纸罩,裹了馒头,塞与老栓;一手抓过洋钱,捏一捏,转身去了。嘴里哼着说,"这老东西……。"

这样刽子手的买卖做成功了,血馒头塞与了华老栓。华老栓对于这种人的眼光是熟悉的,但总是怕的,现在两只眼睛就是两把刀,是自己要来受刺的,有什么法子呢,所以"慌忙摸出洋钱,抖抖的想交给他",然而"却又不敢去接他的东西",鲁迅笔下的华老栓是多么善良!他的洋钱实在是刽子手从他的手上打劫过去的,刽子手"一手抓过洋钱,捏一捏,转身去了。嘴里哼着说,'这老东西……。'"我们想一想,这同前面走过华老栓,望着他说一句"倒高兴……。"都是刽子手对于老实人的口吻。从《药》里所写的华老栓看来,他实在是一个可怜的灵魂,只有希望儿子的病好是他自己的感情,其余他的思想、他的动作都是外面的势力强加给他的,他的洋钱是"抖抖的装入衣袋",他"抖抖的想交给他,却又不敢去接他的东西",这个叫他害怕的东西是刽子手"塞与老栓",刽子手"一手抓过洋钱"!等到他拿了"药"回家以后,他只机械地说了两句话,一句是两个字向着华大妈答着

"得了。"一句是两个字答着花白胡子说着"没有。"如小说第二节、第三节所写的。这便是辛亥革命时代善良然而愚昧,对革命没有理解,对革命党人没有感情的中国的市民。鲁迅本来不是立意写他的善良,是要写他的愚昧无知,这个愚昧无知的人是善良的。愚昧无知的根源,长期封建统治的社会根源,鲁迅还探求不出,他认为人们的颈项伸得很长是"被无形的手捏住了的"。然而鲁迅确是苦心孤诣地给我们写了一篇《药》,他要革命者正视人们的觉醒程度。我们认为我们的分析是合乎鲁迅当时思想的实际情况的。我们在这里还不要忽过一件事,就是鲁迅的伟大的描写,过通〔通过〕细节写人物,同时显得中国小说的色彩。我们指的是刽子手抢过华老栓手里的灯笼,"一把扯下纸罩,裹了馒头,塞与老栓"这几句。中国的刽子手善于了却此一段公案,会欺负老实人!这当然是鲁迅熟悉生活,不过这种写法也很像《水浒传》里的写法,写得仔细,不然华老栓还得提着灯笼回家了。若前面"灯光照着他的两脚,一前一后的走",则是现代小说才有的细节描写。

小说写到这里,封建社会迷信着的失掉了生命的人的血蘸的馒头的一味"药"已经给华老栓买得了,所以接着一段就这样叙着:"'这给谁治病的呀?'老栓也似乎听得有人问他,但他并不答应;他的精神,现在只在一个包上,仿佛抱着一个十世单传的婴儿,别的事情,都已置之度外了。他现在要将这包里的新的生命,移植到他家里,收获许多幸福。"鲁迅在这里才真是描写华老栓的愚昧无知,用的又是渲染的手法,而且这里的渲染完全是讽刺的。接着就是鲁迅小说的微言大义,写着当时中国社会的黑暗无光:"太阳也出来了;在他面前,显出一条大道,直到他家中,后面也照见丁字街头破匾上'古□亭口'这四个暗〔黯〕淡的金字。"这在中国文学史上是没有前例的带有倾向性的叙述之文,写得非常美丽。所有鲁迅的这些写法,都是从外国文学学习来的。再说,《药》的第一节这最后一段,不等于作者在后来写的《太平歌诀》吗?

二

第二节写小栓怎样吃"药"。

这一节比较简单,运用西洋小说形式把情节慢慢展开,不是作者用直接的叙述告诉我们,如中国戏剧和小说那样,而是通过作者对人物的描写,读者联系前后的情节自己明白。如华大妈"端过一碟乌黑的圆东西",当然是前文叙述的放在灶里烧的"那红的馒头",她对小栓"轻轻说:〈──〉

'吃下去罢,──病便好了。'"

那么,"药"的故事写到这里,老栓一大早去买人血馒头,拿回来给自己的儿子吃,作为治病的"药",读者已经明白了。

接着描写小栓吃"药"的状况,又是一面白描,一面渲染,白描的部分我们不抄引,我们且看鲁迅是怎样善于渲染的。"他(小栓)的旁边,一面立着他的父亲,一面立着他的母亲,两人的眼光,都仿佛要在他身里注进什么又要取出什么似的;便禁不住心跳起来,按着胸膛,又是一阵咳嗽。"这是鲁迅从外国文学里学习来的写法,在中国文学里,不论戏剧和小说,是没有这样"仿佛"的句子的。还有,小栓最初撮起那烧黑的东西,"看了一会,似乎拿着自己的性命一般",是同样的渲染的句子。这种句子把可怜的小栓的心理和命运写得多么深刻。所以鲁迅的《药》,对中国小说艺术的创造上,是开了许多方便的。而善于创造的人,就是善于向外国学习。

我们又说过,鲁迅小说用了外国形式而格外显得是中国的作品,是他善于选择他的时代里的中国生活,在这第二节里也可以证明这一点。如这一节开始,写华老栓拿了"药"回家,店面收拾得干净,还没有客人,因为太早了,"只有小栓坐在里排的桌前吃饭,大粒的汗,从额上滚下,夹袄也帖住了脊心,两块肩胛骨高高凸出,印成一个阳文的'八'字。"这"印成一个阳文的'八'字"把两块肩胛骨高高凸出的人坐在眼前,令读者害怕!当然,这是过去中国害痨病的青年人的形象,在新中国社会里这种病人已经遇不见,但我们要知道,鲁迅真是对中国事情会写的作家。

我们已经说过,这一节里华老栓只说过一句话,两个字,便是华大妈见他回来问他"得了么?"他答着"得了。"在《药》里是取着外国的戏剧的形式,用了这么的两行:

"得了么?"
"得了。"

这样非常明显地显出这种形式的长处,两句极其简单的话,把环境中的两个人物都写出来了;就小说的结构说,把前面的故事都绾住了,往下是吃"药"的事。

这一节最后一段:"小栓依他母亲的话,咳着睡了。华大妈候他喘气平静,才轻轻的给他盖上了满幅补钉的夹被。"这里"满幅补钉"几个字,又是鲁迅对生活的画龙点睛,连同最初华大妈在枕头底下掏洋钱的叙述,读者对开茶馆的老夫妇的生活状况留下很深的印象了。同时,很明白,鲁迅是用很同情的笔触写的。

在这一节里,于华老栓一家三人之外,作者又给我们写了一个人物,就是驼背五少爷。当茶馆的灶里正在烧馒头时他走进来。"'好香!你们吃什么点心呀?'这是驼背五少爷到了。这人每天总在茶馆里过日,来得最早,去得最迟,此时恰恰蹩到临街的壁角的桌边,便坐下问话,然而没有人答应他。'炒米粥么?'仍然没有人应。老栓匆匆走出,给他泡上茶。"在情节的布置上,这里非插进一点什么不可,不然里面烧馒头,接着华大妈叫小栓进去"吃下去罢",就显得是单调的叙述,不是真实的生活了,而驼背五少爷的进来真是生活,是鲁迅的杰作。鲁迅对他本阶级的人物太熟悉了,随处给以憎恶。今日的青年读者,对旧时代的茶馆,以及城市里在茶馆过日子的人,当然不懂得,不知能欣赏鲁迅的杰作否?

三

读完第二节,读者知道了这个故事是写人血馒头做"药",但还不知道是什么人的血,虽然杀人的地方明写着"古□亭口"。第三节作者便要我们知道是什么人的血,这个人是辛亥革命时代的革命党人。

这第三节同第一节一样,是很不容易写的,在这里,茶馆发生了很大的作用,许多人容易集中到茶馆里来,故事的内容便可以和盘托出了。于此,我们推想作者把华老栓选择为一个开茶馆的人,是很费了匠心的,对故事的各个方面有方便,容易写得真实。或者作者是有一定的生活经验作底子的罢。《药》里的人物在这第三节里都出现了,大半是直接出现,少半是间接出现。当然,对于其中的人物,作者是爱憎分明的。首先夏瑜是间接出现,在这一节里还只知道他姓夏,夏瑜的母亲在这一节里也是间接出现,这是敌我两方"我"一方面的人物。老栓,华大妈,小栓,作者也是把他们站在"我"这一方面,哀其愚昧而寄以同情。在敌的方面,间接出现的有管牢的红眼睛阿义,告官的夏三爷,直接出现的首先是姓康的刽子手,其余三个,驼背五少爷,花白胡子,"坐在后排的一个二十多岁的人",都是鲁迅笔下所憎恶的。我们看刽子手出现,(其实读者已经认识他,只不知他姓什么!)"突然闯进了一个满脸横肉的人,披一件玄色布衫,散着纽扣,用很宽的玄色腰带,胡乱捆在腰间。刚进门,便对老栓嚷道:〈——〉

'吃了么?好了么?老栓,就是运气了你!(你运气,)要不是我信息灵……。'"无疑的,鲁迅是亲眼见过这种刽子手的,不是模仿旧小说描写他的衣衫腰带。尤其是"胡乱捆在腰间"一句,仿佛很像《水浒》文章,其实鲁迅看见的这种人就是如此。我们今天的青年读者,对于鲁迅时代的生活,读起来也有些像读《水浒》了。接着写老栓夫妇对刽子手的态度:"老栓一手提了茶壶,一手恭恭敬敬的垂着;笑嘻嘻的听。满座的人,也都恭恭敬敬的听。华大妈也黑着眼眶,笑嘻嘻的送出茶碗茶叶来,加上一个橄榄,老栓便去冲了水。"我们要知道,衙门里干勾当的人,好比这个刽子手,是常日坐茶馆的,他今天因为做了好买卖,就格外高兴要来,所以他来并不是为了要问老栓"吃了么?好了么?"——这样的话便表现他是同老栓开玩笑!他是清早来坐茶馆。老栓夫妇也只是照常做生意,招待顾客,讨顾客的欢喜,而对于像"康大叔"这样的顾客,更是得罪不得的,所以"恭恭敬敬的","笑嘻嘻的",至于昨天从后半夜起的事情,反正自己的洋钱已经给人了,他们是没有法子再关心的,愚昧无知的人一举一动就是这样的,是被外面的势力支配着的。鲁迅的小说之所以令读者感到真实,不是一般的为什么而写什么,真实地表现人物也是一个重要的原因。我们看接着写刽子手和华大妈:

> "这是包好!这是与众不同的。你想,趁热的拿来,趁热吃下。"横肉的人只是嚷。
> "真的呢,要没有康大叔照顾,怎么会这样……"华大妈也很感激的谢他。
> "包好,包好!这样的趁热吃下。这样的人血馒头,什么痨病都包好!"
> 华大妈听到"痨病"这两个字,变了一点脸色,似乎有些不高兴;但又立刻堆上笑,搭赸着走开了。这康大叔却没有觉察,仍然提高了喉咙只是嚷,嚷得里面睡着的小栓也合伙咳嗽起来。

这时茶馆里就只有刽子手的"嚷",嚷得华大妈终于"搭赸着走开了",刽子手并不听见小栓的咳嗽。鲁迅对于刽子手这样的人物,对于茶馆的生活,真是熟悉的。小说家要把自己的主题思想传达给读者,在许多场合依靠细节的描写配合得真实,使得读者是接触生活,不是呆听作者的主题思想。

往下才是这一节的主要篇幅,由花白胡子"走到康大叔面前,低声下气的问道,'康大叔——听说今天结果的一个犯人,便是夏家的孩子,那是谁的孩子?究竟是什么事?'"读者到此方可完全肯定第一节所写的丁字街的事情是杀人，"康大叔"是刽子手，（就外国小说的形式说，是需要用这样的方法来说明故事的）而夏家的孩子是谁的孩子，究竟是什么事，又所以引起下文来。说到此，我们又应该附带说一点，外国小说虽然也有些小说作法，但在大作家的手下不显得是小说作法，只显得人物写得生动，好比这里的花白胡子，他既然是花白胡子，他就走到刽子手面前，低声下气叫着"康大叔"，——多么活现一副花白胡子的面孔呵！接着就由刽子手说：

"谁的？不就是夏四奶奶的儿子么？那个小家伙！"康大叔见众人都耸起耳朵听他，便格外高兴，横肉块块饱绽，越发大声说，"这小东西不要命，不要就是了。我可是这一回一点没有得到好处；连剥下来的衣服，都给管牢的红眼睛阿义拿去了。——第一要算我们栓叔运气；第二是夏三爷赏了二十五两雪白的银子，独自落腰包，一文不花。"

这完全是刽子手的话，他得意洋洋，得了华老栓的洋钱，而他说"第一要算我们栓叔运气"，谁都知道他这句话是陪衬的，他着力的话是"连剥下来的衣服，都给管牢的红眼睛阿义拿去了"这一句，耸起耳朵听的人也在这一句，鲁迅要我们注意的也在这一句，另外还有夏家的本家告官。不过"告官"两个字还要刽子手再说的时候说出来，现在只说二十五两银子独自落腰包，耸起耳朵听的人也已经知道了罢了。

我们读接着的这一段：

小栓慢慢的从小屋子走出,两手按了胸口,不住的咳嗽;走到灶下,盛出一碗冷饭,泡上热水,坐下便吃。华大妈跟着他走,轻轻的问道,"小栓(,)你好些么?——你仍旧只是肚饿?……"

在刽子手得意洋洋大声说话当中插这一段,表示作者创作的进行总不忘记是表现生活,不肯丝毫显出为解释故事而写的痕迹。小栓的病是不会"好些"的了。害这种病的人就是肚饿,鲁迅把小栓写得多么逼真,一个茶馆里的害痨病的儿子。华大妈问着"小栓(,)你好些么?——你仍旧只是肚饿?……"就表示她知道"药"是白吃的了,她向着"康大叔"堆上笑脸,确乎是不敢得罪他。他,当然更是知道的,所以接着写他"瞥了小栓一眼"。这种描写我们都是应该注意的。我们读小说而为小说的真实性所吸引,与这种细节都有关。

我们读接着的两段:

"包好,包好!"康大叔瞥了小栓一眼,仍然回过脸,对众人说,"夏三爷真是乖角儿,要是他不先告官,连他满门抄斩。现在怎样?银子!——这小东西也真不成东西!关在牢里,还要劝牢头造反。"

"阿呀,那还了得。"坐在后排的一个二十多岁的人,很现出气愤模样。

我们在分析《狂人日记》的时候曾提起过鲁迅在《药》里为什

么写这"一个二十多岁的人"对造反表示气愤,一句话,在本阶级当中,无论年老的,无论年少的,鲁迅都作过深心的观察,特地要作记录。这里才开始,用间接的方法,说明这个故事里被杀的人是革命党,"关在牢里,还要劝牢头造反。"

接着两段对话又间接地说明这个革命党人是辛亥革命党人,从他说的"这大清的天下是我们大家的"这一句话可以知道;又替我们描写了统治阶级,通过红眼睛阿义与驼背,真是不能写得更简单,更深刻。我们把这两段都抄下来:

"你要晓得红眼睛阿义是去盘盘底细的,他却和他攀谈了。他说:这大清的天下是我们大家的。你想:这是人话么?红眼睛原知道他家里只有一个老娘,可是没有料到他竟会那么穷,榨不出一点油水,已经气破肚皮了。他还要老虎头上搔痒,便给他两个嘴巴。〔!〕"

"义哥是一手好拳棒,这两下,一定够他受用了。"壁角的驼背忽然高兴起来。

驼背来得最早,他在壁角坐着,他这时才忽然高兴起来,——从小说的倾向性看起来,这些人分明是反革命派。

我们可以说,第三节往下的文章,类似《狂人日记》的思想感情。狂人说:"最可怜的是我的大哥。他也是人,何以毫不害怕;而且合伙吃我呢?还是历来惯了,不以为非呢?还是丧了良心,明知故犯呢?"瑜儿也便说打他的管牢的红眼睛阿义"可怜"。不过鲁迅的思想不是简单的,在他的小说里,一方面说"最可怜的是我的大哥",一方面就说"合伙吃我的人,便是我的哥哥!"《药》

里把阶级敌人的面孔也描写出来了,瑜儿和红眼睛阿义攀谈是"他还要老虎头上搔痒",结果"义哥是一手好拳棒,这两下,一定够他受用了。"说话的驼背是多么凶呵!

最后花白胡子说瑜儿的话是"疯话","简直是发了疯了。""'发了疯了。'二十多岁的人也恍然大悟的说。""'疯了。'驼背五少爷点着头说。"这同《狂人日记》的情况是一样的。

最后在这一节里我们还应该注意一件事,就是鲁迅最后写刽子手的凶狠。当茶馆里的人说"疯了"的时候,"小栓也趁着热闹,拼命咳嗽;康大叔走上前,拍他肩膀说:——

'包好!小栓——你不要这么咳。包好!'"不但他的话是同小栓开玩笑,他的手拍小栓的肩膀是够小栓受用的,不差于"义哥是一手好拳棒"!我们要学习鲁迅刻划敌人的凶狠。

四

前面的三节,写的是一天的事情,《药》的故事可说是已经完了,我们假定鲁迅认为可以"包括了许多革命者的传记和一部中国革命的历史"。当然他当时的思想意识里只有他所经历的辛亥革命。革命者的勇敢和光明当然也都写出来了,但作品的主题不在歌颂这一面,用鲁迅自己的话这篇小说是"善于暴露社会黑暗面"的文学。那么这第四节是不是多余的呢?删掉它可不可以呢?完全不可以。鲁迅小说的中国气派,民族风格,又充分表现在这第四节上面。我们应该加以说明。

鲁迅自己也说了,瑜儿坟上的花环是添上去的。其实问题不在添上花环,在于《药》的故事有这第四节,也就是"这一年的清明"要上坟,要上坟,瑜儿的坟上不添花环行吗?不但读者的感情不许可,作者的感情也是不许可的,鲁迅在《呐喊》序里说"那时的主将是不主张消极的",是把读者的感情替自己作声援罢了。清明上坟的情节在故事里也是有必要的,因为要说明小栓的病没有"包好",他是死了,故而描写他的"新坟"。这也许可以成为鲁迅写第四节的原因,但不是重要的。《药》是鲁迅从外国文学学习来的,不但小说形式方面如此,在题材构思上,在渲染手法上,我们认为与安特莱夫的一篇小说——中国译作《齿痛》,有直接关系。然而写到最后,要写一节清明上坟,要上坟,瑜儿的坟上就要添一圈鲜花,我们认为仍然是民族传统的表现,中国民间文学的精华在鲁迅的小说里有了。是的,我们想到了《窦娥冤》。在鲁迅的现实主义的手法之下,当然不能违反自然规律,有古代的"六月雪",于是瑜儿的坟上很自然地写了一圈鲜花。我们读瑜儿的母亲对瑜儿的坟上"一圈红白的花"的发现,"他(她)想了又想,忽又流下泪来,大声说道:〈——〉

'瑜儿,他们都冤枉了你,你还是忘不了,伤心不过,今天特意显点灵,要我知道么?'他(她)四面一看,只见一只乌鸦,站在一株没有叶的树上,便接着说,'我知道了。——瑜儿,可怜他们坑了你,他们将来总有报应,天都知道;你闭了眼睛就是了。——你如果真在这里,听(到)我的话,——便教这乌鸦飞上你的坟顶,给我看罢。'"这位老母亲的话比瑜儿说牢头可怜的话要显得知道仇恨得多,她要求"将来总有报应",她应该知道血债要用血来还,比起"六月雪"的愿望来,现实性要大得多。当然,瑜儿坟上的花环是表示辛亥革命失败之后中国还要革命。鲁迅写《药》时的思想感情是如此,历史事实也正是如此,中国由五四运动起中国共产党领导了中国的新民主主义革命。瑜儿坟上的花环真表示中国文学的民族风格,也表现鲁迅善于现代化,他把《窦娥冤》一类的古代的浪漫主义变化为现代的现实主义,作者的沉默在这里就是作品的倾向性,不轻于答应,——答应了,辛亥革命失败了,中国还要革命。鲁迅后来在《〈中国新文学大系〉小说二集序》里说,"《药》的收束,也分明的留着安特莱夫式的阴冷",他所谓"阴冷",大约指着乌鸦飞了,使得瑜儿的母亲失望。其实,据我们看,这不是阴冷,这还是鲁迅的"热风",在现代的现实主义作家的笔下,乌鸦是要飞去的,它不能同"六月雪"一样平空地满足人民的愿望,它只是小说的背景。鲁迅的"热风"就表现在坟上的一圈花环,他是极其深沉地思索中国革命的问题。

4　总论"药"

《药》的写作时期比《狂人日记》后一年,是在一九一九年,但它还是在五四运动前写的。它写于一九一九年,而作者鲁迅所思考的还是辛亥革命的问题,也就是旧民主主义革命的问题。他认为辛亥革命的失败是群众对革命没有觉悟,革命离开了群众。这是鲁迅思想比一般知识分子深刻的地方。但群众的具体内容到底是什么?群众又如何觉悟?旧民主主义革命能不能成功?这些就不是小资产阶级知识分子的思想深度所能达到的。然而鲁迅确实想到群众的觉悟是革命的关键问题。只不过他没有阶级觉悟,他以他所认识的一般的市民代表中国的群众。他不能特别考虑到农民阶级,不能考虑到中国社会新兴的无产者。从《药》所反映的看来,鲁迅也还不能认识辛亥革命是资产阶级领导的,属于旧民主主义革命的范畴,在他看来仿佛夏瑜就是辛亥革命的代表,是他以革命的小资产阶级知识分子为中国革命的中心了。这一切都反映鲁迅是小资产阶级知识分子。因此,我们学习《药》,应该想到毛主席最早的著作《中国社会各阶级的分析》是如何考虑国家命运的问题了,中国命运是中国共产党人掌握阶级分析方法的工具因而解决了的。"工业无产阶级是我们革命的领导力量。一切半无产阶级、小资产阶级,是我们最接近的朋友。"中国人必须打破学西方的迷梦,资产阶级领导的民主主义革命在中国不能成功,中国要走俄国人的路。毛主席把马克思主义的普遍真理同中国革命的具体实践相结合,就是新民主主义革命。我们现在分析《药》,就完全能够根据阶级分析方法来分析它,同分析中国社会各阶级是一样,作者鲁迅代表了革命的小资产阶级,他是无产阶级最接近的朋友。鲁迅后来说:"得了这一种苦楚的教训之后,转而去求医于根本的,切实的社会科学,自然,是一个正当的前进。"这话当然另外有所指,与我们现在谈的《药》并没有关系。然而我们学习《药》确实可以理解鲁迅后来的言语都有他自己的实际联系,他真正是"转而求医于根本的,切实的社会科学","根本的,切实的社会科学"就是阶级分析方法。所以我们读《药》,总是感到亲切的,它属于鲁迅最早的小说,他在辛亥革命失败之后考虑中国革命的问题,这表示鲁迅是无产阶级最接近的朋友,因为五四运动标志着中国革命是无产阶级领导的新民主主义革命。我们从《药》里一点也分析不出鲁迅要走资产阶级道路的因素,他只是愤慨于群众不觉悟。如果他发现群众觉悟的科学的解释是群众自己的阶级觉悟,小资产阶级个人还要经过思想改造,鲁迅便甘心做无产阶级革命的马前卒,后来的事实证明是如此。所以我们读《药》,总是感到亲切的。

再看一看《药》对新文学的贡献。《狂人日记》是新文学的伟大的开端,《药》的价值是它表示中国的新文学确实站立起来了。中国的新文学,在它一起来的时候,是新诗和短篇小说两种体裁的东西,确实给人以信心,新的起来了,封建的正统文学注定要灭亡的。但最早做新诗的人都是不放弃旧体诗的人,其后新诗作者转而探讨诗的形式问题,这又说明新诗有问题。短篇小说一直没有疑问。到今天,民族形式和外来形式的问题在短篇小说中间虽也存在着,而外来形式的优点仍然是非常显著的,大跃进当中的短篇小说,还有一种"小小说",证明这种形式表现新人新事有很大的生命力。因此,我们可以说,现代短篇小说是中国新文学的诞生,它之所以是中国新文学的诞生,与鲁迅的短篇小说又是分不开的。当时对小说的认识虽有片面的地方,不能知道中国古典文学的长篇小说创造了极其丰富的写典型的巨大价值,然而鲁迅的短篇小说之创造新文学与古典文学长篇小说的价值之有待发掘,是两件事,在前进当中应该是并行而不悖。鲁迅在《狂人日记》之后还写了一篇《孔乙己》,这个短篇的艺术成就是很高的,它对新文学的语言工具之美是事实胜于雄辩,但它究竟是小品,它是把中国知识分子"之乎者也"式的生活在新文学异军突起的时候写了一个插曲,它不能继《狂人日记》而开辟而巩固新文学的新的阵地。令人相信中国的新文学确实站立起来了,是《药》在《狂人日记》在《孔乙己》的相继出现而出现。它比前两篇有更完全的新的形式,加之它的刺激人心的内容,一时新的读者认为它压倒古典文学。这当然只能以对新鲜事物有敏感作解释,然而从外国文学学习来的中国新文学,在知识分子当中,能与古典文学的历史相对抗,到了《药》已成定局。在形式上,《狂人日记》《孔乙己》同旧小说还是有因袭的地方,如叙人物说话,还是如鲁迅自己后来所举的"林冲笑道:'原来,你认得。'"的形式,是他在《药》里开始改为"'原来,你认得。'林冲笑着说。"式的形式。这种新的形式很快广泛地被采用了,它有百利而无一弊,在采取提行分段加标点符号的条件之下,而这个条件是完全进步的。就在丰富多采的政论文章如毛主席的《湖南农民运动考察报告》里面也采用了这样的叙述形式。这个叙述形式虽是从外国文学学来的,在中国过去的书面语言里没有,然而在口语里是有的,所以这件事按其实质与"民族形式"问题并没有关系。这件有益的事在当时偏最遭反对,连《新青年》同人刘半农也反对,鲁迅在一九三四年写的《玩笑只当它玩笑》里面还谈到。总之在一切方面《药》把新的短篇小说形式确立了。到了今天我们比五四初期当然要求群众化,但在短篇小说的问题之下,群众化与欧化的短篇小说,矛盾并不大,大跃进当中的短篇小说已经给我们证明了。在文学语言方面,《药》对于写普通话有极大的功劳。跟着起来的作家的写作,都认真地学习描写和叙述的语言了。在中国的旧小说里,如《红楼梦》的语言就是最生动最丰富的,但它表现了两种现象,或者是口语而没有加工,或者丢开口语大用其文言的辞章。鲁迅小说的语言则合乎我们今天严格地写普通话的要求。这方面,《孔乙己》比《狂人日记》进了一步,《药》比《孔乙己》又进了一步。《孔乙己》因为要表现"之乎者也"式的生活,鲁迅虽然是写普通话,但用了许多"之乎者也"之类的玩艺儿,所以语言革新的力量不能突出,不能猛烈。《药》就完全是新的东西,当时的新的读者一读到这样的文章：

> 西关外靠着城根的地面,本是一块官地；中间歪歪斜斜一条细路,是贪走便道的人,用鞋底造成的,但却成了自然的界限。路的左边,都埋着死刑和瘐毙的人,右边是穷人的丛冢。两面都已埋到层层叠叠,宛然阔人家里祝寿时候的馒头。

谁都容易感到这是过去所没有的文学语言,这是从外国文学学来的,对中国的新的小说起了很好的促进作用,过去认为小说是"引车卖浆之徒"的读物,现在知道写小说同做诗一样应该用推敲的工夫,不是率尔操觚。中国的读者确实因为鲁迅的小说,对文学的范围开始有了正确的认识,重视小说的语言。

我们在分析《药》的全文的时候,已经把鲁迅白描与渲染并用的手法加以指出,这种手法在中国诗里陶渊明有很好的贡献,小说要待现代的鲁迅。鲁迅是从外国小说来的。《药》与安特莱夫的《齿痛》又有显明的关系。《齿痛》是安特莱夫用《新约》里的人名地名写的一篇小说。在耶稣基督在各各他地方在两个强盗中间被钉上十字架的那一天,有一个耶路撒冷的商人从清早起患齿痛。当耶稣在街上走的时候,人们挤着看,他也看。他的妻说,"他们说他曾医好过瞎子哩！""阿,可不是么！他也应该能医我的齿痛罢。"跟着他也去看钉十字架。从题材构思上说,鲁迅的《药》可能是受了安特莱夫这篇小说的影响。更从描写的手法上看,确是如此。安特莱夫写商人从清早起齿痛是这样写的："他的全面庞都发皱,聚在他的大鼻子的周围；鼻子也因为疼痛,变了苍白色,上面搁着一粒冷汗。他这样自己摇摆,又呻吟着,迎接太阳的第一缕光线,——这便是规定去照临那有三个十字架的各各他,因为恐怖与悲哀变了黑暗的太阳。"鲁迅写华老栓拿了血馒头回家:"太阳也出来了;在他面前,显出一条大道,直到他家中,后面也照见丁字街头破匾上'古□亭口'这四个黯淡的金字。"这同安特莱夫的渲染的手法是一样的。《狂人日记》与果戈里有关系,《药》与安特莱夫有关系,这说明外国文学对中国新文学是起了借鉴的作用。同时我们必须注意,这些作用都属于技巧方面,鲁迅的思想是鲁迅自己的,是半封建半殖民地中国社会的产物。

最后应该把鲁迅的现实主义再提一下。《药》的构思虽然是鲁迅的"拿来主义"的实践,更重要的,鲁迅小说的倾向性还表现在它同中国民间文学的一脉相承,就是现实主义同浪漫主义结合,他把瑜儿的坟上放上了花环。我们谁都不能否认鲁迅的现实主义包含了浪漫主义的因素。鲁迅的浪漫主义表现他对中国革命的理想。然而鲁迅的浪漫主义还局限于他的现实主义,这个局限又是他当时的世界观的局限性的表现。到了晚期,他认识了人民的力量,他的浪漫主义也发展了,他写了美丽的复仇女神《女吊》。到了今天,我们读毛主席诗词,读大跃进新民歌,我们的思想大为开展,我们的时代特征是革命的浪漫主义和革命的现实主义的结合,表现着共产主义的风格。然而我们读鲁迅在一九一九年写的《药》,总是感到亲切的。

十一 "阿Q正传"

1 作者的"国民性"的思想

在《伪自由书》里有一篇《再谈保留》,在这篇文章里鲁迅曾说道:"十二年前,鲁迅作的一篇《阿Q正传》,大约是想暴露国民的弱点的,虽然没有说明自己是否也包含在里面。"这"国民的弱点"的另一个名词是"国民性",也是鲁迅自己用的。所以我们应该说鲁迅写《阿Q正传》的思想正是他早期的一个中心思想,即"国民性"的思想。

鲁迅把他所谓的"国民性"在《阿Q正传》里概括为精神胜利法,虽然还有别的东西,然而精神胜利法是最主要的。在鲁迅的杂文里本来有许多就是讲精神胜利法,他认为是关系国家民族命运的大事,如在《论睁了眼看》里他说:"中国人的不敢正视各方面,用瞒和骗,造出奇妙的逃路来,而自以为正路。在这路上,就证明着国民性的怯弱、懒惰,而又巧滑。一天一天的满足着,即一天一天的堕落着,但却又觉得日见其光荣。在事实上,亡国一次,即添加几个殉难的忠臣,后来每不想光复旧物,而只去赞美那几个忠臣;遭劫一次,即造成一群不辱的烈女,事过之后,也每每不思惩凶,自卫,却只顾歌咏那一群烈女。仿佛亡国遭劫的事,反而给中国人发挥'两间正气'的机会,增高价值,即在此一举,应该一任其至,不足忧悲似的。自然,此上也无可为,因为我们已经藉死人获得最上的光荣了。"这里面说到"亡国",说到"光复旧物",很显然是指中国屡遭异民族的侵略的历史说的。同时,如我们在讲鲁迅杂文时已经指出,鲁迅所谓"国民性",按其实质是指统治阶级的阶级性,这里说的"怯弱"、"懒惰"、"巧滑"、"满足"、"堕落"就都是的,是对统治阶级专用的形容词,丝毫没有疑问。鲁迅因为当时还没有阶级观点,他把他所憎恶的阶级性认为是"国民性",而且他是从爱国主义的感情出发,我们是很可以理解的。《阿Q正传》在两章"优胜记略"之后总结阿Q的胜利(其实是失败的反语)便写道:"他是永远得意的:这或者也是中国精神文明冠于全球的一个证据了。""中国精神文明冠于全球"的思想就是"国粹"的思想,"国粹"的思想就是亡国的思想,这是鲁迅在《热风》的集子里大声疾呼的。

"精神胜利法",我们只要稍为思索一下,与劳苦大众显然是不相干的。鲁迅当时以及后来对此有过深刻的反省,他反省到自己,他不敢说他自己是否也包含在他所暴露的"国民的弱点"里面,如我们所引的《再谈保留》的话。他又要求一般读者反省,如《答〈戏〉周刊编者信》里面说:"果戈里作《巡按使》,使演员直接对看客道:'你们笑自己!'(奇怪的是中国的译本,却将这极要紧的一句删去了。)我的方法是在使读者摸不着在写自己以外的谁,一下子就推诿掉,变成旁观者,而疑心到像是写自己,又像是写一切人,由此开出反省的道路。"鲁迅这话的意思也就是要求本阶级的知识分子反省。我们认为指出这一点很重要,鲁迅所谓"国民性",不但按其实质是指统治阶级的阶级性,在鲁迅自己再作思考之下,反省之下,不是想到自己,就是想到作为读者的一般知识分子,决不是想到工农大众身上去。实生活当中的阿Q其人,鲁迅当然是想到的,如《〈阿Q正传〉的成因》里说,"阿Q的形〔影〕象,在我心目中似乎确已有了好几年",但在《阿Q正传》里鲁迅告诉我们阿Q"没有固定的职业",在《〈出关〉的"关"》的杂文里他又说"殊不知阿Q的模特儿,却在别的小城市中,而他也实在正在给人家捣米。"作者以小城市中这样的阿Q作为模特儿来说明他的意思,即"国民性"(我们认为是统治阶级的阶级性)的思想,是可以的。若工人阶级,农民阶级,则与"国民性",精神胜利法,决不能说有相干之处。当然鲁迅当时没有阶级观点,然而鲁迅的思想是经得起分析的,我们分析鲁迅所有的文章,他所说的"国民性"按其实质是统治阶级的阶级性。

2 "阿Q正传"是半殖民地半封建社会的产物

因为是半殖民地,所以要反对帝国主义。因为是半封建社会,所以要反对封建主义。而本国的封建主义是同外国帝国主义勾结的,本国的封建主义是外国帝国主义在这个国家里面的基础,所以反封建主义又同反帝国主义分不开。这在我们已经成了常识。这个道理在最初却是极不容易发现,在中国只有当中国共产党人用无产阶级的宇宙观作为观察国家命运的工具时才发〔现〕了这个领导中国革命取得胜利的真理。在中国共产党出世以前,中国的爱国主义者,都要在中国人民的敌人——外国帝国主义和中国封建主义,要在两个敌人的面前受考验。伟大的爱国主义者鲁迅是最经得起考验的,他痛恨精神胜利法,就是殖民地半殖民地人民最可宝贵的性格的表现。只是他最早不能懂得阶级分析方法,他把像中国这样半殖民地半封建社会的统治阶级的怯弱、懒惰、巧滑、满足、堕落的劣根性叫做"国民性",他揭露它,无非是希望中国发愤图强。就在一九二五年他写的《忽然想到》的题目里还有一条"还是一无所有",我们在讲鲁迅的杂文时曾抄引过,现在把这一条再抄一遍:

> 中国的精神文明,早被枪炮打败了,经过了许多经验,已经要证明所有的还是一无所有。讳言这"一无所有",自然可以聊以自慰;倘更铺排得好听一点,还可以寒天烘火炉一样,使人舒服得要打盹儿。但那报应是永远无药可医,一切牺牲全都白费,因为在大家打着盹儿的时候,狐鬼反将牺牲吃尽,更加肥胖了。
>
> 大概,人必须从此有记性,观四向而听八方,将先前一切自欺欺人的希望之谈全都扫除,将无论是谁的自欺欺人的假面全都撕掉,将无论是谁的自欺欺人的手段全都排斥,总而言之,就是将华夏传统的所有小巧的玩艺儿全都放掉,倒去屈尊学学枪击我们的洋鬼子,这才可望有新的希望的萌芽。

这还是鲁迅认为精神胜利的危险。这正是五卅时写的。所以我们说鲁迅写《阿Q正传》,是从满清以来半殖民地中国遭受帝国主义侵略,而中国的统治阶级,既堕落,又满足,表现了一种阿Q主义,故鲁迅用一个小说人物的形象暴露之,这应该是合乎鲁迅思想的实际的。

《阿Q正传》的故事却写的是辛亥革命时代中国社会的阶级斗争史。鲁迅虽然因为世界观的局限性没有写出新兴的工人阶级来,主观上他不知道中国的希望到底在哪里,但他对于地主阶级表示他的真正的憎恶,客观上就是揭示,中国的问题不是"国民性"的问题,是推翻封建主义的问题,是阶级斗争的问题。在中国,反对帝国主义与反对封建主义,是同时的。《阿Q正传》反映鲁迅思想的特点,它是半殖民地半封建社会的产物。

3 阿Q不是农民的典型

就研究鲁迅的思想说,与问题的本质无关而属于一个表现性的问题,就是阿Q是否是农民的典型的问题。为什么说这个问题属于表面性的问题呢?我们认为这个问题仅仅是从字面上来的,因为在《阿Q正传》里,未庄是"乡下",阿Q不是城里人,他在未庄给人做短工,那么从字面上联系起来,阿Q当然是农村中的雇工了。这就是表面性的问题。其实鲁迅笔下的"乡下",每每是从广义说的,在《一件小事》里他就说"我从乡下跑到京城里",这个"乡下"就指绍兴城。表面性的问题应该没有多加讨论的必要。现在这个问题在我们研究鲁迅的过程中却成了一个重要的问题,许多论者都认为阿Q是农民的典型,而且认为鲁迅就是要写一个具有精神胜利法的落后的农民的典型,因为精神胜利法是各阶级所共有,写农民阿Q就是鞭策农民。有的论者又认为鲁迅当时已提出了农民问题,中国革命的基本问题。这样,问题就太大了,确实应该分析清楚。我们先总地提一个意见,如果说精神胜利法是各阶级所共有,那么工人阶级有没有呢？鲁迅写农民阿Q，为什么不写一个工人阿Q呢？鞭策农民阿Q，就不鞭策工人阿Q吗？而且，说着各阶级共有，那么鲁迅已经运用了阶级分析方法了，不然怎么叫做"各阶级共有"呢？这样的"阶级分析方法"不是马克思列宁主义的阶级分析方法，不是毛主席谆谆教导我们的阶级分析方法！马克思列宁主义的阶级分析方法，毛主席谆谆教导我们的阶级分析方法，最重要之点是贫苦的劳动人民是革命的！

下面我们用两个题目来研究这个问题。

一 鲁迅当时的思想不可能提出农民问题

毛主席在《新民主主义论》里引斯大林的话指示过我们："所谓民族问题，实质上就是农民问题。"毛主席又说："因此农民问题，就成了中国革命的基本问题，农民的力量，是中国革命的主要力量。"很明白，小资产阶级知识分子鲁迅在早期他的思想里不可能有这个中国革命的基本问题，即农民问题。就拿小说《故乡》来说，鲁迅是这样总结农民闰土的景况的："多子，饥荒，苛税，兵，匪，官，绅，都苦得他像一个木偶人了。"这说明农民问题的不容易认识，因为农民的主要问题是土地问题，农民与地主阶级的根本矛盾是地租，鲁迅没有指明出来。鲁迅早期反封建是反封建社会的上层建筑，他不能从封建剥削上提出农民问题，他倒是从资产阶级的个性解放出发提出妇女与儿童问题。在《灯下漫笔》里，引了《左传》的"人有十等"，他认为被奴役的"台"同统治阶级一样地是男子当权，"有比他更卑的妻，更弱的子在。而且其子也很有希望，他日长大，升而为'台'，他〔便〕又有更卑更弱的妻子，供其〔他〕驱使了。如此连环，各得其所，有敢非议者，其（罪）名曰不安非〔分〕！"鲁迅本来是一个叛徒，是"不安分"，就是说他的立场总是光明的，但因为缺乏阶级观点，言论就有不得要领的地方，离无产阶级提出的中国革命的农民问题，还要经过质变，我们对此必须分析清楚。决不能说鲁迅早期思想里有农民问题。他的小说《祝福》也正是他思想里没有农民问题的证明。他有的只是妇女问题。如果他思想里有农民问题，他就不写《祝福》这样的小说，写而故事也一定有所不同，因为我们分析《彷徨》里的《祝福》，祥林嫂前后两次的夫家都是农民，最后一次"大伯来收屋，又赶她"，是当时农村里可能有的事情，但这不属于中国社会的本质方面，写了来反而显得祥林嫂的死由与她的夫家更有直接关系，也就是与劳动人民有直接关系。总之农民问题只有无产阶级提得出来，鲁迅在写《阿Q正传》的时候是望不见的了。在《阿Q正传》里，鲁迅对阿Q的革命是取着讽刺态度，借静修庵老尼姑的口说了出来。那天下午阿Q到静修庵。"那还是上午的事。赵秀才消息灵，一知道革命党已在夜间进城，便将辫子盘在顶上，一早去拜访那历来也不相能的钱洋鬼子。这是'咸与维新'的时候了，所以他们便谈得很投机，立刻成了情投意合的同志，也相约去革命。他们想而又想，才想出静修庵里有一块'皇帝万岁万岁万万岁'的龙牌，是应该赶紧革掉的，于是又立刻同到庵里去革命。因为老尼姑来阻当〔挡〕，说了三句话，他们便将伊当作满政府，在头上很给了不少的棍子和栗凿。尼姑待他们走后，定了神来检点，龙牌固然已经碎在地上了，而且又不见了观音娘娘座前的一个宣德炉。"这是讽刺秀才和假洋鬼子"革命"。阿Q下午来静修庵，"庵和春天时节一样静，白的墙壁和漆黑的门。他想了一想（，）前去打门，一只狗在里面叫。

他急急拾了几块断砖,再上去较为用力的打,打到黑门上生出许多麻点的时候,才听得有人来开门。

阿Q连忙捏好砖头,摆开马步,准备和黑狗来开战。但庵门只开了一条缝,并无黑狗从中冲出,望进去只有一个老尼姑。

'你又来什么事?'伊大吃一惊的说。

'革命了……你知道?……'阿Q说得很含胡。

'革命革命,革过一革的,……你们要革得我们怎么样呢?'老尼姑两眼通红的说。

'什么?……'阿Q诧异了。

'你不知道,他们已经来革过了!'

'谁?……'阿Q更其诧异了。

'那秀才和洋鬼子!'"老尼姑第一句问阿Q"你又来什么事?"在阿Q当然以为是她记得他春天来了,其实她不是的,她是"两眼通红",她以为"革命革命,革过一革的",所以"你又来什么事",所以"你们要革得我们怎么样呢",在这里"你们"这个代名词分明是包括秀才和假洋鬼子和阿Q。鲁迅当时的思想里如果有农民问题,在小说里他怎么会讽刺农民(许多论者认为阿Q是的)要革命呢?鲁迅是小资产阶级的思想,他讽刺投机的革命家,他认为阿Q也是的,所以当时有人认为像阿Q那样的一个人终于要做起革命党来,人格上似乎是两个,鲁迅答复这个问题道:"据我的意思,中国倘不革命,阿Q便不做,既然革命,就会做的。我的阿Q的运命,也只能如此,人格也恐怕并不是两个。民国元年已经过去,无可追踪了,但此后倘再有改革,我相信还会有阿Q似的革命党出现。我也很愿意如人们所说,我只写出了现在以前的或一时期,但我还恐怕我所看见的并非现代的前身,而是其后,或者竟是二三十年之后。其实这也不算辱没了革命党,阿Q究竟已经用竹筷盘上他的辫子了;此后十五年,长虹'走到出版界',不也就成为(一个)中国的'绥惠略夫'了么?"(《〈阿Q正传〉的成因》)他明明地没有把阿Q当作农民阶级的农民看待,因为他的思想里本没有中国革命的基本问题即农民问题。

二 阿Q的形象不是农民

我们从阿Q的整个形象看,阿Q是不是真的贫雇农?不是,完全不是的。鲁迅以"他有这一种精神上的胜利法"贯穿阿Q的整个形象,开始是这样:

> 阿Q"先前阔",见识高,而且"真能做",本来几乎是一个"完人"了,但可惜他体质上还有一些缺点。最恼人的是在他头皮上,颇有几处不知起于何时的癞疮疤。这虽然也在他身上,而看阿Q的意思,倒也似乎以为不足贵的,因为他讳说"癞"以及一切近于"赖"的音,后来推而广之,"光"也讳,"亮"也讳,再后来,连"灯""烛"都讳了。一犯讳,不问有心与无心,阿Q便全疤通红的发起怒来,估量了对手,口讷的他便骂,气力小的他便打;然而不知怎么一回事,总还是阿Q吃亏的时候多。于是他渐渐的变换了方针,大抵改为怒目而视了。
>
> 谁知道阿Q采用怒目主义之后,未庄的闲人们便愈喜欢玩笑他。一见面,他们便假作吃惊的说:

"哈,亮起来了。"

阿Q照例的发了怒,他怒目而视了。

"原来有保险灯在这里!"他们并不怕。

阿Q没有法,只得另外想出报复的话来:

"你还不配……"这时候,又仿佛在他头上的是一种高尚的光荣的癞头疮,并非平常的癞头疮了;但上文说过,阿Q是有见识的,他立刻知道和"犯忌"有点抵触,便不再往底下说。

闲人还不完,只撩他,于是终而至于打。阿Q在形式上打败了,被人揪住黄辫子,在壁上碰了四五个响头,闲人这才心满意足的得胜的走了。阿Q站了一刻,心里想,"我总算被儿子打了,现在的世界真不像样……"于是也心满意足的得胜的走了。

鲁迅在讽刺阿Q的同时也讽刺"未庄的闲人们",因为两方面都是"心满意足的得胜的走了"。但这个未庄偏有这么多的"闲人",其中茶馆酒肆的空气很重,不像什么农村。一定要说阿Q是农民,是落后的农民的话,那么鲁迅为什么存心要这样写农民?岂不是怪事!接着是:

阿Q想在心里的,后来每每说出口来,所以凡有和阿Q玩笑的人们,几乎全知道他有这一种精神上的胜利法,此后每逢揪住他黄辫子的时候,人就先一着对他说:

"阿Q,这不是儿子打老子,是人打畜生。自己说:

人打畜生！"

阿Q两只手都捏住了自己的辫根,歪着头,说道:"打虫豸,好不好？我是虫豸——还不放么？"

但虽然是虫豸,闲人也并不放,仍旧在就近什么地方给他碰了五六个响头,这才心满意足的得胜的走了,他以为阿Q这回可遭了瘟。然而不到十秒钟,阿Q也心满意足的得胜的走了,他觉得他是第一个能够自轻自贱的人,除了"自轻自贱"不算外,余下的就是"第一个"。状元不也是"第一个"么？"你算是什么东西"呢!?

又是"闲人"的事。而且作者连到"状元"头上去了。在鲁迅小说的空气之下,把阿Q第一和状元第一相关联,是很有风趣的,小说的倾向性也是很强的,鲁迅讽刺阿Q也讽刺状元,原因是鲁迅写阿Q并不是写一个农民。如果一定说鲁迅是写一个农民,那我们认为小说的一切都失败了,这样写农民有什么意义呢？而且也写得太不真实,首先没有作为农民阶级的农民的共性,当然也不能谈阿Q这个农民的个性。未庄也不像什么农村,一见面相互都是"闲人"。

接着写赌摊,写阿Q押牌宝,我们抄"阿Q不幸而赢了一回,他倒几乎失败了"的一回:

这是未庄赛神的晚上。这晚上照例有一台戏,戏台左近(,)也照例有许多的赌摊。做戏的锣鼓,在阿Q〈的〉耳朵里仿佛在十里之外；他只听得桩家的歌唱了。

他赢而又赢,铜钱变成角洋,角洋变成大洋,大洋又成了迭〔叠〕。他兴高彩〔采〕烈得非常:

"天们〔门〕两块!"

他不知道谁和谁为什么打起架来了。骂声打声脚步声,昏头昏脑的一大阵,他才爬起来,赌摊不见了,人们也不见了,身上有几处很似乎有些痛,似乎也挨了几拳几脚似的,几个人诧异的对他看。他如有所失的走进土谷祠,定一定神,知道他的一堆洋钱不见了。赶赛会的赌摊多不是本村人,还到那里去寻根柢呢?

很白很亮的一堆洋钱!而且是他的——现在不见了!说是算被儿子拿去了罢,总还是忽忽不乐;说自己是虫豸罢,也还是忽忽不乐;他这回才有些感到失败的苦痛了。

但他立刻转败为胜了。他擎起右手,用力的在自己脸上连打了两个嘴巴,热剌剌的有些痛;打完了之后,便心平气和起来,似乎打的是自己,被打的是别一个自己,不久也就仿佛是自己打了别个一般,——虽然还有些热剌剌,——心满意足的得胜的躺下了。

他睡着了。

在这里,阿 Q 当然是"本村人",而"赶赛会的赌摊多不是本村人",这岂不是说未庄只有阿 Q 一个人在这里押牌宝?其实作者是故意弥缝这一句,实际未庄并不是农村,阿 Q 也不是农民,"殊不知阿 Q 的模特儿,却在别的小城市中",如《〈出关〉的"关"》所说。然而"有这一种精神上的胜利法"的形象的阿 Q 写得极其真实,只要读者不拘泥他为农民的话。把这个形象当作农民,这个形象反而不真实了,首先他不能表现农民的共性,当然也就不能谈有农民阿Q的个性,个性必须在共性的基础之上。

接着写阿Q和王胡打骂,我们完全抄下来:

> 有一年的春天,他醉醺醺的在街上走,在墙根的日光下,看见王胡在那里赤着膊捉虱子,他忽然觉得身上也痒起来了。这王胡,又癞又胡,别人都叫他王癞胡,阿Q却删去了一个癞字,然而非常渺视他。阿Q的意思,以为癞是不足为奇的,只有这一部络腮胡子,实在太新奇,令人看不上眼。他于是并排坐下去了。倘是别的闲人们,阿Q本不敢大意坐下去。但这王胡旁边,他有什么怕呢?老实说:他肯坐下去,简直还是抬举他。
>
> 阿Q也脱下破夹袄来,翻检了一回,不知道因为新洗呢还是因为粗心,许多工夫,只捉到三四个。他看那王胡,却是一个又一个,两个又三个,只放在嘴里毕毕剥剥的响。
>
> 阿Q最初是失望,后来却不平了:看不上眼的王胡尚且那么多,自己倒反这样少,这是怎样的大失体统的事呵!他很想寻一两个大的,然而竟没有,好容易才捉到一个中的,恨恨的塞在厚嘴唇里,很〔狠〕命一咬,劈的一声,又不及王胡响。
>
> 他癞疮疤块块通红了,将衣服摔在地上,吐一口唾

沫,说:

"这毛虫!"

"癞皮狗,你骂谁?"王胡轻蔑的抬起眼来说。

鲁迅的小说,每每是在一番叙述之后,就插进人物说话,而"对话也决不说到一大篇",(《我怎么做起小说来》)这里阿Q和王胡的一人一句就是好例子。对于说话时的动作也真是描写得无以复加。我们再抄下面的话:

"谁认便骂谁!"他站起来,两手叉在腰间说。

"你的骨头痒了么?"王胡也站起来,披上衣服说。

阿Q以为他要逃了,抢进去就是一拳。这拳头还未达到身上,已经被他抓住了,只一拉,阿Q跄跄踉踉的跌进去,立刻又被王胡扭住了辫子,要拉到墙上照例去碰头。

"君子动口不动手!"阿Q歪着头说。

这句话是孔乙己式的话,说出来合乎鲁迅所塑造的阿Q的人格,但要不拘泥他是农民的形象。

接着写阿Q挨假洋鬼子的打,我们读:

这"假洋鬼子"近来了。

"秃儿。驴……"阿Q历来本只在肚子里骂,没有出过声,这回因为正气忿,因为要报仇,便不由的轻轻的说出来了。

不料这秃儿却拿着一支黄漆的棍子——就是阿Q所谓哭丧棒——大踏步走了过来。阿Q在这刹那,便知道大约要打了,赶紧抽紧筋骨,耸了肩膀等候着,果然,拍的一声,似乎确凿打在自己头上了。

"我说他!"阿Q指着近旁的一个孩子,分辩说。

拍!拍拍!

在阿Q的记忆上,这大约要算是生平第二件的屈辱。幸而拍拍的响了之后,于他倒似乎完结了一件事,反而觉得轻松些,而且"忘却"这一件祖传的宝贝也发生了效力,他慢慢的走,将到酒店门口,早已有些高兴了。

鲁迅在这里深刻地讽刺"忘却",而且他认为这是"一件祖传的宝贝",这显然与贫雇农无关,拿来写贫雇农就太不真实了。然而鲁迅所写的阿Q的形象极真实,我们谁读着都感得他的人物是从实生活来的,他的方法用他自己的话"是在使读者摸不着在写自己以外的谁",问题本来是非常明白的。

鲁迅刻划阿Q精神还表现在阿Q画花押和临刑唱戏上面,都是鲁迅的最沉痛的文章。我们读:

于是一个长衫人物拿了一张纸,并一支笔送到阿Q的面前,要将笔塞在他手里。阿Q这时很吃惊,几乎"魂飞魄散"了:因为他的手和笔相关,这回是初次。他正不知怎样拿;那人却又指着一处地方教他画花押。

"我……我……不认得字。"阿Q一把抓住了笔,惶恐而且惭愧的说。

"那么,便宜你,画一个圆圈!"

阿Q要画圆圈了,那手捏着笔却只是抖。于是那人替他将纸铺在地上,阿Q伏下去,使尽了平生的力画圆圈。他生怕被人笑话,立志要画得圆,但这可恶的笔不但很沉重,并且不听话,刚刚一抖一抖的几乎要合缝,却又向外一耸,画成瓜子模样了。

阿Q正羞愧自己画得不圆,那人却不计较,早已掣了纸笔去,许多人又将他第二次抓进栅栏门。

他第二次进了栅栏,倒也并不十分懊恼。他以为人生天地之间,大约本来有时要抓进抓出,有时要在纸上画圆圈的,惟有圈而不圆,却是他"行状"上的一个污点。但不多时也就释然了,他想:孙子才画得很圆的圆圈呢。于是他睡着了。

这依然是精神胜利!在"优胜记略"章的最后一句是:"他睡着了。"现在也是"于是他睡着了。"这里的形象决不是农民的形象!如果真是写农民,写农民在大堂上画花押,那就只需要这样的句子:"他的手和笔相关,这回是初次。"这就悲愤极了。又好比被剥削了文化权不认得字的农民,在他被处死刑以前给他一张纸,一枝笔,他说着:"我……我……不认得字。"那就是最沉痛的文章,不需要更多的句子。然而鲁迅写阿Q的画花押也是极沉痛的,因为阿Q有一种精神上的胜利法,"他想:孙子才画得很圆的圆圈呢。"这个形象又极真实,鲁迅刻划出来"在使读者摸不着在写自己以外的谁"。

再读阿Q临刑唱戏:

> 他省悟了,这是绕到法场去的路,这一定是"嚓"的去杀头。他惘惘的向左右看,全跟着马蚁似的人,而在无意中,却在路旁的人丛中发见了一个吴妈。很久违,伊原来在城里做工了。阿Q忽然很羞愧自己没志气:竟没有唱几句戏。他的思想仿佛旋风似的在脑里一回旋:《小孤孀上坟》欠堂皇,《龙虎斗》里的"悔不该……"也太乏,还是"手执钢鞭将你打"罢。他同时想将手一扬,才记得这两手原来都捆着,于是"手执钢鞭"也不唱了。
>
> "过了二十年又是一个……"阿Q在百忙中,"无师自通"的说出半句从来不说的话。

这不还是精神胜利法吗?我们读着感得鲁迅写得太沉痛了。他当时没有阶级观点,他是从爱国主义的立场出发,他认为中国人(这三个字是鲁迅常用的名词,这里面没有排斥作者自己)不应该这样,他认为一切所谓"国粹"都是这样!当然,我们只要稍一思索,没有贫雇农是像阿Q的,鲁迅在这里本不是写农民。若说写农民,鲁迅是会写的,如写《故乡》的闰土:"他只是摇头;脸上虽然刻着许多皱纹,却全然不动,仿佛石像一般。他大约只是觉得苦,却又形容不出,沉默了片时,便拿起烟管来默默的吸烟了。"就在《阿Q正传》里也给我们写了两个关在监狱里的农民的形象:"一个说是举人老爷要追他祖父欠下来的陈租,一个不知道为了什么事。"鲁迅把这两个农民的形象刻画得多么深刻呵！阿Q的形象当然是深刻的，但他不是农民的形象。

阿Q的形象是小市民的形象。事情本来是如此。未庄不是真正的农村，同鲁镇一样，是鲁迅所熟悉的绍兴的代替词，所以在它里面我们没有看见一个农民，都是些"闲人"。阿Q正是城市里的流浪雇工，农民耕田的事对他并不相干，虽然他是受剥削受压迫的，所以当他奔赴静修庵时，鲁迅曾〔是〕这样写："村外多是水田，满眼是新秧的嫩绿，夹着几个圆形的活动的黑点，便是耕田(的)农夫。阿Q并不赏鉴这田家乐，却只是走，……"这里的"村外"显然是城外的描写，阿Q不是农夫当中的数了。我们读《阿Q正传》，感觉到阿Q、干胡、小D之间有着共性，就是小市民的共性，当然，阿Q又有阿Q的个性，他不是王胡，不是小D，这一点也是非常显然的。鲁迅写的阿Q是市民当中的数。

4 "阿Q正传"反映了辛亥革命和批判辛亥革命

列宁在论托尔斯泰的时候曾说："如果站在我们面前的是一位真正的伟大艺术家，那么他至少应当在自己的作品里反映出革命的某些本质的方面来。"(《列夫·托尔斯泰是俄国革命的镜子》)是的，鲁迅的《阿Q正传》把辛亥革命的本质方面反映出来了，我们现在就来研究这件事。

农民运动是中国革命的本质问题。辛亥革命农民没有参加，结果辛亥革命失败了。那么我们真不能不佩服《阿Q正传》的伟大的记载，鲁迅这时并没有马克思主义的思想，而艺术乃超过当时的任何历史，中国当时的历史家写不出来的东西，鲁迅的小说里有了。《阿Q正传》里记载,宣统三年九月十四日,城里举人老爷把箱子运来未庄赵太爷家寄存,因为革命党要进城。而革命党进了城,知县大老爷还是原官,举人老爷也做了什么官。而赵家遭抢。而四天之后阿Q在半夜里忽被抓进县城里去了。鲁迅还另外描写了两个乡下人,在监狱里。我们读:

> 到进城,已经是正午,阿Q见自己被挈进一所破衙门,转了五六个弯,便推在一间小屋里。他刚刚一踉跄,那用整株的木料做成的栅栏门便跟着他的脚跟阖上了,其余的三面都是墙壁,仔细看时,屋角上还有两个人。
>
> 阿Q虽然有些忐忑,却并不很苦闷,因为他那土谷祠里的卧室,也并没有比这间屋子更高明。那两个也仿佛是乡下人,渐渐和他兜搭起来了,一个说是举人老爷要追他祖父欠下来的陈租,一个不知道为了什么事。他们问阿Q,阿Q爽利的答道,"因为我想造反。"

鲁迅在这里显然不是讽刺阿Q,阿Q的答话是写得极其生动自然的。鲁迅简直是鼓动阿Q造反似的。革命了,而举人老爷也做了什么官,而一个乡下人因举人老爷要追他祖父欠下来的陈租而入狱,这便是阶级斗争。辛亥革命时代,中国社会,在农村里,在政权集中的县衙门,压迫与被压迫,剥削与被剥削,是地主与农民两个阶级,所以《阿Q正传》里面的监狱是如此。所以中国革命还要等待中国共产党起来领导中国农民运动。鲁迅小说的伟大成就,不是作者观点的绝对正确,是作者立场的胜利,每逢写到两个阶级的冲突的时候,作者的立场总是站在被压迫被剥削者方面,而在描写阶级斗争最尖锐的场合,好比辛亥革命的县衙门的监狱里,把革命的本质方面写出来了。

鲁迅当时的观点以为革命有真革命党有假革命党,象"城里的一个早已'嚓'的杀掉了",那大约是《药》里的夏瑜之类是真革命党,象赵秀才、假洋鬼子便是投机分子,是假革命党,小说里给以批判。"阿Q似的革命党",——鲁迅也分明是讽刺的。他不能从革命的阶级这一伟大的观点出发去考虑问题。《阿Q正传》是现实主义的杰作,从阿Q的形象看起来,在未庄里,独有这个流浪的雇工是欢迎革命的,他对革命的态度,足以代表被压迫被剥削阶级对革命的态度。尽管作者没有意思把他来代表农民,但阿Q是受地主阶级的压迫和剥削则毫无疑问。我们分析一下阿Q对革命的态度,从而看出辛亥革命之下被压迫被剥削者有怎样的反映,地主阶级又是怎样的反映,革命乃是两个阶级的斗争,那就如恩格斯所说的,"我所指的现实主义,甚至不管作者的观点怎样,也会显露出来的。"(《给哈克纳斯的信》)下面我们就本着这个意思分析。

当城里的举人老爷害怕革命党进城,把箱子运到未庄赵家寄存,阿Q有这样的反映:

> 阿Q的耳朵里,本来早听到过革命党这一句话,今年又亲眼见过杀掉革命党。但他有一种不知从那里来的意见,以为革命党便是造反,造反便是与他为难,所以一向是"深恶而痛绝之"的。殊不料这却使百里闻名的举人老爷有这样怕,于是他未免也有些"神往"了,

况且未庄的一群鸟男女的慌张的神情,也使阿Q更快意。

"革命也好罢,"阿Q想,"革这伙妈妈的命,太可恶!太可恨!……便是我,也要投降革命党了。"

鲁迅在这里把阿Q写得太可爱,太真实,没有一句话不能代表阿Q的性格,代表被压迫被剥削者的心理,他好容易说出"革这伙妈妈的命,太可恶!太可恨!"可惜在辛亥革命时代这种声音都淹没了,这种声音在地主阶级压迫之下真是亲切。阿Q说,"便是我,也要投降革命党了。"这里的"投降"二字一点没有讽刺,只显得阿Q可爱,显得他真实,他没有法子表达他对革命的向往,(其实"向往"也是作家的词汇!)只好说"投降"了。他不知道象他这样对革命的认识是阶级觉悟。他是很荒唐的人,当然谈不上什么叫做警惕性,所以,"不知怎么一来,忽而似乎革命党便是自己,未庄人却都是他的俘虏了。他得意之余,禁不住大声的嚷道:

'造反了!造反了!'

未庄人都用了惊惧的眼光对他看。这一种可怜的眼光,是阿Q从来没有见过的,一见之下,又使他舒服得如六月里喝了雪水。"我们推想,这"一群鸟男女","这一种可怜的眼光",不但使阿Q舒服得如六月里喝了雪水,便是作者鲁迅也是的,中国的地主阶级确是太可恶,太可恨。阿Q在革命的高潮之下没有警惕,嚷"造反了!造反了!"然而在革命完了之后他是有感觉的,他可能因此很有危险,所以"赵家遭抢之后,……阿Q也很快意而且恐慌。"如果他没有危险的预感,他为什么"而且恐慌"

呢？所以鲁迅的小说反映的辛亥革命，表示地主阶级继续压迫人民。

阿Q嚷着"造反了！造反了！"他走过赵家的门口，"赵府上的两位男人和两个真本家，也正在大门口论革命。阿Q没有见，昂了头直唱过去。

'得得，……'

'老Q，'赵太爷怯怯的迎着低声的叫。

'锵锵，'阿Q料不到他的名字会和'老'字联结起来，以为是一句别的话，与己无干，只是唱。'得，锵，锵令锵，锵！'

'老Q。'

'悔不该……'

'阿Q！'秀才只得直呼其名了。

阿Q这才站住，歪着头问道，'什么？'"阿Q临着革命的激昂的感情，（他的感情代表被压迫被剥削的阶级！）地主阶级临着革命的恐惧的感情，在当时社会里是真正地有，鲁迅的小说也真正地写得出。不管作者是有意的无意的，总之把真实反映出来了。

及至"未庄的人心日见其安静了。据传来的消息，知道革命党虽然进了城，倒还没有什么大异样。知县大老爷还是原官，不过改称了什么，而且举人老爷也做了什么——这些名目，未庄人都说不明白——官，带兵的也还是先前的老把总。""这几日里，进城去的只有一个假洋鬼子。赵秀才本也想靠着寄存箱子的渊源，亲身去拜访举人老爷的，但因为有剪辫的危险，所以也就中止了。他写了一封'黄伞格'的信，托假洋鬼子带上城，而且托他给自己绍介绍介，去进自由党。假洋鬼子回来时，向秀才讨还了四块洋钱;秀才便有一块银桃子挂在大襟上了;未庄人都惊服,说这是柿油党的顶子,抵得一个〈洋〉翰林,赵太爷因此也骤然大阔,远过于他儿子初进〔隽〕秀才的时候,所以目空一切,见了阿Q,也就很有些不放在眼里了。"鲁迅在这里通过未庄人的意见把辛亥革命的情状极其扼要地绘画出来了,秀才通过假洋鬼子以四块洋钱买得"柿油党的顶子,抵得一个〈洋〉翰林,"——这就是鲁迅批判辛亥革命。前面我们已经指出了赵太爷——地主阶级临着革命的恐惧,现在他的儿子进了"自由党",因此他"骤然大阔,远过于他儿子初进秀才的时候",这是他心里一块石头已经落了地,天下太平了,革命是假的。原来他害怕革命,他害怕革命就是害怕阿Q这样的人嚷造反,他简直怕阿Q在街上走路,——这表现着革命是阶级斗争。鲁迅现在写他"目空一切,见了阿Q,也就很有些不放在眼里了",这是多么真实地表现了社会面貌!所以此后赵家遭抢,阿Q快意——而且恐慌!四天之后阿Q被抓进县城里去了。

《阿Q正传》写出了阿Q真正地遭受压迫,首先是赵家的压迫,他的精神确是一个受伤的人。辛亥革命使得他高兴,辛亥革命的结果又使得他害怕,在"恋爱的悲剧"里他吃饭发生问题,在革命的悲剧里他性命发生问题。鲁迅把他的阿Q的人格发展得极其真实,这一点鲁迅自己也是肯定的,所以他说阿Q的人格前后并不是两个。通过阿Q,到后来,即是在辛亥革命当中,他的精神状态有些不正常,然而也足以把辛亥革命的本质方面表现出来了。被压迫被剥削者要求革命,表现了革命的阶级的力量。当阿Q自认为他"投降革命党"之后——就是他承认革命,"第二天他起得很迟,走出街上看时,样样都照旧。他也仍然肚饿,他想着,想不起什么来;……"这就表示他对革命的认识,革命了不应该"样样都照旧",他不应该"仍然肚饿"。他是正确的。既然"样样都照旧",既然"他也仍然肚饿",他想着想着就没有主意,"但他忽而似乎有了主意了,慢慢的跨开步,有意无意的走到静修庵。"这就是说没有办法只好同今年春天一样到静修庵去弄点什么充充饥。但春天是从后园进,"阿Q迟疑了一会,四面一看,并没有人。他便爬上这矮墙去,……阿Q的脚也索索的抖;终于攀着桑树枝,跳到里面了。"现在是,"他想了一想,前去打门,一只狗在里面叫。他急急拾了几块断砖,再上去较为用力的打,……"这表示他懂得无视旧秩序了。我们认为他也是正确的。鲁迅当时当然不同我们今天分析他的《阿Q正传》一样分析阿Q,但他是真实地反映现实总是的确的。到了地主阶级赵太爷"目空一切,见了阿Q,也就很有些不放在眼里了",往下阿Q的形象表现着精神失常,他投奔假洋鬼子,他在大堂上公然说"假洋鬼子不准我!""他们没有来叫我。他们自己搬走了。"等等,我们读着不显得滑稽,只觉得真实逼人,虽然精神失常,表现他的被压迫被剥削的思想感情。他认为革命应该是代表他的利益的。倘若不准他"投降革命党",他知道在这个太可恶、太可恨的社会里他就活不下去。我们读:

  阿Q正在不平,又时时刻刻感着冷落,一听得这银桃子的传说,他立即悟出自己之所以冷落的原因了:要革命,单说投降,是不行的;盘上辫子,也不行的;第一着仍然要和革命党去结识。他生平所知道的革命党只有两个,城里的一个早已"嚓"的杀掉了,现在只剩了一个假洋鬼子。他除却赶紧去和假洋鬼子商量之外,再没有别的道路了。

钱府的大门正开着,阿Q便怯怯的蹩进去。他一到里面,很吃了惊,只见假洋鬼子正站在院子的中央,一身乌黑的大约是洋衣,身上也挂着一块银桃子,手里是阿Q曾经领教过的棍子,已经留到一尺多长的辫子都拆开了披在肩背上,蓬头散发的象一个刘海仙。对面挺直的站着赵白眼和三个闲人,正在必恭必敬的听说话。

……

听着说话的四个人都吃惊的回顾他。洋先生也才看见:

"什么?"

"我……"

"出去!"

"我要投……"

"滚出去!"洋先生扬起哭丧棒来了。

赵白眼和闲人们便都吆喝道:"先生叫你滚出去,你还不听么?"

阿Q将手向头上一遮,不自觉的逃出门外;洋先生倒也没有追。他快跑了六十多步,这才慢慢的走,于是心里便涌起了忧愁;洋先生不准他革命,他再没有别的路;从此决不能望有白盔白甲的人来叫他,他所有的抱负,志向,希望,前程,全被一笔勾销了。至于闲人们传扬开去,给小D王胡等辈笑话,倒是还在其次的事。

这里说阿Q"心里便涌起了忧愁",是非常深刻的。阿Q的精神已经有些失常,但精神失常的原因是铁一般的社会存在反映在他的脑里迫之使然,他嚷过造反,连赵太爷都怕他,而现在洋先生不准他革命,他还有路可走吗?接着赵家遭抢,于是阿Q只有死路一条了。

在衙门里,在大堂上,在官和衙役要他"招罢!"的声势之下,他说着"我本来要……来投……"的胡涂话。"那么,为什么不来的呢?""假洋鬼子不准我!""胡说!此刻说,也迟了。现在你的同党在哪里!""什么?……""那一晚打劫赵家的一伙人。""他们没有来叫我。他们自己搬走了。"鲁迅还写了一句"阿Q揭起来便愤愤。"这是这个精神失常的人不能满足于精神胜利法!这是鲁迅给我们写的被压迫被剥削者的悲剧。这是辛亥革命时代中国社会的阶级斗争史。

5　作家世界观与创作方法

我们关于《阿Q正传》的话,不是辞费,是不能不说的。关系作家世界观,关系创作方法。

鲁迅的创作方法是由鲁迅的世界观决定的。

什么是鲁迅的创作方法呢?在《我怎么做起小说来》里面鲁迅说:"所写的事迹,大抵有一点见过或听到过的缘由,但决不全用这事实,只是采取一端,加以改造,或生发开去,到足以几乎完全发表我的意思为止。人物的模特儿也一样,没有专用一个人,往往嘴在浙江,脸在北京,衣服在山西,是一个拼凑起来的脚色。"在《答〈戏〉周刊编者信》里面他又特别指出《阿Q正传》的创作方法来说:"我的方法是在使读者摸不着在写自己以外的谁,一下子就推诿掉,变成旁观者,而疑心到像是写自己,又像是写一切人,由此开出反省的道路。"这两番话的意思是一样,就是鲁迅小说的人物不是经过阶级分析来的。因为不是经过阶析〔级〕分析来的,所以鲁迅认为作为读者都可以通过这个小说人物联系到自己,因而教育自己。鲁迅小说人物虽然不是经过阶级分析来的,然而仍然是从生活中来的,在生活中见过或听到过,"这是因为作家生长在旧社会里,熟悉了旧社会的情形,看惯了旧社会的人物的缘故,所以他能够体察","所以要写偷,他不必亲自去做贼,要写通奸,他不必亲自去私通"。(《二心集》:《上海文艺之一瞥》)鲁迅的阿Q便是这样写出来的,而且写得得心应手,"到足以几乎完全发表我的意思为止"。他的"意思"便是他认为实生活当中的阿Q有一种精神上的胜利法,而这个毛病正是他常用的名词"中国人"所共有的,所以他以阿Q作为典型,"暴露国民的弱点",作者自己也包含在内。而且他认为这是"一件祖传的宝贝"。这就说到鲁迅的世界观上面来了。

鲁迅早期的世界观可以《〈草鞋脚〉小引》里面的一句话来说明白:"最初,文学革命者的要求是人性的解放,他们以为只要扫荡了旧的成法,剩下来(的)便是原来的人,好的社会了,于是就遇到保守家们的迫压和陷害。"这说明这种世界观在当时还有它的进步作用,所以"遇到保守家们的迫压和陷害"。这又说明这种世界观的局限性,其所谓"人性"(很明白,它与修正主义的"人性论"绝不是一个东西!)就是"国民性",是"旧的成法"所造成的,所以阿Q精神是"祖传的宝贝",人类社会之异于生物界,只因为有"祖传"的东西罢了,这就是生物进化论的世界观,在人类社会里排除了阶级意识。

鲁迅本着生物进化论的世界观创造小说人物,当然也就不知道有阶级分析方法,他的方法"是在使读者摸不着在写自己以外的谁"。而且从鲁迅的许多别的话联系起来,他所谓"读者"仅限于知识分子。从问题的实质说来,鲁迅的这一点倒是正确的,因为如我们所分析,他所谓"国民性"是统治阶级的阶级性,与工农大众本不相干。

以上的问题,后来成为马克思主义者的鲁迅当然一一都作了解决。首先是纠正了"只信进化论的偏颇"。他说的"转而(去)求医于根本的,切实的社会科学,自然,是一个正当的前进",是切切实实地联系了自己的实际的话。"但我也久没有做短篇小说了。现在的人民更加困苦,我的意思也和以前有些不同,又看见了新的文学的潮流,在这景况中,写新的不能,写旧的又不愿。中国的古书里有一个比喻,说:邯郸的步法是天下闻名的,有人去学,竟没有学好,但又已经忘却了自己原先的步法,于是只好爬回去了。""我正爬着。但我想再学下去,站起来。"(《英译本〈短篇小说选集〉自序》)这说明鲁迅认识了有新的方法。他虽没有说明新的方法是什么,我们只要联系到这样的话:"对于和他向来没有关系的无产阶级的情形(和人物),他就会无能,或者弄成错误的描写了。"(《上海文艺之一瞥》)这就是要重新研究,更重要的是深入生活,就是鲁迅开始注意于阶级的分析。我们认为鲁迅对阿Q的描写是没有错误的,就因为他本没有把阿Q当作农民阶级的农民来写,阿Q是一个市民。如果真是当作农民来写,那绝大的篇幅都是"不必要的滑稽",如鲁迅在《〈阿Q正传〉的成因》里说那第一章的话,——对农民的"不必要的滑稽"就是错误的描写!到现在,我们读《阿Q正传》,有一点"滑稽"空气吗?没有,读起来只是感到作者的沉痛的感情。鲁迅后来对"读者"的观念也有变化了,"读者"是有阶级性的,如他说:"别阶级的文艺作品,大抵和正在战斗的无产者不相干。小资产阶级如果其实并非与无产阶级一气,则其憎恶或讽刺同阶级,从无产者看来,恰如较有聪明才力的公子憎恨家里的没出息子弟一样,是一家子里面的事,无须管得,更说不到损益。"(《二心集》:《关于小说题材的通信》)这话的意思是说小资产阶级的作家其实是为本阶级的读者写作的,鲁迅的写作《阿Q正传》正合乎这个规律。

无产阶级的作家以辩证唯物主义的世界观作为创作的指导思想,在塑造人物的时候如果不用阶级分析方法,那是不可想像的。阶级分析方法是要指出革命的力量来,如毛主席《中国社会各阶级的分析》所做的那样。作家就"应当根据实际生活创造出各种各样的人物来,帮助群众推动历史的前进。"(主席《讲话》)因此,作为"读者"的对象就是人民群众,具体地说就是工农兵及其干部。所有这些,都与鲁迅创造《阿Q正传》的情况有根本的歧异,即资产阶级世界观与无产阶级世界观的歧异。如果我们判定鲁迅写阿Q是写农民阶级的农民,鲁迅在《阿Q正传》里提出了中国革命的农民问题,那就等于否认世界观的决定作用了,而这是不可能的,作家的世界观正是作家的阶级烙印。经过我们对《阿Q正传》的分析,问题明若观火,鲁迅是旧的世界观,旧的创作方法。

然而我们认为《阿Q正传》是现实主义的杰作。《阿Q正传》之为现实主义的杰作，我们仍然是用阶级分析方法来分析的。鲁迅是小资产阶级作家。中国是半殖民地半封建社会。鲁迅从欧洲资本主义文化吸取民主主义，因而他在中国反对封建主义；中国在历史上屡遭异民族入侵，近百年来更抵抗不住西方强国的侵略势力，因之爱国主义的思想感情在鲁迅又极重。鲁迅的反对"国粹"的思想，正是从他的爱国主义的思想感情来的。还是毛主席在《中国社会各阶级的分析》里面说的话："一切半无产阶级、小资产阶级，是我们最接近的朋友。"小资产阶级作家鲁迅就是无产阶级最接近的朋友。他的《阿Q正传》，到今天还是经得起我们分析的，他的要求中国革命的热情，他对"国民性"的揭露正是他所憎恶的本阶级的阶级性的揭露，他的立场总是站在被压迫被剥削者方面。

6　两种讽刺

鲁迅早期反封建是用欧洲资本主义文化的观点反对中国封建社会的上层建筑，他不能辨别统治阶级的思想是统治的思想，因而把劳动人民和统治阶级混在一起，这个情况反映在鲁迅小说和早期杂文里。这是一。

鲁迅的立场总是站在被压迫被剥削者的立场上面，表现他的鲜明的反抗压迫和剥削的思想感情，我们读鲁迅小说和杂文，都是如此。这是二。

因为上述两种情况，在《阿Q正传》里乃有两种讽刺。我们拿《阿Q正传》同《风波》作比较。在《风波》里只有一种讽刺，就是从上述一的情况来的。《风波》里的人物有两种，一种是七斤、七斤嫂、九斤老太、八一嫂、六斤,是农民的一面;一种是有遗老臭味的赵七爷,虽然同《阿Q正传》的赵太爷的身份有些不同,但代表乡绅一流的人物。而鲁迅对两种人物的讽刺是一视同仁,通过张勋复辟几天之内的"风波"。《阿Q正传》对静修庵"革命"一段的描写同《风波》是一样,鲁迅对赵秀才、假洋鬼子同对阿Q的讽刺其性质是相同的,只是程度上有些差异。《风波》写辫子而已,没有展开到阶级斗争上去。《阿Q正传》在客观上写的是阶级斗争史,于是有鞭策阿Q的讽刺,作者完全站在被压迫被剥削的阿Q的立场上,同讽刺地主阶级就显然不是一回事了。如写阿Q挨假洋鬼子的打:"阿Q在这刹那,便知道大约要打了,赶紧抽紧筋骨,耸了肩膀等候着,果然,拍的一声,似乎确凿打在自己头上了。"这就讽刺得利害。这就是告诉阿Q:"这是打在你的头上!"而阿Q"幸而拍拍的响了之后,于他倒似乎完结了一件事,反而觉得轻松些,而且'忘却'这一件祖传的宝贝也发生了效力,他慢慢的走,将到酒店门口,早已有些高兴了。"这就讽刺得利害。这就是告诉阿Q不应该"忘却"!《华盖集》里面有一篇《忽然想到》,在那里鲁迅写道:"康圣人主张跪拜,以为'否则要此膝何用。'走时的腿的动作,固然不易于看得分明,但忘记了坐在椅上时候的膝的曲直,则不可谓非圣人之疏于格物也。"这就是鲁迅讽刺本阶级,对被讽刺者不存什么希望。

我们再看鲁迅讽刺阿Q的"求食"。"他在路上走着要'求食',看见熟识的酒店,看见熟识的馒头,但他都走过了,不但没有暂停,而且并不想要。他所求的不是这类东西了;他求的是什么东西,他自己不知道。"鲁迅明明是告诉阿Q应该求什么东西。

7 鲁迅自己关于《阿Q正传》的话的分析

鲁迅在一九三三年的《再谈保留》和一九三四年的《答〈戏〉周刊编者信》两篇文章里关于写《阿Q正传》的目的的话是一致的,他是把他早期常用的名词——"中国人"的毛病揭露给中国的读者,他认为谁都应该反省,他自己也在内。从鲁迅的思想来分析,以及根据他当时用的"读者"这个名词的内容,在"中国人"这个名词内,虽然他不可能说明白不包括工人和农民,按其实质是不包括工人和农民的。像阿Q、王胡、小D等城市里的市民,鲁迅当然不排斥在内,所以《阿Q正传》的阿Q就有那么些毛病。重要的是一点,鲁迅写阿Q不是为讽刺阿Q而讽刺阿Q,是教育作者本阶级的读者。

好像有一个矛盾。在俄文译本《阿Q正传》的序里,鲁迅把"百姓"和"圣人之徒"分开了,他明明是把阿Q当作一个百姓来写,写出他的沉默的灵魂来。《我怎么做起小说来》里面他又说:"所以我的取材,多采自病态社会的不幸的人们中,意思是在揭出病苦,引起疗救的注意。"这话应用到《阿Q正传》上,岂不十分恰当,阿Q正是一个不幸的人。我们认为这仅仅是词句上的矛盾,分析鲁迅的思想感情,这个表面上的矛盾只能说明一个一致。分析鲁迅的思想感情,百姓和圣人之徒,他总是分开的,所以在《阿Q正传》里,阿Q和赵太爷他分开了,表现在作者对他的小说人物爱憎分明。然而在词句上有些地方他又不能分开,比如《阿Q正传》里他写"所以他那思想,其实是样样合于圣经贤传的,只可惜后来有些'不能收其放心'了。"我们能因此说《阿

Q正传》同俄文译本《阿Q正传》的序有矛盾吗？不能。没有比这句话更能反映鲁迅写作《阿Q正传》的复杂思想感情的："现在我们（所能）听到的不过是几个圣人之徒的意见和道理，为了他们自己；至于百姓，却就默默的生长，萎黄，枯死了，像压在大石底下的草一样，已经有四千年！""圣人之徒的意见和道理"，同"国粹"、"中国精神文明"等指的是一个东西，明明是封建统治阶级"为了他们自己"制造出来的。百姓"默默的生长，萎黄，枯死了"，就是思想上也受了统治阶级的统治。鲁迅要替百姓写出来！他写了一个阿Q。词句上有矛盾的地方，在《阿Q正传》里作者写着阿Q那思想"样样合于圣经贤传"，这种表面上的矛盾只能说明一个一致，就是鲁迅的人民的立场是在任何时候坚定不受动摇的，又因为观点上缺乏阶级分析，分不出统治阶级的思想是统治的思想，有时又分出来了。鲁迅不可能写一个"圣人之徒"作为他对"精神上的胜利法"的讽刺的对象，因为讽刺他就是鞭策他，就是同他站在一个立场上。然而鲁迅的《阿Q正传》，明明是因为中国从满清以来处在半殖民地地位，鲁迅从爱国主义的立场出发，讽刺"圣人之徒的意见和道理"，首先是讽刺"中国精神文明冠于全球"的荒谬。而他的小说人物只能是阿Q，一个被压迫被剥削者。因此，在俄译本《阿Q正传》的序里，对着"毫无'我们的传统思想'的俄国读者"说话，他把"圣人和圣人之徒"作为他所反对的，他以阿Q代表中国的百姓。当然，还是缺乏阶级观点，所以他说他"只得依了自己的觉察，孤寂地姑且将这些写出，作为在我的眼里所经过的中国的人生"，以阿Q的传记概括"中国的人生"，显然就不是对中国社会作阶级的分析。

对于《我怎么做起小说来》里面的话我们必须注意一点，就是鲁迅所谓"病态社会的不幸的人们"是指着城市的市民说的，如《药》里的华老栓，《明天》里的红鼻子老拱、蓝皮阿五，阿Q也正是的。若工人和农民，是社会发展的主人，鲁迅当时虽没有这个伟大的观点，但在他的思想范围里决没有把劳动人民作为"病态社会的不幸的人们"的倾向。就是《风波》里的七斤，鲁迅也是这样写的："七斤虽然住在农村，却早有些飞黄腾达的意思，从他的祖父到他，三代不捏锄头柄了"。像《阿Q正传》所写的监狱里的两个乡下人才是真正的农民，这两个人的形象就不是"病态社会的不幸的人们"的形象；是被剥削被压迫的劳动人民的健康的形象。阿Q确乎属于"病态社会的不幸(的)人们"之类，他有"一种精神上的胜利法"，但如果说鲁迅是为疗救这个不幸的阿Q而写《阿Q正传》，显然不合这篇小说的主题思想了。这篇小说的主题思想是鲁迅自己说的："我的方法是在使读者摸不着在写自己以外的谁，一下子就推诿掉，变成旁观者，而疑心到像是写自己，又像是写一切人，由此开出反省的道路。"

8 "阿Q正传"的语言和小说技巧

无论小说和杂文，鲁迅的表现方法一概是白描。然而在鲁迅杂文的语言里常常夹些成语进去，如他讽刺当时自以为识路的"导师"，他写着："凡自以为识路者，总过了'而立'之年，灰色可掬了，老态可掬了，圆稳而已，自己却误以为识路。"这里面用了"而立"这个成语代替"三十"。又如他不屑于作某些事情的研究，他写着："但这都听凭学者们去干去，我不想来加入这一类高尚事业了，怕的是毫无结果之前，已经'寿终正寝'。"这里面用了

"寿终正寝"代替"死"。很显明,这种用法加强了他的杂文的讽刺作用和战斗作用。小说的语言主要是表现形象,表现形象就完全以白描为能事,不需要象杂文那样说反话,所以鲁迅小说的语言是道地的规范化的白话,简直同杂文相反,以不夹用成语为原则。独有《阿Q正传》是例外。《阿Q正传》里写未庄人对阿Q做偷儿,先是"敬而远之",后来是"斯亦不足畏也矣",写阿Q的年龄也是"他将到'而立'之年"。这是从杂文带来的空气。因为《阿Q正传》最初是为报纸的"开心话"栏写的,作者不是真正地在那里写小说。连忙乃把它当作小说来写。我们现在论《阿Q正传》的语言,是从小说语言的角度来看,其同杂文夹用成语一事,先在这里把它指明一下。

我们认为《阿Q正传》的小说语言有三件事我们应该学习,一是形象写得生动正确,二是词汇用得亲切自然,三是充分发挥了汉语的长处。现在把这三件事分别说明之。

首先看鲁迅笔下的形象。如写阿Q赌钱输了,"他终于只好挤出堆外,站在后面看,替别人着急,一直到散场,然后恋恋的回到土谷祠,第二天,肿着眼睛去工作。"又如戏台底下他赢了又给人抢去了,这样写:"他赢而又赢,铜钱变成角洋,角洋变成大洋,大洋又成了迭〔叠〕。他兴高彩〔采〕烈得非常:

'天门两块!'

他不知道谁和谁为什么打起架来了。骂声打声脚步声,昏头昏脑的一大阵,他才爬起来,赌摊不见了,人们也不见了,身上有几处很似乎有些痛,似乎也挨了几拳几脚似的,几个人诧异的对他看。"这种形象就叫做生动,就叫做正确。生动不容易,生动而正确就真不容易。生动尚容易夸大,生动而正确就是不夸大。

又如阿Q向吴妈下跪说着"我和你困觉,我和你困觉!"之后,他找不着工作做了,肚子饿了,只好到老主顾的家里去探问,这家里"一定走出一个男人来,现了十分烦厌的相貌,象回复乞丐一般的摇手道——

'没有没有!你出去!'"这是在"生计问题"章里。在恋爱的悲剧之后,在生计问题之下,阿Q真是狼狈不堪,鲁迅小说所描绘的这个形象再好没有了,就是生动,就是正确。到了阿Q从城里回来,"中兴"以后,"这阿Q的大名忽又传遍了未庄的闺中","于是伊们都眼巴巴的想见阿Q,缺绸裙的想问他买绸裙,要洋纱衫的想问他买洋纱衫,不但见了不逃避,有时阿Q已经走过了,也还要走上去叫住他,问道:

'阿Q,你还有绸裙么?没有?纱衫也要的,有罢?'"这个形象比起前面男人十分烦厌的相貌来,不能算第一,也算第二了。

又如写阿Q和小D互相拔辫子,"阿Q进三步,小D便退三步,都站着;小D进三步,阿Q便退三步,又都站着。大约半点钟,——未庄少有自鸣钟,所以很难说,或者二十分,——他们的头发里便都冒烟,额上便都流汗,阿Q的手放松了,在同一瞬间,小D的手也正放松了,同时直起,同时退开,都挤出人丛去。

'记着罢,妈妈的……'阿Q回过头去说。

'妈妈的,记着罢……'小D也回过头去说。"是生动正确的描写。在"同时直起,同时退开"的形象之后连忙接一句"都挤出人丛去",把许多人围着看的情形都写出来了,同在赌摊挨打爬起来连忙接一句"几个人诧异的对他看"一样地不容易写,然而鲁迅写得极容易。还有阿Q,小D挤出人丛彼此回头说了一句话,同阿Q骂王胡,王胡回骂阿Q一样地是鲁迅会写对话,即是在一番叙述之后再由人物的极简单的对话把形象表现得生动,如闻其语,如见其人。

又如写阿Q逾墙走进静修庵的菜园,发现一畦老萝卜,"他于是蹲下便拔,而门口突然伸出一个很圆的头来,(又即缩回去了,)这分明是小尼姑。"把不久前受了阿Q的欺侮的小尼姑的形象该写得多么好!小尼姑不敢近前,老尼姑出来了,责备阿Q不该偷萝卜,阿Q胡乱回答她,"阿Q没有说完话,拔步便跑;追来的是一匹很肥大的黑狗。这本来在前门的,不知怎的到后园来了。"鲁迅的语言不多,而来得极快,黑狗的神速如在纸上!"黑狗哼而且追,已经要咬着阿Q的腿,幸而从衣兜里落下一个萝卜来,那狗给一吓,略略一停,阿Q已经爬上桑树,跨到土墙,连人和萝卜都滚出墙外面了。只剩着黑狗还在对着桑树嗥,老尼姑念着佛。"多么生动而正确的形象!

在第二次,即在革命的消息传到未庄的时候,阿Q再到静修庵去,"庵和春天时节一样静,白的墙壁和漆黑的门。他想了一想,前去打门,一只狗在里面叫。他急急拾几块断砖,再上去较为用力的打,打到黑门上生出许多麻点的时候,才听得有人来开门。"这种描写,把里面的人,把外面的人,把庙,都写出来了。里面的老尼姑,知道她的庙门再不能打,就出来了。接着一段又真写得好,出乎阿Q的意外,也出乎读者的意外,也就是作者"语不惊人死不休"!一句话,就是形象真实。"阿Q连忙捏好砖头,摆开马步,准备和黑狗来开战。但庵门只开了一条缝,并无黑狗从中冲出,望进去只有一个老尼姑。"当老尼姑从门缝里告诉阿Q赵秀才和钱洋鬼子已经来"革过一革的"之后,"阿Q很出意外,不由的一错愕;老尼姑见他失了锐气,便飞速的关了门,阿Q再推时,牢不可开,再打时,没有回答了。"从这些地方,我们可以看出语言的表达作用,什么都能表达,只怕作者自己的脑子里没有生动的东西要表达。阿Q这时关在静修庵的大门外,该写得多么好!

我们再看阿Q关在监狱里的形象。"到进城,已经是正午,阿Q见自己被搀进一所破衙门,转了五六个弯,便推在一间小屋里。他刚刚一跄踉,那用整株的木料做成的栅栏门便跟着他的脚跟阖上了,其余的三面都是墙壁,仔细看时,屋角上还有两个人。"根据阿Q自己之所见,他"被搀",他被"推",他"跄踉",那间屋子小,栅栏门是整株树的编织品,他的身子刚推进去,这个门就阖上了,所以跟着他的脚跟!屋里面没有窗户,一面是栅栏,三面是墙,乍进去眼前是黑的,"仔细看时,屋角上还有两个人。"我们读了这种文章,真感得文学是语言的艺术,这种艺术能够无微不入什么东西都写得下来!

二是鲁迅用的词汇亲切自然。如写阿Q在戏台底下一心赌钱,这样写:"做戏的锣鼓(,)在阿Q的耳朵里仿佛在十里之外;他只听得春〔桩〕家的歌唱了。"这里"在耳朵里"与"在十里之外"读起来多么妥贴,真令人感得语言之可爱。又如在"生计问题"章里,"他早想在路上拾得一注钱,但至今还没有见;他想在自己的破屋里忽然寻到一注钱,慌张的四顾,但屋内是空虚而且了然。"这里面的"拾得","没有见","寻到","四顾","空虚而且了然",真把意思都包括尽了,干净极了,亲切极了。又如写阿Q在那监狱的屋里了,"阿Q虽然有些忐忑,却并不很苦闷,因为他那土谷祠里的卧室,也并没有比这间屋子更高明。"这里面的"忐忑","不很苦闷"的"苦闷",以及"比这间屋子更高明"的"高明",都是经过很好的选择的形容词。又如写阿Q画花押,"于是一个长衫人物拿了一张纸,并一枝〔支〕笔送到阿Q的面前,要将笔塞在他手里。阿Q这时很吃惊,几乎'魂飞魄散'了;因为他的手和笔相关,这回是初次。"这里面的"送到"面前,"塞"在手里,以及阿Q"吃惊","魂飞魄散",写起来极容易,语言的力量有千钧之重! 还有,"他的手和笔相关"的"相关",用得多么自然,在意义上真是亲切。

写赵家遭抢之夜,遭抢之后,"这一夜没有月,未庄在黑暗里很寂静,寂静到象羲皇时候一般太平。"这里把寂静真写得有趣。这里的"象羲皇时候一般太平",以及笔在手里阿Q"魂飞魄散",真显得鲁迅会利用成语,没有比这更好的词汇了,亲切而自然。

鲁迅对状词的运用极有分寸,也值得我们注意。他每每通过状词把某一种环境同人物的心理都刻划出来了。好比阿Q欺负得小尼姑哭,阿Q就"哈哈哈!"在这个"哈哈哈"之下鲁迅写着:"阿Q十分得意的笑。"酒店里的赏鉴家们也"哈哈哈!"在这个"哈哈哈"之下鲁迅写着:"酒店里的人也九分得意的笑。"后者的笑为什么要少一分呢? 应该要少一分的,这一分表示他们赏识阿Q去了,他们也就是"十分得意的笑"。总之这两个"哈哈哈"不雷同。又如在"恋爱的悲剧"里,"大竹杠又向他劈下来了。阿Q两手去抱头,拍的正打在指节上,这可很有一些痛。他冲出厨房门,仿佛背上又着了一下似的。"这里面指节很有一些痛的"很"字,仿佛背上又着了一下的"仿佛",都用得极真实,阿Q因为是冲着要出去,向背上之痛又确不如指节之痛不可当,故仿佛背上又着了一下了。又如"赵家遭抢之后,未庄人大抵很快意而且恐慌,阿Q也很快意而且恐慌。"这里两个"快意而且恐慌",其程度与性质并不同,作者都给我们表现出来了,只是因为分别用了两个状词,一个"大抵",一个"也"字。

  第三件事我们说鲁迅的语言充分发挥了汉语的长处。这本应该是不成问题的事,岂有汉语作家而不发挥汉语的长处的?实际上这个问题确实存在,一般作品上的语言,因为表面上讲"语法"的原故,读起来乃不顺口,——不顺口就是不合乎汉语的习惯,也就是我们还没有真正地建立起汉语语法来。回头我们读鲁迅的文章,乃发现鲁迅的语言,如他自己说的,"一定要它读得顺口"!(《我怎么做起小说来》)《阿Q正传》就是令我们读得顺口,也就是鲁迅充分发挥了汉语的长处。我们举几个显著的例子。鲁迅是很考虑到语法的,好比他写有这一句:"他不知道谁和谁为什么打起架来了。"就照欧化语法讲起来,这句话是完完全全地有规则的句子,同时鲁迅的这句文章读起来最顺口,也就是合乎汉语语法,也就是鲁迅造句要发挥汉语的长处。到了这样的句子:"庵和春天时节一样静,白的墙壁和漆黑的门。"我们读着就有些感慨了,鲁迅的这种好语言,也就是汉语的好处,我们现在的作家的作品里日见其少了。大家一见认为合乎语法的句子我们不举例,我们举几句读起来最顺口的句子,最生动的句子,如:"很白很亮的一堆洋钱!而且是他的——现在不见了!"这里面因为加标点符号的原故,好象是新式句子,其实是道地的汉语。又如:"他看那王胡,却是一个又一个,两个又三个,只放在嘴里毕毕剥剥的响。"这是写王胡捉虱,在旧小说里可能不说"两个又三个",而说"两个又一双",总之都是好语言。又如赵家遭抢,阿Q可能是听得枪声,鲁迅这样写:"他忽而听得一种异样的声音,又不是爆竹。"这表现汉语的长处。我们再举下面的一段：

> 他下半天便又被抓出栅栏门去了，到得大堂，上面坐着一个满头剃得精光的老头子。阿Q疑心他是和尚，但看见下面站着一排兵，两旁又站着十几个长衫人物，也有满头剃得精光象〔像〕这老头子的，也有将一尺来长的头发披在背后象〔像〕那假洋鬼子的，都是一脸横肉，怒目而视的看他；他便知道这人一定有些来历，膝关节立刻自然而然的宽松，便跪了下去了。

象这样的叙述的语言，生动不用说，也不会有意义不明白的顾虑——意义是非常明白的！简单地说是读起来顺口，读起来顺口就是听起来入耳，听起来入耳就是合乎汉语的规律。象这一段话里面，是有许多汉语的规律可寻的，我们不能多说。我们只想指出一点，在现在作家的作品里，反而少有鲁迅这样顺口的语言，原因仿佛是受了欧化语法家之累！

以上是关于《阿Q正传》的语言我们要说的话。其次，我们从《阿Q正传》来看看鲁迅写小说的技巧。我们想提出两件事，一是刻划人物，一是结构。

关于刻划人物，我们只谈次要的人物，主要的阿Q我们就用不着再谈。把这些次要人物刻划的方法指明出来，鲁迅写人物的本领我们就差不多懂得了。先看吴妈。我们读"恋爱的悲剧"章里下面的四段：

> "我们的少奶奶……"吴妈还唠叨说。

"我和你困觉,我和你困觉!"阿 Q 忽然抢上去对伊跪下了。

一刹时中很寂然。

"阿呀!"吴妈楞了一息,突然发抖,大叫着往外跑,(且跑且嚷,)似乎后来带哭了。

这里面的"一刹时中很寂然",该多么地传神,吴妈听了万万听不到的话,简直在那里思索其意义! 突然"阿呀!",突然发抖,突然往外跑,后来听得哭了。后来又由阿 Q 眼中写出:

少奶奶正拖着吴妈走出下房来,一面说:
"你到外面来,……不要躲在自己房里想……"
"谁不知道你正经,……短见是万万寻不得的。"邹七嫂也从旁说。
吴妈只是哭,夹些话,却不甚听得分明。

这里把少奶奶也刻划出来了,她怕吴妈在房里寻短见,那么就连累了她赵家。把专门替赵家办事的隔壁的邹七嫂也刻划出来了。而对吴妈更有补充,她哭不用说,其中"夹些话,却不甚听得分明",是真会刻划,可怜的她是要替自己辩白,针对着邹七嫂的"谁不知道你正经"的话。

关于邹七嫂后面还有补充,就是,"未庄的女人们忽然都怕了羞,伊们一见阿 Q 走来,便个个躲进门里去。甚而至于将近五十岁的邹七嫂,也跟着别人乱钻,而且将十一岁的女儿都叫进去了。"

关于少奶奶即秀才娘子后面也有补充。阿Q从城里回来以后,赵太爷要向他买便宜东西,"'阿Q,你以后有什么东西的时候,你尽先送来给我们看,……'

'价钱决不会比别家出得少!'秀才说。秀才娘子忙一瞥阿Q的脸,看他感动了没有。

'我要一件皮背心。'赵太太说。"这里当然刻划了好几个人物,我们提请注意的是少奶奶即秀才娘子。能够有几许的文字?人物太清楚了。鲁迅刻划人物的方法,都是少少的叙述,再加上人物的声口,如他自己说的,"对话也决不说到一大篇"。

关于吴妈,最后还有,就是阿Q在枪毙以前,在游街示众的车上,"而在无意中,却在路旁的人丛中发现了一个吴妈。很久违,伊原来在城里做工了。""车子不住的前行,阿Q在喝采声中,轮转眼睛去看吴妈,似乎伊一向并没有见他,却只是出神的看着兵们背上的洋炮。"少少的叙述把在城里作工的乡下的吴妈完全刻划出来了。

关于静修庵的小尼姑和老尼姑,也都是用同样的刻划方法,少少的叙述,短短的插话。如阿Q望见小尼姑来了,"他迎上去,大声的吐一口唾沫:

'咳,呸!'

小尼姑全不睬,低了头只是走。"这真是小尼姑,一句话把她就写出来了。及至阿Q走近去,摩她,笑她,鲁迅又用他的惯用的刻划方法"'你怎么动手动脚……'尼姑满脸通红的说,一面赶快走。"阿Q又拧她的脸,旁边酒店的人又大笑,"'这断子绝孙的阿Q!'远远地听得小尼姑的带哭的声音。"这真是乡下小尼姑的话(她们恭维人的时候是"多子多孙!"恨人的时候是"断子绝孙!"),受了欺侮只有远远地哭着说。前面的话是"满脸通红的说","赶快走"。老尼姑则是老于世故,当阿Q爬进她的菜园的时候,小尼姑不敢出来,"然而老尼姑已经出来了。"一句话就刻划了老尼姑的出来。"阿弥陀佛,阿Q,你怎么跳进园里来偷萝卜。……阿呀,罪过呵,阿唷,阿弥陀佛!……"就是老尼姑出来的话。当秋天阿Q来革命的时候,"'革命革命,革过一革的,……你们要革得我们怎么样呢?'老尼姑两眼通红的说。"这话"两眼通红的说",真是老尼姑,她已经挨了赵秀才和假洋鬼子的栗凿,她的观音娘娘座前的宣德炉已经拿去了,所以她两眼通红。所以鲁迅的叙述,鲁迅小说人物的说话,合起来是鲁迅刻划人物。

鲁迅笔下的小D,分明同王胡是两样的性格,小D一出场就给我们认识了,然而只有极少的叙述,极简单的插话。阿Q正愤慨于小D夺去了他的饭碗,"几天〔之〕后,他竟在钱府的照壁前遇见了小D。'仇人相见分外眼明',阿Q便迎上去,小D也站住了。

'畜生!'阿Q怒目而视的说,嘴角上飞出唾沫来。

'我是虫豸,好么?……'小D说。"阿Q我们当然都是熟悉的,然而我们实在是佩服小D的神气,即是说鲁迅把他刻划得好。

便是地保,鲁迅也把他刻划出来了,首先他来得快,当阿Q正在感觉得赤膊冷,布衫留在赵家,"然而地保进来了。""阿Q,你的妈妈的!你连赵家的用人都调戏起来,简直是造反。害得我晚上没有睡觉〔觉睡〕,你的妈妈的!……"他能够使得阿Q没有话说,要送他加倍的酒钱。

便是不留姓名的酒店里的掌柜也刻划出来了,"掌柜既先之以点头,又继之以谈话:

'嚄,阿Q,你回来了!'

'回来了。'

'发财发财,你是——在……'

'上城去了!'"阿Q在这里固然是善于回答,其所以善于回答是因为掌柜的妙问。所以鲁迅善于刻划掌柜。"掌柜既先之以点头,又继之以谈话",多么合乎掌柜的叙述。

其他如赵司晨、赵白眼等,都是以极少极少的文字刻划出不同的人物来。

再说小说的结构。结构最难的是自然,因为既然是结构,总不免有些做作,做作的东西就令读者感到不自然。《阿Q正传》的结构却是自然,读者知道某些地方是作者在那里结构,然而这结构的本身给人以艺术的欣赏了。大凡写故事总要把这故事所发生的时间和地点指明出来,《阿Q正传》的故事发生于未庄和县城,这两个地方的联系取得非常之巧妙,不令读者感到读到未庄又跳到县城去了,这是结构自然之一;就时间说,故事发生在宣统三年,特于第七章标明"宣统三年九月十四日——即阿Q将搭连卖给赵白眼的这一天——三更四点",这一标明就不枯燥,即是说辛亥革命了,而第七章以前的故事就从这一年的春天写起,在第三章第五段标明了,"有一年的春天",即是宣统三年的春天。而在宣统三年的春天以前倒也有了不少的故事,在第三章第四段作了一个总结,说是阿Q"得意了许多年"。所以故事的头绪是很清楚的,从未庄到城里,从春天到秋天,读者读着忘记作者的结构了,就是结构自然。

我们举出几个特别值得我们学习的地方,关于结构。如第五章"生计问题"写阿Q在未庄生存不下去,要到城里去,写得多么有趣:

阿Q怕尼姑又放出黑狗来,拾起萝卜便走,沿路又检了几块小石头,但黑狗却并不再出现。阿Q于是抛了石块,一面走一面吃,而且想道,这里也没有什么东西寻,不如进城去……

待三个萝卜吃完时,他已经打定了进城的主意了。

这哪里是"结构"?这是刻划人物!(多么地象阿Q!)然而作者明明是为得故事作一转折,是结构作用。总之在大家的笔下,不为结构而结构,总要写得有趣。

第五章的末尾已经说明阿Q要进城了,而在第六章的开始又来一枝奇兵,阿Q忽然从城里回来了,这真是出乎读者的不意,而读者读起来非常之满意:"在未庄再看见阿Q出现的时候,是刚过了这年的中秋。人们都惊异,说是阿Q回来了,于是又回上去想道,他先前那里去了呢?阿Q前几回的上城,大抵早就兴高采烈的对人说,但这一回却并不,所以也没有一个人留心到。……"这是鲁迅的结构,这叫做"语不惊人死不休!"

写阿Q的"进城"就是为得写赵家的遭抢,写赵家的遭抢就是为得写阿Q的被抓进城,这些都是结构的自然。而在故事中叙出赵家的遭抢来又是多么写得自然,"有一天,他照例的混到夜深,待酒店要关门,才踱回土谷祠去。

拍,吧……!

他忽而听得一种异样的声音,……他正听,猛然间一个人从对面逃来了。……看那人便是小D。

'什么?'阿Q不平起来了。

'赵……赵家遭抢了!'小D气喘吁吁的说。

阿Q的心怦怦的跳了。……"这些地方都表示鲁迅不是为结构而结构,本来是小说的结构作用,而写起来是刻划人物。

十二 "祝福"

1

我们应该怎样理解鲁迅的《彷徨》？这对我们研究鲁迅的思想也是一个重要的课题。

我们确实应该把《呐喊》的总的倾向和《彷徨》的总的倾向作一个比较。鲁迅自己对此是作了比较的，他在《〈自选集〉自序》里说得明白，对《呐喊》，他说："这些也可以说，是'遵命文学'。不过我所遵奉的，是那时革命的前驱者的命令，也是我自己所愿意遵奉的命令，决不是皇上的圣旨，也不是金元和真的指挥刀。"对《彷徨》，就这样说："后来《新青年》的团体散掉了，有的高升，有的退隐，有的前进，我又经验了一回同一战阵中的伙伴还是会这么变化，并且落得一个'作家'的头衔，依然在沙漠中走来走去，……得到较整齐的材料，则还是做短篇小说，只因为成了游勇，布不成阵了，所以技术比先前好一些，思路也似乎较无拘束，而战斗的意气却冷得不少。新的战友在那里呢？我想，这是很不好的。于是集印了这时期的十一篇作品，谓之《彷徨》，愿以后不再这模样。"从这些话看来，《呐喊》的总的倾向作者自己也认为是战斗性强些，《彷徨》时期"战斗的意气却冷得不少"。从两个小说集的作品看仿佛如此。然而我们认为鲁迅的思想是发展的,是在共产党领导中国革命下发展的,在社会效果上,《呐喊》确实有"呐喊"的战斗作用,尤其是第一篇《狂人日记》,若作家的主观方面,《彷徨》乃是鲁迅自己把自己更往前逼走了一步,小资产阶级作家决定是要这样的,鲁迅决定要"碰壁",然后发见无产阶级领导的伟大的前途。"碰壁"这两个字,是鲁迅自己用过的,他有一篇文章叫做《碰壁之后》,记他在北洋军阀时代做教员的痛苦。起先他没有知道痛苦的原因,"我感到痛苦了,但没有悟出它的原因。"听到别人说着"碰壁"的话,他说:"于我就仿佛见了一道光,立刻知道我的痛苦的原因了。""碰壁,碰壁!我碰了……壁了!"知道碰壁之后,他又说:"我为什么要做教员,连自己也侮蔑自己起来。"这个感情难道不是鲁迅要更前进一步参加革命的呼声吗?"有的高升,有的退隐,有的前进","前进"不是唯一的道路吗?我们认为《彷徨》就是作家鲁迅"碰壁"的展览。《呐喊》还是"碰壁"之前的产物,就是说那时还让他有余地。

　　研究《彷徨》就是要把它同《呐喊》作比较,这个比较的方法我们认为最好是从《呐喊》里取出《故乡》来,从《彷徨》里取出《祝福》来,考察这两篇小说的不同之处,问题便摆出来了。这两篇小说都是作者对自己的故乡的看法,也可以说是鲁迅对中国的看法。

　　且从《故乡》谈起。《故乡》是一九一九年写的。作者在一个冬天回故乡去,还没有到家的时候,看见"远远横着几个萧索的荒村,没有一些活气。我的心禁不住悲凉起来了。""阿!这不是我二十年来时时记得的故乡?""我所记得的故乡全不如此。我的故乡好得多了。"等到到了家,母亲向他提起儿时的伴侣闰土,一个农民的儿子,于是"这时候,我的脑里忽然闪出一幅异样〔神异〕的图画来:深蓝的天空中挂着一轮金黄的圆月,下面是海边的沙地,都种着一望无际的碧绿的西瓜,其间有一个十一二岁的少年,项带银圈,手捏一柄钢叉,向一匹猹尽力的刺去,那猹却将身一扭,反从他的胯下逃走了。"接着很写了一些异样的图画,如:"我们沙地上,下了雪,我扫出一块空地来,用短棒支起一个大竹匾,撒下秕谷,看鸟雀来吃时,我远远地将缚在棒上的绳子只一拉,那鸟雀就罩在竹匾下了。什么都有:稻鸡,角鸡,鹁鸪,蓝背……"又如:"现在太冷,你夏天到我们这里来。我们日里到海边检贝壳去,红的绿的都有,鬼见怕也有,观音手也有。晚上我和爹管西瓜去,你也去。"在写完了异样的图画之后就总结道:"现在我的母亲提起了他,我这儿时的记忆,忽而全都闪电似的苏生过来,似乎看到了我的美丽的故乡了。"这虽然写的是儿童的生活,但把海边的农村确实写得很美丽,三十年前的中国农村是如此美丽吗?看不见封建剥削和压迫吗?一点也没有"帝国主义列强从中国的通商都市直至穷乡僻壤"的迹象吗?显然不是的。鲁迅在一九三三年写的《英译本〈短篇小说选集〉自序》里有如下的话:

  中国的诗歌中,有时也说些下层社会的苦痛。但绘画和小说却相反,大抵将他们写得十分幸福,说是"不识不知,顺帝之则",平和得像花鸟一样。是的,中国的劳苦大众,从知识阶级看来,是和花鸟为一类的。
  我生长于都市的大家庭里,从小就受着古书和师傅的教训,所以也看得劳苦大众和花鸟一样。有时感到所谓上流社会的虚伪和腐败时,我还羡慕他们的安乐。……

这些话是很中肯的,一九一九年写的《故乡》对三十年前的儿童生活的描写也不外是把中国的农村写成"平和得像花鸟一样"罢了。地主家庭出身的人对农村生活的记忆是最不可靠的,主要是对现实作粉饰。现实是:"这来的便是闰土。虽然我一见便知道是闰土,但又不是我这记忆上的闰土了。他身材增加了一倍;先前的紫色的圆脸,已经变作灰黄,而且加上了很深的皱纹;眼睛也像他父亲一样,周围都肿得通红,这我知道,在海边种地的人,终日吹着海风,大抵是这样的。他头上是一顶破毡帽,身上只一件极薄的棉衣,浑身瑟索着;手里提着一个纸包和一支长烟管,那手也不是我所记忆的红活圆实的手,却又粗又笨而且开裂,像是松树皮了。"现实打破了幻想。然而在《故乡》里鲁迅还是充分地表现了他的幻想,这种幻想便是小资产阶级知识分子对中国所存的朦胧的希望,鲁迅的思想在中国社会面前还没有达到"碰壁"的地位。我们读《故乡》的最后三段:

> 我躺着,听船底潺潺的水声,知道我在走我的路。我想:我竟与闰土隔绝到这地步了,但我们的后辈还是一气,宏儿不是正在想念水生么。我希望他们不再像我,又大家隔膜起来……然而我又不愿意他们因为要一气,都如我的辛苦展转而生活,也不愿意他们都如闰土的辛苦麻木而生活,也不愿意都如别人的辛苦恣睢而生活。他们应该有新的生活,为我们所未经生活

过的。

我想到希望,忽然害怕起来了。闰土要香炉和烛台的时候,我还暗地里笑他,以为他总是崇拜偶像,什么时候都不忘却。现在我所谓希望,不也是我自己手制的偶像么?只是他的愿望切近,我的愿望茫远罢了。

我在朦胧中,眼前展开一片海边碧绿的沙地来,上面深蓝的天空中挂着一轮金黄的圆月。我想:希望是本无所谓有,无所谓无的。这正如地上的路;其实地上本没有路,走的人多了,也便成了路。

从鲁迅的话看来,中国并没有路,因为没有指出路来。中国革命的路首先是要对中国社会作阶级的分析。所以毛主席的第一篇著作是《中国社会各阶级的分析》。问题不在于鲁迅没有指出路来,小资产阶级知识分子不可能指出中国革命的路来,问题在于鲁迅对他自己的话,"他们应该有新的生活,为我们所未经生活过的",说得很有诗情,对"其实地上本没有路,走的人多了,也便成了路",说得很有些坚决。这是鲁迅在《呐喊》时期的整个思想状况,认为知识分子可以走出路来。

事实是,在中国必须"走历史必由之路"。这一条光明大路告诉我们,"知识分子如果不和工农民众相结合,则将一事无成。"鲁迅写《彷徨》的时期比之他写《呐喊》的时期,中国社会是前进了,知识分子队伍里也起了分化,鲁迅成了"游勇"。他还有《题彷徨》的诗:"寂寞新文苑,平安旧战场,两间余一卒,荷戟独彷徨。"他完全是指当时中国的知识分子队伍说的,他还没有考虑到工农大众的革命,他所谓"旧战场"就是限于《新青年》杂志那一块阵地。表现在《呐喊》里的乐观空气,在《彷徨》里便一扫而空了。这是合乎鲁迅思想发展的规律的,等到小资产阶级知识分子的幻想彻底地破灭了,无产阶级向他伸出手来,鲁迅跟着前进。

《祝福》便是鲁迅表现在《呐喊》里的乐观空气一扫而空的第一篇小说。

我们分析《祝福》,祥林嫂实在没有路可走。若问她是怎么死的,鲁四老爷家的短工回答说:"怎么死的?——还不是穷死的?"如果真是穷死的,那是有路可走,路就是要不穷。从《祝福》的故事看来,祥林嫂之流为乞丐,是她"支取了历来积存的工钱,换算了十二元鹰洋",在土地庙捐了门槛之后,并不是穷而乞,当然也就不是乞而死。那她是怎么死的呢?《祝福》这一篇小说就是鲁迅回答祥林嫂的死由。与其说是鲁迅的思想,不如说是鲁迅的感情,鲁迅从他的失望的感情出发,为中国的妇女布成一个天罗地网的局面,中国的妇女只有为礼教殉葬。把殉葬者写成一个农村的贫家妇女祥林嫂,无非是为得把这个天罗地网布得严密不漏,因为,寡妇再嫁,在"大户人家"是不许可的,鲁迅在五四初期便是反抗"节","小户人家"则反而有再嫁的必要,如卫老婆子回答鲁四婶所说:"阿呀,我的太太!你真是大户人家的太太的话。我们山里人,小户人家,这算得什么?她有小叔子,也得娶老婆。不嫁了她,那有这一注钱来做聘礼?她的婆婆倒是精明强干的女人呵,很有打算,所以就将她嫁到里山去。倘许给本村人,财礼就不多;惟独肯嫁进深山野墺里去的女人少,所以她就到手了八十千。现在第二个儿子的媳妇也娶进了,财礼只花了五十,除去办喜事的费用,还剩十多千。吓,你看,这多么好打算！……"再嫁之后,"她的男人是坚实人,谁知道年纪青青,就会断送在伤寒上?"再嫁的男人死了。"幸亏有儿子;她又能做,打柴摘茶养蚕都来得,本来还可以守着,谁知道那孩子又会给狼衔去的呢?"礼教对祥林嫂这样的贫家妇女不要求她"守着",而"大伯来收屋,又赶她",这又是男权社会所许可的,她已没有儿子。"祥林嫂,你实在不合算。"礼教,封建社会的上层建筑,又通过柳妈告诉祥林嫂,说她当初不如"索性撞一个死,就好了。现在呢,你和你的第二个男人过活不到两年,倒落了一件大罪名。你想,你将来到阴司去,那两个死鬼的男人还要争,你给了谁好呢?阎罗大王只好把你锯开来,分给他们。"这证明宗教也就是礼教,压迫妇女的再嫁了。柳妈更告诉祥林嫂:"我想,你不如及早抵当。你到土地庙里去捐一条门槛,当作你的替身,给千人踏,万人跨,赎了这一世的罪名,免得死了去受苦。"这突出地显得宗教的丑恶,也就是上层建筑的丑恶,千方百计地想出这条"千人踏,万人跨"的门槛来。然而丑恶也只是丑恶,实生活当中究竟很少有祥林嫂再嫁捐门槛的事。实生活当中有的是节妇,有的是穷苦而死的祥林嫂,所以鲁迅在《我之节烈观》里面说:"节妇还要活着。精神上的惨苦,也姑且弗论。单是生活一层,已是大宗的痛楚。假使女子生计已能独立,社会也知道互助,一人还可勉强生存。不幸中国情形,却正相反。所以有钱尚可,贫人便只能饿死。直到饿死以后,间或得了旌表,还要写入志书。"我们认为《我之节烈观》在五四初期确有其战斗作用,是有的放矢的,针对着实生活来的,激起小资产阶级、资产阶级知识分子反抗封建的道德。若《祝福》里所创造的祥林嫂,只能表示《新青年》时期的鲁迅的思想已是强弩之末,对中国社会并不起若何斗争的意义,作为战士的鲁迅必得转变方向,然后"柳暗花明又一村"。与其说是鲁迅的思想,不如说是鲁迅的感情,鲁迅的失望的感情使得他写这一篇小说,等于一首抒情诗。鲁迅曾说伊卜生的《娜拉》是做诗,"不是为社会提出问题来而且代为解答"。(《娜拉走后怎样》)他自己的《祝福》确实是他自己的寂寞的诗,不如《我之节烈观》是"为社会提出问题来而且代为解答"。

如果认为《祝福》是鲁迅"为社会提出问题来",那所提出的当然是反封建的问题。这样提出反封建的问题来,只能引起读者的苦闷,不能给以任何解答。何以呢?从小说的倾向性看来,从《祝福》这个题目看来,鲁迅的笔锋是针对着鲁四老爷的。但从整个故事看,鲁四老爷并不是构成祥林嫂的悲剧的主要原因,祥林嫂的前后两夫家,都是农民,倒是对悲剧有直接的关系,因为为前家所逼卖,为后家所赶走。鲁迅的主题思想显然不是如此,虽然在妇女问题上对劳动者的男子他向来也一样地不宽恕,不知道统治阶级的思(想)是统治的思想。我们用社会科学的话来说,鲁迅还是痛恨封建社会的上层建筑,它在《祝福》里简直织成了天罗地网,什么都包括在里面,什么都逃不出去,因之说这篇小说是反封建,在作战上它反而没有瞄准的方向。所以只能说《祝福》是鲁迅的一首诗,表示转变前他的资产阶级个人解放思想的幻灭。中国的反封建是要消灭封建的经济基础,进行土改,然后在广大农村中妇女都觉醒了,要做劳动者。

2

关于《祝福》的技巧,我们认为应该谈两件事。

第一是"我"在小说中的作用,也就是把说故事的人加到故事中去对故事所起的作用。由"我"来叙述故事,当然很有方便,自己说话,不受拘束,也容易生效果,因为直接的叙述等于直接的闻见,容易显得故事的真实性。我们又必须注意,在方便的同时,这个方法有很大的局限,"我"不在场的事情就不能写,写出来就不真实了,读者就要问你,你不在场你怎么知道呢?大凡故事,本不需要作者出现的,作者自己出现了"我",那么就没有法子,"我"把故事限制住了。初写作的人很容易发生这个困难,这个困难正是从写时的方便来的,有"我"最方便于开始写。会写故事的人,加"我"进去也就因为要写"我",不是图方便,当然也就谈不上什么写时的困难,鲁迅的《故乡》就是。有时"我"并不就是作者自己,加这个"我"进去可以把小说中的人物写得更生动,那倒确乎是为故事的方便,是经过匠心的选择的写法,如鲁迅的《孔乙己》便是。《孔乙己》里面的"我"是酒店的小伙计,由小伙计的口里刻划出孔乙己来。然而《祝福》里的"我"是一个特别的情形。表面上《祝福》里的"我"同《故乡》里的"我"处的是一样的地位,实际上在《故乡》里"我"有其必要,处处离不开"我",离开"我"就没有故事,《祝福》里的祥林嫂的故事则必须要离开"我"才能展开的,"我"是故事的障碍。鲁迅的小说《祝福》正是如此,在真正展开祥林嫂的故事的时候,作者就离开了,用了这么一句作冒起:"然而先前所见所闻的她的半生事迹的断片,至此也联成一片了。"

那么鲁迅的《祝福》为什么加了"我"进去写呢？这确实值得我们谈一谈。我们已经说过，《祝福》是鲁迅的一首诗，一首抒情诗，鲁迅个人的寂寞的感情甚重，也悲愤极了，在天罗地网的鲁镇里，无端来了他这么一个人，仿佛实生活上他是这个悲剧的见证似的。这对悲剧的空气很有影响。鲁迅执笔时很自然地把"我"加进去了。这就使我们想起古代一首有名的诗，就是杜甫的《石壕吏》。如果把《石壕吏》的故事改编为戏剧或电影，诗人杜甫是加不进去的，在舞台上或银幕上，只有"有吏夜捉人，老翁逾墙走，老妇出看门。吏呼一何怒，妇啼一何苦。听（这个"听"就不是诗人杜甫听而是观众听）妇前致词，三男邺城戍，一男附书至，二男新战死。存者且偷生，死者长已矣。室中更无人，惟有乳下孙，有孙母未去，出入无完裙。老妪力虽衰，请从吏夜归，急应河阳役，犹得备晨炊。"这些话所显示的情节都可以编成动人的场面。接着两句，"夜久语声绝，如闻泣幽咽"，在舞台上或银幕上也可以导演出来，当然不能让诗人杜甫登场，"闻"不由他。"天明登前途，独与老翁别"，就戏剧或电影说就完全是多余的了，排不进去，正同我们现在《祝福》的电影小说家鲁迅排不进去一样。但杜甫写《石壕吏》时不暇考虑这些问题，他是"夜〔暮〕投石壕村"，他是"天明登前途"，他悲愤填胸，他过路打抱不平，他要写一首诗！杜甫的诗的价值就在于他有这个不平之气，他写的是真人真事，艺术的典型作用虽不要求真人真事，而杜甫的诗是诗史，它表现着千古不磨的诗人对人民的同情，真是史无其匹。鲁迅的《祝福》把鲁迅的不平之气也表现到了极点，他是对着即将灭亡的整个封建社会（虽然他不知道封建基础与其上层建筑的区别)发着个人的诅咒,所以祥林嫂的故事不一定要真人真事,鲁迅的感情是真实的了。

鲁迅是小说家,善于布局,善于结构,在《祝福》里因为诗情而把自己加了进去,加进去之后就决不拖累了故事,而只增加了故事对读者的吸引力。在真正展开故事的时候,虽然不得不撇开叙故事的"我",我们完全可以断定,在故事展开以前,读者已为故事所吸引住了,就因为前面有那动人的"我"的叙述,通过前面的动人的叙述,读者知道祥林嫂死了,接着就要知道她所以死,就是要知道祥林嫂的一生,非知道不可。等到故事展开了,祥林嫂的一生读者都知道了,最后又由"我"话说一段:"然而她总如此,全不见有怜俐起来的希望。他们于是想打发她走了,教她回到卫老婆子那里去。但当我还在鲁镇的时候,不过单是这样说;看现在的情状,可见后来终于实行了。然而她是从四叔家出去就成了乞丐的呢,还是先到卫老婆子家然后再成乞丐的呢?那我可不知道。"这就用不着说到祥林嫂的死,这就把整个故事让读者自己思索去,整个故事又对读者有极大的吸引力。这是鲁迅善于布局,善于结构。

由"我"所叙述的祥林嫂行乞的形象,那是最深刻不过的:"那是下午,我到镇的东头访过一个朋友,走出来,就在河边遇见她;而且见她瞪着的眼睛的视线,就知道明明是向我走来的。我这回在鲁镇所见的人们中,改变之大,可以说无过于她的了:五年前的花白的头发,即今已经全白,全不像四十上下的人;脸上瘦削不堪,黄中带黑,而且消尽了先前悲哀的神色,仿佛是木刻似的;只有那眼珠间或一轮,还可以表示她是一个活物。她一手提着竹篮,内中一个破碗,空的;一手拄着一支比她更长的竹竿,下端开了裂;她分明已经纯乎是一个乞丐了。"这个乞丐很快地介绍到读者面前来了,她又很快地很少转折地问出"一个人死了之后,究竟有没有魂灵的?""那么,也就有地狱了?"的话,读者不感到唐突,只感到自然,而且急于要知其所以然。只感到作者的感情重,不感到是小说作家的布局,小说情节的结构。这是鲁迅充分利用短篇小说的特点。这是把"我"加进去的效果。祥林嫂行乞本不要多写,多写就容易为写行乞而写行乞,失却小说的重心。而行乞的情节又必有。鲁迅便这样成功地写了。

关于技巧我们应该注意的第二件事是鲁迅运用对话在《祝福》里有同其他小说不同之处。鲁迅小说语言的特点有"对话也决不说到一大篇"一条,这充分表现在《阿Q正传》的对话里,我们曾经指出过。在《祝福》里这一点也依然起着作用,少许的动作加以少许的说话把人物就刻划出来了,如写鲁四老爷,"傍晚,我竟听到有些人聚在内室里谈话,仿佛议论什么事似的,但不一会,说话声也就止了,只有四叔且走而且高声的说,

'不早不迟,偏偏要在这时候,——这就可见是一个谬种!'"这就完全有鲁四老爷的形象。又如:"新年才过,她从河边淘米回来时,忽而失了色,说刚才远远地看见一个男人在对岸徘徊,很像夫家的堂伯,恐怕是正为寻她而来的。四婶很惊疑,打听底细,她又不说。四叔一知道,就皱一皱眉,道:

'这不好。恐怕她是逃出来的。'"这又完全是鲁四爷,写了他的少许的动作,少许的话。这是鲁迅经常掌握的技巧。把这个技巧用来写祥林嫂的故事就有些困难。"她不很爱说话,别人问了才回答,答的也不多。"这本来是祥林嫂的性格。后来她却讲故事似地说了长篇的话了,"常常引住了三五个人来听她",在

鲁迅的小说里,这就不是"对话也决不说到一大篇"。这就是在《祝福》里鲁迅运用对话同其(他)小说的不同之处。

《祝福》的对话说到一大篇,正是祥林嫂的故事写得成功的一个原因。我们读着,一点也不感到对话一大篇,祥林嫂"她不很爱说话,别人问了才回答,答的也不多"的性格一点也不令读者感觉到改变了,只觉得她"仿佛是木刻似的",这又是鲁迅的技巧,善于刻划祥林嫂。做中人的卫老婆子当然要大篇地说话的,因为她是做中人的,所以在《祝福》里她说了几篇,会说。当她第二次引祥林嫂来鲁四老爷家的时候,鲁迅这样写她:"而且仍然是卫老婆子领着,显出慈悲模样,絮絮的对四婶说,

'……这实在是叫作"天有不测风云",她的男人是坚实人,谁知道年纪青青,就会断送在伤寒上?本来已经好了的,吃了一碗冷饭,复发了。幸亏有儿子;她又能做,打柴摘茶养蚕都来得,本来还可以守着,谁知道那孩子又会给狼衔去的呢?春天快完了,村上倒反来了狼,谁料到?现在她只剩了一个光身了。大伯来收屋,又赶她。她真是走投无路了,只好来求老主人。好在她现在已经再没有什么牵挂,太太家里又凑巧要换人,所以我就领她来。——我想,熟门熟路,比生手实在好得多……。'"接着就是祥林嫂的一大篇,虽是一大篇,而读者感到她是木刻似的人,她是机器般地被按动着说话了,她的境遇改变得多么利害呵!"'我真傻,真的,'祥林嫂抬起她没有神采的眼睛来,接着说。'我单知道下雪的时候野兽在山墺里没有食吃,会到村里来;我不知道春天也会有。我一清早起来就开了门,拿小篮盛了一篮豆,叫我们的阿毛坐在门槛上剥豆去。他是很听话的,我的话句句听;他出去了。我就在屋后劈柴,淘米,米下了锅,要蒸豆。我

叫阿毛,没有应,出去一看,只见豆撒得一地,没有我们的阿毛了。他是不到别家去玩的;各处去一问,果然没有。我急了,央人出去寻。直到下半天,寻来寻去寻到山墺里,看见刺柴上挂着一只他的小鞋。大家都说,糟了,怕是遭了狼了。再进去;他果然躺在草窠里,肚里的五脏已经都给吃空了,手上还紧紧的捏着那只小鞋呢。……'"谁读着都不感到对话说到一大篇。这是对话写到一大篇的成功。

这一大篇的话,在小说里一字不移地重复了一遍。这一字不移地重复一遍,又是成功的原因。祥林嫂说了一大篇,而读者感到她是木刻似的人,她是机器般地被按动着说话了,她的境遇改变得多么利害呵!

这里所说的技巧,都是鲁迅从外国短篇小说吸取来的。

十三 "伤逝"

我们把《彷徨》里的《祝福》和《呐喊》里的《故乡》作了比较。现在更从《彷徨》里举出两篇小说来,即《祝福》和《伤逝》,我们认为这两篇小说又很有比较研究的必要。

《彷徨》同《呐喊》比较起来,鲁迅好像表现了悲观的感情,因为他又孤独起来了,《新青年》时期的战友不见了。实际的情况是,中国社会的革命运动前进了一大步,在知识分子当中起了分化,鲁迅思想的发展决定他在现实面前有一段"碰壁"的过程,因此有《彷徨》的思想的表现。《彷徨》的思想充分表现在《祝福》里,《祝福》的祥林嫂实在无路可走,只有死。《伤逝》的子君也是死。但子君的死同祥林嫂的死,大不相同。《祝福》只能说是鲁迅的主观的产物,《伤逝》则反映了客观;祥林嫂的死表示鲁迅对礼教的诅咒,因为他无可奈何,子君的死则是鲁迅集中力量指出一条死路来,也就是革命的小资产阶级作家向中国社会寻求出路。在写《伤逝》的时候,鲁迅自己的生活已起了变动,他非有行动不可,所以《伤逝》所表现的行动气息就太重,同《祝福》是在个人长期的安定生活状况下抒写诗情,完全是两回事了。

确实应该指出鲁迅写《伤逝》的时候他长期安定的生活起了变动的事。鲁迅从一九一二年来到北京,个人的职业上没有问题,他在北京教育部做佥事(教员是兼做的,不是他主要的职业),用《灯下漫笔》的话是"暂时做稳了奴隶的时代"。在个人的这种生活下,他写了《呐喊》,写了《热风》,写了《坟》里的大部分文章,《华盖集》里的大部分文章,《野草》除了末五篇外也都是在这时期写的,还写了《彷徨》的前七篇小说。一九二五年八月,章士钊做北洋军阀段祺瑞政府的教育部长,将鲁迅免了职,鲁迅就算是在北京失了业。《彷徨》从第八篇《孤独者》起是鲁迅失业后写的。《伤逝》是第九篇。我们认为鲁迅的失业对《伤逝》有决定的影响。本来鲁迅直接参加北京女子师范大学学生反压迫的斗争就促进了他的生活的将要改变,如《"碰壁"之后》里他说:"我为什么要做教员,连自己也侮蔑自己起来。"到了三一八事变,他纪念他的学生,他说:"她不是'苟活到现在的我'的学生,是为了中国而死的中国的青年。"这不是鲁迅感觉到"奴隶"不能长做下去吗?到了写《伤逝》,当然不能说作者是在写自己,但通过作者对小说主人公的抒写,很可以看出鲁迅当时是对自己有作出行动的要求的,虽然他不知道怎样才算是行动。如涓生在接到"奉局长谕史涓生着毋庸到局办事"的通知后,作为"涓生的手记"的《伤逝》有这一段:"外来的打击其实倒是振作了我们的新精神。局里的生活,原如鸟贩子手里的禽鸟一般,仅有一点小米维系残生,决不会肥胖;日子一久,只落得麻痹了翅子,即使放出笼外,早已不能奋飞。现在总算脱出这牢笼了,我从此要在新的开阔的天空中翱翔,趁我还未忘却了我的翅子的扇动。"其余关于"新的生路"的话还很多很多,我们读着,真是"豫感到〔得〕这新生面便要来到了"。所以《伤逝》同《祝福》决不是一样,《祝福》只表示鲁迅对旧时代的诅咒,《伤逝》则是誓辞,确切地表示鲁迅到这时要开始"新的生路",这一篇小说值得我们研究。

摆在面前的路本来是很明白的,是无产阶级领导的中国革命的路。知识分子因为出身的阶级的限制,总是处于一种狭隘的境地,路在眼前视而不见。然而像鲁迅这样的人,有一天能如他的小说的主人公所说:"说做,就做罢!来开一条新的路!"这话的本身就是真正的路的开始,因为真正地开了脚步。不是主观地要开脚步,是社会已经逼得他要离开原有的位置,必须走一条新的路,这就是现实的路。当然,在《伤逝》里,鲁迅并没有离开小资产阶级思想范围的一步。我们对这篇小说的研究,就是要分析小资产阶级作家鲁迅所指出的死路是什么?客观上又是不是反映了中国社会的新生的路?换句话说这篇小说如何地反映现实?

我们已经说过,《伤逝》并不是作者在写自己,我们不能把主人公涓生的思想作为作者鲁迅的思想,没有这个必要。但我们分析这篇小说却可以得出鲁迅的思想是什么。同时,涓生的思想如果从小说里得不到批判,我们当然也有理由说涓生的思想就是作者鲁迅的思想。鲁迅在《娜拉走后怎样》里写道:"一个英国人曾作一篇戏剧,说一个新式的女子走出家庭,再也没有路走,终于堕落,进了妓院了。还有一个中国人,——我称他什么呢?上海的文学家罢,——说他所见的'娜拉'是和现译本不同,娜拉终于回来了。这样的本子可惜没有第二人看见,除非是伊孛生自己寄给他的。但从事理上推想起来,娜拉或者也实在只有两条路:不是堕落,就是回来。……还有一条,就是饿死了,但饿死已经离开了生活,更无所谓问题,所以也不是什么路。"这里的意思是真诚地说女子走出家庭,并没有出路。真正算得上读者的人谁读〔都〕不会讥笑娜拉,说她走后会堕落或回来,或饿死了。《伤逝》里的子君,鲁迅则替她布置了一个死的结局,同时阿随这匹狗(阿随的"随"字不能看出作者的用意吗?这一个字与旧社会里妇女的地位没有关系吗?)是回来了。鲁迅写得非常之动感情,写得近情近理。所以鲁迅创作《伤逝》的思想,同《娜拉走后怎样》的思想一样,妇女应该"在经济方面得到自由",否则与阿随处的是同一的地位,如果不是"死"的话。这一点我们认为是首先应该指出来的。其次,《伤逝》与《娜拉走后怎样》又不同,因为这篇小说是写男女的爱的生活的,《娜拉走后怎样》写一般的妇女问题。我们如果把两篇合起来,就是,女子应该"在经济方面得到自由",应该知道"人的生活的第一着是求生,向着这求生的道路是必须携手同行,或奋身孤往的了,倘使只知道捶着一个人的衣角,那便是虽战士也难于战斗,只得一同灭亡。"在男子方面也是一样,不要"只为了爱,——盲目的爱,——而将别的人生的要义全盘疏忽了。第一,便是生活。人必〈须〉生活着,爱〈情〉才有所附丽。"所引《伤逝》主人公涓生的话,我们认为也不妨说是作者鲁迅的思想。因此我们得出结论:鲁迅的《伤逝》是要说明"爱"不能等于"生活",不能有"盲目的爱",尤其是女子,那是一条死路,必须揭穿它。我们认为是这样的。

我们再分析鲁迅的这个思想。如果说"爱"是盲目的,那么所说的"生活",不一样是盲目的吗?"人的生活的第一着是求生",这话实在比盲目的爱还要盲目。从涓生自己的"求生"就证明它的盲目。我们就查查涓生的"求生"。当他同子君在一起过家庭生活还没有被局长撤职的时候,是这样:"我的路也铸定了,每星期中的六天,是由家到局,又由局到家。在局里便坐在

办公桌前钞,钞,钞写公文和信件;在家里是和她相对或帮她生白炉子,煮饭,蒸馒头。"这自然是"求生"。我们更读这一段:

> 我所豫期的打击果然到来。双十节的前一晚,我呆坐着,她在洗碗,听到打门声,我去开门时,是局里的信差,交给我一张油印的纸条。我就有些料到了,到灯下去一看,果然,印着的就是——
>   奉
> 局长谕史涓生着毋庸到局办事
>   秘书处启 十月九号

这就是生活。"其实这在我不能算是一个打击,因为我早就决定,可以给别人去钞写,或者教读,或者虽然费力,也还可以译点书,况且《自由之友》的总编辑便是见过几次的熟人,两月前还通过信。"那么这是早就决定了"新的生路"。"终于决定将现有的钱竭力节省,一面登'小广告'去寻求钞写和教读,一面写信《自由之友》的总编辑,说明我目下的遭遇,请他收用我的译本,给我帮一点艰辛时候的忙。""许久之后,信也写成了,是一封颇长的信;很觉得疲劳,仿佛近来自己也较为怯弱了。于是我们决定,广告和发信,就在明日一同实行。大家不约而同地伸直了腰肢,在无言中,似乎又都感到彼此的坚忍的崛强的精神,还看见从新萌芽起来的将来的希望。"这可见子君对"求生"也是积极的,虽然登"小广告"和写"一封颇长的信"都是涓生的事,——如果子君也来一个登小广告去寻求钞写和教读,也写信给总编辑,比涓生的小广告和信就能得到"新的生路"吗?

接着记着:"小广告是一时自然不会发生效力的"。"不久就共译了五万言,只要润色一回,便可以和做好的两篇小品,一同寄给《自由之友》去。(手记后面又记着有:'在那里看见《自由之友》,我的小品文都登出了。这使我一惊,仿佛得了一点生气。我想,生活的路还很多,——但是,现在这样也还是不行的。'又记着:'写给《自由之友》的总编辑已经有三封信,这才得到回信,信封里只有两张书券:两角的和三角的。我却单是催,就用了九分的邮票,一天的饥饿,又都白挨给于己一无所得的空虚了。')只是吃饭却依然给我苦恼。菜冷,是无妨的,然而竟不够;有时连饭也不够,虽然我因为终日坐在家里用脑,饭量已经比先前要减少得多。这是先去喂了阿随了,有时还并那近来连自己也轻易不吃的羊肉。她说,阿随实在瘦得太可怜,房东太太还因此嗤笑我们了,她受不住这样的奚落。"阿随留不住了。"它的食量,在我们其实早是一个极易觉得的很重的负担","终于是用包袱蒙着头,由我带到西郊去放掉了,还要追上来,便推在一个并不很深的土坑里。"

涓生还要这样记着:"其实,我一个人,是容易生活的,虽然因为骄傲,向来不与世交来往,迁居以后,也疏远了所有旧识的人,然而只要能远走高飞,生路还宽广得很。现在忍受着这生活压迫的苦痛,大半倒是为她,便是放掉阿随,也何尝不如此。"这里说了两个问题,一是生计,一是爱人。现在成问题的是生计。生计之所以成问题,是因为自由恋爱的不见容。归根到底是生计没有保障,对她固然没有保障,对他也没有保障。所以涓生的这些话是经不起分析的,"只要能远走高飞,生路还宽(广)得很",如果"生路还宽广得很",正无须乎"远走高飞"!

"天气的冷和神情的冷,逼迫我不能在家庭中安身。但是往那里去呢?大道上,公园里,虽然没有冰冷的神情,冷风究竟也刺得人皮肤欲裂。我终于在通俗图书馆里觅得了我的天堂。

那里无须买票;阅书室里又装着两个铁火炉。纵使不过是烧着不死不活的煤的火炉,但单是看见装着它,精神上也就总觉得有些温暖。书却无可看:旧的陈腐,新的是几乎没有的。

好在我到那里去也并非为看书。另外时常还有几个人,多则十余人,都是单薄衣裳,正如我,各人看各人的书,作为取暖的口实。……"这"几个人,多则十余人",难道是同涓生一样,"大半年来,只为了爱,——盲目的爱,——而将别的人生的要义全盘疏忽了"吗?他们或者正是"求生"而没有生活的路呷!所以涓生在很大的程度上是不自觉地替不合理的社会辩解。从他的手记看来,他倒是"求生",并不是只为了"盲目的爱",子君也是"求生",并不是只为了"盲目的爱",因为"求生"而没有生活的路,加上自主的爱情遭受封建观念的压迫,于是把自主的爱情排斥于生活的路之外罢了。在合理的社会里,自主的爱情本来是合理的,是许可的。涓生的问题主要地还是盲目地"求生",在手记里他自己就写着:"我看见怒涛中的渔夫,战壕中的兵士,摩托车中的贵人,洋场上的投机家,深山密林中的豪杰,讲台上的教授,昏夜的运动者和深夜的偷儿……。"涓生就是没有看见无产阶级革命的战士,如果看见了,他就知道他此刻是在那里盲目地"求生"。因为是盲目地"求生",不能知道在这个社会里本来就没有生活的路,于是就幻想:"生活的路还很多,我也还没有忘却翅子的扇动,我想。——我突然想到她的死,然而立刻自责,忏悔了。"这样的想法,确乎如涓生自己说的,"是一个卑怯者,应该被摈于强有力的人们"。所以卑怯的原故,强有力的人们所以强有力的原故,又是涓生所不能知道的,卑怯是阶级的软弱的表现,强有力也要阶级的强有力。

"在通俗图书馆里往往瞥见一闪的光明,新的生路横在前面。她勇猛地觉悟了,毅然走出这冰冷的家,而且,——毫无怨恨的神色。我便轻如行云,漂浮空际,上有蔚蓝的天,下是深山大海、广厦高楼、战场、摩托车、洋场、公馆、晴明的闹市、黑暗的夜……。"这只能说明涓生不能"勇猛地觉悟",不能"毅然走出这冰冷的家",因而幻想子君"勇猛地觉悟了,毅然走出这冰冷的家,而且,——毫无怨恨的神色。"很分明,局限在小资产阶级思想的圈子里,就很难有"觉悟",也很难有"新的生路横在前面"。"新的生路横在前面",必须有阶级的觉悟。那样,子君"毅然走出这冰冷的家"倒不是必须的,正是"必须携手同行"!

然而涓生只能幻想着:"新的希望就只在我们的分离"。他努力把自己的"意见和主张"告诉给子君。他还怕她有顾虑,"临末,我用了十分的决心,加上这几句话:

'……况且你已经可以无须顾虑,勇往直前了。你要我老实说;是的,人是不该虚伪的。我老实说罢:因为,我已经不爱你了!但这于你倒好得多,因为你更可以毫无挂念地做事……。'"这样,他以为子君可以"勇猛地觉悟了,毅然走出这冰冷的家,而且,——毫无怨恨的神色。"及至子君给她父亲接回去,人告诉他,他在手记里记着:"这似乎又不是意料中的事"。鲁迅在这里是批判涓生,因为子君给父亲接回去,是鲁迅写的。及至人告诉他:"子君,你可知道,她死了。"他又认为子君是"无爱"而死。他这样记着:"她的命运,已经决定她在我所给与的真实——无爱的人间死灭了。"很显然,这是幻想。子君的命运,是找不到新的生路的小资产阶级的死灭。我们只读涓生对子君走后的记载:"我转念寻信或她留下的字迹,也没有;只是盐和干辣椒、面粉、半株白菜,却聚集在一处了,旁边还有几十枚铜元。这是我们两人生活材料的全副,现在她就郑重地将这留给我一个人,在不言中,教我藉此去维持较久的生活。"这说明子君虽然同涓生分离,并不是"无爱",更不是"盲目的爱",她是"求生",并教给涓生"求生",郑重地留以"生活材料的全副"。所以子君的死是找不到新的生路的小资产阶级的死灭,不是"无爱"的死灭。涓生对子君,当然不是"我已经不爱你了",他怕的是一同灭亡。他认定:"第一,便是生活。人必生活着,爱才有所附丽。"如果在他的话里不用"生活"二字,用"革命",那他的话才是正确的。涓生自己的生活否定了他的话。我们且看子君走后涓生的生活。"心地有些轻松,舒展了",这只能暴露他遭了生活的压迫。"想到旅费,并且嘘一口气。""一切请托和书信,都是一无反响;我不得已,只好访问一个久不问候的世交去了。他是我伯父的幼年的同窗,以正经出名的拔贡,寓京很久,交游也宽〔广〕阔的。

　　大概因为衣服的破旧罢,一登门便遭门房的白眼。好容易才相见,也还相识,但是很冷落。我们的往事,他全都知道了。"这同子君的回到父亲家去,不是同样的"生活的路"吗?而子君给父亲接回去了,涓生还以为"这似乎又不是意料中的事,我便如脑后受了一击"。所以我们说涓生是盲目地"求生",是正确的。"我还期待着新的东西的到来,无名的,意外的。但一天一天,无非是死的寂静。"结束这故事的是阿随。"那是阿随。它回来了。"于是涓生也不能不离开这冰冷的家,"也不单是为了房主人们和他家女工的冷眼,大半就为着这阿随。但是,'那里去呢?'新的生路自然还很多,我约略知道,也间或依稀看见,觉得就在我面前,然而我还没有知道跨进那里去的第一步的方法。"是的,从涓生的手记看,他是没有知道跨进新的生路的第一步的方法。

鲁迅把这一篇故事题着"伤逝"。我们认为这个题目应该帮助我们思考。经过分析,《伤逝》所反映的主人公涓生的思想是容易明白的;通过小说,作者鲁迅的思想也是容易明白的。涓生的思想认为子君应该离开家,应该"求生",作者鲁迅的思想添了子君的死和"那是阿随。它回来了。"那么,子君岂不是没有生活的路吗?是的,岂独子君,即涓生,他又何尝有生活的路呢?《伤逝》的故事做了证明。这是客观上鲁迅小说的价值,它反映了中国的现实,小资产阶级是没有什么叫做"新的生路"的,在中国只有无产阶级领导的革命的路。主观上鲁迅是极力把死路给读者指出来,同时,"世界上并非没有为了奋斗者而开的活路",——当然,这才叫做"战士"("战士"这两个字出在涓生的手记中)!只是"活路"是什么?他同他的小说的主人公一样,还是不知道的,因为出身的阶级局限着。这篇小说的最大的价值在于它反映了作者鲁迅确信有跨进新的生路的"第一步的方法",如果我们考虑到这篇故事的题目——"伤逝",如果我们联系到鲁迅自己当时以及后来的生活。不但涓生应该有跨进新的生路的"第一步的方法",同样子君也有的,根据"她当时的勇敢和无畏"。在故事里,子君给父亲接回去,接回去死了,那是鲁迅刻意的暴露,给女子指出死路来。问题是小资产阶级的局限性,问题不是有男与女子之分。

总结上面的话,盲目的爱是没有出路的,是死路,盲目的"求生"同样没有出路,是死路。鲁迅的《伤逝》不是为写小说而写小说,是生活的实践,于是客观上他指出了两条死路,于盲目的爱之外更指出了盲目的"求生"这一条,这一条其实还是主要的。虽然是盲目的"求生",然而"我豫感到〔得〕这新生面便要来到了","我要向着新的生路跨进第一步去",这是行动的气息非常之重,我们应该说鲁迅的《伤逝》等于他的杂文集《坟》是用来埋葬过去、迎接新生,如瞿秋白曾经指出的。

最后我们谈一个问题,即易卜生的娜拉和鲁迅的子君这两个典型的问题。根据恩(格)斯关于易卜生的研究的指示,以及我们对鲁迅的《伤逝》的分析,问题在于不同时代不同国家的阶级的差异。恩格斯是把挪威的小资产者同德国的小市民作比较,"比起德国的可怜的小市民来,他们是真正的人。同样地,挪威的小资产阶级妇女,比起德国的小市民妇女来,也要高出不知多少。不管易卜生的戏剧有着怎样的缺点,它们却反映了一个世界,一个虽然是属于中小资产阶级的,然而比起德国的来,却要高出不知道多少的世界;在这个世界里的人物,还有着自己的性格,有着开创的能力,能够独立地行动,虽然从外国人的观点看来不免有点儿奇怪。"(《给爱因斯特的信》)这是说,同样是小资产阶级,易卜生所反映其国家的小资产阶级是能够独立行动的,所以易卜生戏剧的典型人物,如挪〔娜〕拉,能够独立行动,这个独立行动者给易卜生写得太真实。这是一层。其次,如恩格斯所指示我们的,"挪威的小农和小资产阶级,混杂着一部分中等资产阶级——十七世纪英国和法国的情形大概就是如此——乃是几百年来社会的正常正〔状〕态。"恩格斯更说,"只是到最近,这个国家里才零散地出现了一些大规模工业"。恩格斯这话的意思同普列汉诺夫所说"那地方没有革命的无产阶级"是一样的。这样,娜拉这个艺术形象产生的根据及其价值,是很明白的了。作家创造人物,当然并不需要真人真事,但人物的生命从哪里来?又从何而有其价值?那就全在乎这个人物的社会根据。鲁迅所创造的子君,是中国社会的产物,她有她的生命,她有她的价值,她的生命表现在她的反抗封建的勇气,她的价值在于她反映了真实的阶级性,在中国小资产阶级决不能独立行动,子君的命运在当时不但应该教育小资产阶级的妇女,而且应该教育整个的小资产阶级。中国只有无产阶级领导的革命的路是唯一的,否则就是灭亡。"我是我自己的,他们谁也没有干涉我的权利。"当恋爱之初子君这话说得极其自然,就是涓生所欣赏的"大无畏"。这确乎是中国的娜拉。及至后来,涓生认为"新的希望就只在我们的分离,她应该决然舍去",而且和她闲谈,"称扬娜拉的果决",但娜拉岂由自己的情人指使着做,所以涓生在话出口之后,"时时疑心有一个隐形的(坏)孩子,在背后恶意地刻毒地学舌"。"她还是点头答应着倾听,后来沉默了。"这是真实的形象。

十四　学习鲁迅和研究鲁迅的方法

我们要学习鲁迅实践真理。根据我们的研究,鲁迅认识因而接受马克思主义并不算是早的,他一认识他就接受了,跟着青年同志们一道,要以身殉之。长期相信进化论的人接受马克思主义,确非易事,比如鲁迅在一九二七年写的《答有恒先生》里还有这样的话:"还有,我先前的攻击社会,其实也是无聊的。社会没有知道我在攻击,倘一知道,我早已死无葬身之所了。试一攻击社会的一分子的陈源之类,看如何?而况四万万也哉?我之得以偷生者,因为他们大多数不识字,不知道,并且我的话也无效力,如一箭之入大海。否则,几条杂感,就可以送命的。"这只能说是一颗赤子之心说的话。他早期所做的都是中国新民主主义文化革命的工作,中国人民永远纪念他的功劳,而他认为四万万大多数不识字,不知道,因而他不至于"死无葬身之所"。这最能说明鲁迅在接受马克思主义以前他的思想的特点,他攻击革命的敌人,而他又不认识革命的群众。把《答有恒先生》里的话同一九三一年写的《中国无产阶级革命文学和前驱的血》一比较,对我们的教育就真大,因为我们清楚地看见鲁迅受了教育,最后他认识到而且相信他正是"属于革命的广大劳苦群众的"。中国的无产阶级革命文学"用我们的同志的鲜血写了第一篇文章","我们的同志的血,已经证明了无产阶级革命文学和革命的劳苦大众是在受一样的压迫,一样的残杀,作一样的战斗,有一样的运命,是革命的劳苦大众的文学。"鲁迅也并不是否认过去的成绩,他知道自己这方面的力量,所以他说"我们的几个遇害的同志的年龄、勇气,尤其是平日的作品的成绩,已足使全队走狗不敢狂吠",但问题的核心表示在这样的话:"然而我们的这几个同志已被暗杀了,这自然是无产阶级革命文学的若干的损失,我们的很大的悲痛。但无产阶级革命文学却仍然滋长,因为这是属于革命的广大劳苦群众的,大众存在一日,壮大一日,无产阶级革命文学也就滋长一日。"这就是鲁迅晚年的生命,这就是马克思主义给鲁迅以力量。我们必须懂得鲁迅接受马克思主义的艰苦过程,然后放之四海而皆准的马克思主义给我们自己以力量。

我们要学习鲁迅以政治为灵魂。所有鲁迅的文章,都是为革命的事业写的,为政治斗争写的,为中国的青年写的,为要中国的青年懂得政治写的。他没有为自己个人写的东西。他的文章永远放光芒,在当时是政治的光芒,主要是揭露敌人;到今天就是教育的光芒,他为我们树立了文学为政治服务的榜样。为政治服务是鲁迅著作的灵魂。我们的研究工作,也就是要帮助青年接触这一颗以政治为灵魂的伟大的灵魂。

研究鲁迅的方法就是毛主席教导我们的阶级分析的方法。根据我们的体会,阶级分析的方法才真正是革命的方法。我们简直应该有运用这个方法的嗜好,然后我们对主席不断革命论和革命阶段论的指示如呼吸于空气之中,活动于阳光之下,因而获得我们自己无穷无尽的生命力。研究鲁迅是一块试验田。鲁迅早期的思想属于民主主义的范畴,在中国是有其革命性质的,因为有反封建的作用,他本人又从不站在资产阶级一边,他充分表现半封建半殖民地中国的小资产阶级知识分子的宝贵性格。他的《狂人日记》本来同十月革命没有关系,而这一篇反封建的檄文促进了当时所有的进步知识分子,包括最早的共产党人。像一阵子的及时雨一样,鲁迅的《狂人日记》,风一吹就过去了。中国共产党以迅雷不及掩耳的形势登上了政治舞台。马克思主义普遍真理同中国革命具体实践相结合,于是而中国有新民主主义革命。其主要之点是无产阶级领导。在鲁迅早期的著作里,如《狂人日记》,就是没有反映"新兴的无产者",因为他是小资产阶级知识分子。中国的小资产阶级又是革命的,中国社会是半封建半殖民地性质,所以鲁迅早期的著作就是彻底地反封建,同时表现他是最坚决的爱国主义者。近百年来中国的爱国主义首先是反对帝国主义(当然,明确地指出帝国主义的目标来要等待中国共产党的出世)。所以鲁迅后来坚决地反对帝国主义及其走狗国民党反动派。他成为马克思主义者。他早期的"党同伐异"的伟大精神(从实际斗争中学来的)发展而为光辉的党性,最顽强地最有效地反抗反革命的文化"围剿"。从辛亥革命以前一直到辛亥革命以后,鲁迅同资产阶级没有联系。而他早期的思想是资产阶级民主主义的范畴。这说明他的思想是受欧洲资本主义文化的影响,用来批判中国的封建文化,而帝国主义时代中国的民族资产阶级则本不是独立地创造文化的阶级。当他因为小资产阶级的局限性看不见"新兴的无产者"的时候,他不免于失望,因为找不到革命的力量。他晚期全心全意地为无产阶级革命事业服务,表现了他的乐观主义,就是相信群众的力量。我们通过对鲁迅这个具体人的研究,就可以证明中国新民主主义革命的科学价值和创造意义,所以然是经过阶级分析的方法来的,鲁迅就代表了小资产阶级,代表了资产阶级文化在中国发生的革命的作用,而中国的资产阶级鲁迅从来没有依靠它,在中国"惟新兴的无产者才有将来"。这是革命阶段论,中国的民主革命必须由无产阶级领导,即新民主主义革命,所有鲁迅的杂文和小说都作了反映。新民主主义文化革命的伟大代表人之转入社会主义文化、共产主义文化,那更是不成问题的,我们只要从鲁迅的勇于自我改造便可知道,在当时他深以"左翼作家中,还没有农工出身的作家"为可惜,这说明不断革命论。指导我们的自始至终是阶级分析的方法,鲁迅在成为马克思主义者以前,处处表现他属于半封建半殖民地中国的小资产阶级。鲁迅的方向说明党领导的中华民族新文化的方向。这个方向,在新民主主义革命时期是人民大众反帝反封建的文化,发展到今天是知识分子劳动化、工农群众知识化。

在研究鲁迅的过程中,我们深深地感到一件事,中国的知识分子有其最大的幸福,因为有党的领导。在十月革命以前,俄国的知识分子,如赫尔岑,正是没有这个幸福。我们读列宁论赫尔岑的怀疑论和悲观论的话:"赫尔岑的精神悲剧,是资产阶级民主派的革命性已在消亡(在欧洲)而社会主义无产阶级的革命性尚未成熟的那个具有世界历史意义的时代的产物和反映。"(《纪念赫尔岑》)鲁迅的思想不也曾表现悲观失望的情况吗?他经历了辛亥革命的失败,经历了五四后知识分子队伍的分化,而其时中国无产阶级领导的革命事业日趋于成熟,鲁迅终于成为共产主义者。这说明作家与时代的关系,党的领导与作家的进步的关系。鲁迅没有列宁所说的赫尔岑的"不幸",他有中国人民共有的幸福。还有,鲁迅同车尔尼雪夫斯基也不一样,他早期并没有农民革命的思想,最正确的说法应该说他早先是爱国主义者,民主主义者,最后是共产主义者。列宁说车尔尼雪夫斯基是空想社会主义者,"他同时还是一个革命的民主主义者,他善于用革命的精神去影响他那个时代的全部政治事件,通过书报检查机关的重重障碍宣传农民革命的思想,宣传推翻一切旧权力的群众斗争的思想。"(《"农民改革"和无产阶级农民革命》)因此,我们不同意有些论者把鲁迅也称为革命民主主义者,这个名称不符合鲁迅思想的实际,也不符合鲁迅所处的时代的实际。鲁迅的时代是无产阶级革命的时代,中国的农民革命是中国共产党领导的。

"孔乙己"[①]

我们现在讲《孔乙己》。据说鲁迅自己很喜欢这篇小说。这篇小说最初在《新青年》杂志上发表的时候（一九一九年四月），篇末有作者的附记，这个附记的开头两句是："这一篇很拙的小说，还是去年冬天做成的。那时的意思，单在描写社会上的或一种生活，请读者看看，并没有别的深意。"所以我们读这篇小说，可以不必追问它的主题思想怎样怎样，同读《狂人日记》，读《药》，或者读《阿Q正传》应该有所不同。鲁迅就是给我们描写了"社会上的或一种生活"，真是描写得好，鲁迅自己喜欢它，是很有原故的。鲁迅自己又说是一篇"很拙的小说"，我们想，这也不是故作谦逊，这篇小说乍看起来确是"很拙"，细读之乃是一篇精致的艺术品。在鲁迅的小说里，《孔乙己》是一个特别的类型，白描而不加渲染，因为所写的人和事本身是滑稽的，没有夸大之必要，只须恰如其分地写出来。在鲁迅其他的小说里，一方面是白描，一方面又总有渲染，有些又采取了漫画式的手法（《阿Q正传》里就有漫画式的手法），只有《孔乙己》是恰如其分地描写。我们当然不是说渲染了就不好，也不是说漫画式的手法没有必

[①] 手稿，系鲁迅讲稿之一部分，未署名。

要,(这两点正是鲁迅对中国新小说的贡献!)我们只是说《孔乙己》这一篇的白描是鲁迅对生活的写生(作者当然有其画家的微笑与同情),在《呐喊》与《彷徨》里具有独特的风格。因此之故,我们特地选出来讲一讲。

这一篇是鲁迅写白话小说的第二回出手(初出手是《狂人日记》)。我们为什么说这一句话呢?我们是从《孔乙己》的开始半句提醒起来的,从这半句可以看出写小说最不容易起头,所以在大作家如鲁迅在开始写小说的时候下笔起头也感觉得不顺利,——同他的第二个小说集《彷徨》的最后一篇《离婚》比较一下,那里的起头,就显得作者并不费力了,是长期劳动的结果!《孔乙己》的开始半句是"鲁镇的酒店的格局,是和别处不同的",在这里,"和别处不同的"并没有告诉读者什么,只能是作者脑里一个说不出的印象,——鲁迅当时很可能是有着北京的酒店的印象,因为北京的酒店的格局倒确是和别处不同,酒店里摆着大酒缸,大酒缸盖着大盖,喝酒人就把这盖当着桌子喝酒。而鲁镇的酒店的格局,"都是当街一个曲尺形的大柜台,柜里面预备着热水,可以随时温酒。"很显然,从这第一句看起来,鲁迅写时是有些尴尬了,难得把记忆里的形象一下子放到纸上来,结果乃说了半句不很有效果的话,"鲁镇的酒店的格局,是和别处不同的",这"别处"究竟何所指呢?我们把这一件小事指出来,也可算是一段佳话,足以说明新小说创业之艰难,决不是指《孔乙己》这一篇杰作的白璧微瑕。

我们在讲《药》的时候说过,外国小说形式在中国创作上出现《药》是第一次,《狂人日记》和《孔乙己》这两篇写在先,其叙事方法基本上还是照中国原有的。好比写人物说话,在《孔乙己》

里,还是同旧小说一样,先写说话者说或道么一句,再写所说的话。这件事亦足以表明,鲁迅对中国新小说的创造,是逐渐通过实践来的。在他写《狂人日记》和《孔乙己》的时候,还只采取了外国的提行分段和加标点符号两件事。提行分段和加标点符号这两件事,就足以使中国现代的文章和原来中国的文章大大地改变了面貌,增加了无数的方便。就写小说说,在中国旧小说里,从甲地写到乙地,免不了要插一句"一路无话";从今天写到明天,要插一句"当夜无话"。在新小说里便没有这些不自由的地方,因为可以提行分段,不需要的东西把它放在空白里去了。在这个新形式一开始的时候,《孔乙己》就做了最成功的典型,谁读着都觉得它新,谁读着又觉得它不太脱离旧格式了。(这个基础之上鲁迅乃又进一步创造《药》的完全新的形式!)我们看《孔乙己》的最后一段,这一段只是这么的一句:

我到现在终于没有见——大约孔乙己的确死了。

这是鲁迅给中国新文学创造的好句子,其所以好,是标点符号的作用。这又是鲁迅给中国新文学创造的新格式,其所以新,是提行分段的作用。因为提行分段的原故,这一句可以独立成军,而小说到此也就完了,因为故事分明完了。在鲁迅以前,中国确实没有这样的文章的。这样的文章在中国一开始出现,不但令人信服新体裁的合用,而且信服新体裁之美。

我们在讲《药》的时候又说过,鲁迅小说用了外国形式而格外显得是中国的作品,是他善于选择他的时代里的中国生活。满口之乎者也的孔乙己的生活当然都是中国式的,而孔乙己这个名字难为他选择,这么一个姓孔的在这里是天下无双的好了,是旧时代中国教育一个大大的讽刺。对没有写过描红纸的今日的青年人说,当然有些不懂,需要注解。对旧时代的小孩子说,孔乙己真像个老朋友似的,谁都熟悉,谁都奇怪,不知道为什么要写这么三个字。我们认为鲁迅的这一篇小说的主人公的名字——孔乙己,就表现着鲁迅的艺术特点,它有典型作用,其个性又非常之强,吸引人。

小说作者常常喜欢用"我"来介绍所要写的人物故事,这当然有好处,容易写得亲切,但这种写法对人物故事的发展又很容易有限制,有时简直起妨碍作用。常见一些小说,它不是写"我",是用"我"来介绍人物故事,仿佛是作者亲见的一样,写到当中,有许多事情,"我"不在场,也没有人告诉他,那么你怎么知道的呢?读者禁不住要问作者。这样,读者对你所说的故事的真实性就怀疑了。所以一般的小说里的"我",简直以取消为好。有人或者说,鲁迅的《祝福》不也是以"我"来介绍祥林嫂的吗?其实祥林嫂的整个的故事不是由"我"介绍的,作者只是见证了祥林嫂的死。在叙述祥林嫂的故事的时候,鲁迅首先加了一句:"然而先前所见所闻的她的半生事迹的断片,至此也联成一片了。"所以祥林嫂的故事还是不能不抛开"我"来叙述的。这所谓"我",就是作者自己。有的小说里的"我",却不是代表作者自己,是作者假借一个"我"的口来说故事,这样故事更能说得自然,人物更能写得真实,孔乙己的故事鲁迅借一个小伙计的口来叙述是一个好例子。这个方法也是鲁迅从外国文学学来的,在中国以前的文学里没有通过小孩子的心理来描写人物的。鲁迅的小说把科举时代的不幸的人物给我们写了两个,孔乙己和《白光》里的陈士成,我们认为孔乙己的形象真能够不朽,与口说孔乙己的小伙计很有关系。把话又说回来,就是说,小说的人物故事有时由一个人在那里叙述比纯粹的描写给读者的印象要深些。纯粹的描写有时真显得技穷。我们就举《白光》里面的例子。当夜深陈士成决定要到山里去挖银子的时候,小说有下面一段的描写:

> 他决定的想,惨然的奔出去了。几回的开门声之后,门里面便再不闻一些声息。灯火结了大灯花照着空屋和坑洞,毕毕剥剥的炸了几声之后,便渐渐的缩小以至于无有,那是残油已经烧尽了。

读者读到这里便不免停顿一下,觉得这里是小说的作者故意描写,并不是真有其事,因为陈士成家里并没有别的人,有谁在那是听他开门的声音而且留心"门里面便再不闻一些声息"呢?读者并不是要求小说所写的要真有其事,要亲见亲闻,中国的章回小说便是由一个说话人在那里假装闻见,有声有色,说到"说时迟,那时快",读者(也就是听者)非常满意。而新小说,如鲁迅的《白光》的描写,明明是近代的现实主义,读者反而觉出破绽来了。这就是我们所说的技穷。孔乙己的时代已经过去了,而孔乙己的形象真够活着,却是鲁迅从外国小说里学来的一种"说话"的手法。这样地用"我"来叙述人物故事,是由作者选择一个另外最相宜的人物来,在《孔乙己》里是一个酒店的小伙计。当然,这样的写法,又每每限于写短故事。我们的这段话,说得有些复杂,牵涉到好些技巧问题,主要的意思是感于有些作家用

"我"来介绍故事没有得到窍门,"我"成了多余的人,不如《孔乙己》里的小伙计有其必要,而且可爱,没有他孔乙己就写不好了。

以上是讲《孔乙己》这篇小说我们认为应该先提出来谈谈的几件事情,好像都是技巧上的琐事,然而足以见鲁迅开始创作新的小说时的匠心,提出来或能对读者有助。

下面我们分析这篇小说的全文。共是十三段。

第一段,叙酒店。不是指咸亨一家,包括鲁镇的酒店,咸亨当然在内。把酒店的货色,价钱,顾客,首先都交代了,后文的有些事情读着便不唐突,如第四段孔乙己对柜里说,"'温两碗酒,要一碟茴香豆。'便排出九文大钱。"因为读者从第一段已经知道了酒是四文钱一碗,茴香豆是一文钱一碟,所以对此"排出九文大钱"便懂得了。尤其是第四段第一句写孔乙己的出场写得非常有神气:"孔乙己是站着喝酒而穿长衫的唯一的人。"如果不是第一段把长衫主顾,短衣主顾,前者坐着喝酒,后者站着喝,都一一写过了,孔乙己的出场便难得这样有效。现在是何等地有效!在写人物的时候,只能刻划形象,不能多解释细节的所以然,要让读者懂得细节的真实,就靠作者在故事的篇幅里有适当的安排。《孔乙己》的第一段真是适当的安排。还有一件事情须得点明,鲁迅对于"阔绰"向来是讽刺的,这里对于"要酒要菜,慢慢地坐喝"的人也就不屑于多写,要写一句是因为他们穿长衫的原故,因为孔乙己也穿长衫。

第二段的开始又真值得学习,小伙计从这里才介绍出来,"我从十二岁起,便在镇口的咸亨酒店里当伙计"。其实第一段的话也是他说的,不能说是作者的口气。在不会写的人,很可能在第一段一开始就说"我从十二岁起,便在……"这样文章便很不轻便了，小伙计在那里反而无所措手足似的，读者并不需要他。到了第二段一开始读者真是需要他，因为鲁镇的酒店的情形读者已大致明白了，咸亨这一家的小伙计再说些什么读者很乐意听。于是鲁迅就请他替我们"描写社会上的或一种生活"，我们觉得格式很特别。

鲁迅的小说确乎不是写"阔绰"的。有趣的是，对于第一段所说的"隔壁的房子里，要酒要菜，慢慢地坐喝"的人怎么丢开呢？小说里这么写："掌柜说，样子太傻，怕侍候不了长衫主顾，就在外面做点事罢。"这就是鲁迅的语言风格，就是讽刺。把长衫主顾丢开了，就写"靠柜外站着，热热的喝了休息"的做工的人。其实鲁迅也不是为得写他们，是为得要写孔乙己。把他们写几句就写得非常亲切："外面的短衣主顾，虽然容易说话，但唠唠叨叨缠夹不清的也很不少。他们往往要亲眼看着黄酒从坛子里舀出，看过壶子底里有水没有，又亲看将壶子放在热水里，然后放心：在这严重监督之下，羼水也很为难。"不多的文字却是个性洋溢，"容易说话"固然是做工的人的朴质，"唠唠叨叨"也是他们的朴质，他们就是怕好容易喝得热酒而酒羼水！这里也充分地表现鲁迅的语言风格，也有讽刺，但讽刺的是"羼水"，不是喝酒人的"严重监督"，作者倒确实欣赏这个监督。更有趣的是，作者的笔下的这个可爱的小伙计是不能干羼水的丢人的事的，作者又故意用"羼水也很为难"这一笔把事情撇开了。所以接着就写："所以过了几天，掌柜又说我干不了这事。幸亏荐头的情面大，辞退不得，便改为专管温酒的一种无聊职务了。"写小伙计温酒本来是为得下面介绍孔乙己，而在旧社会里，生活复杂，小伙计温酒这一件小差事也不能随便得来的，要自己干不了坏事，也还要"荐头的情面大"。鲁迅写时本来是任笔挥写,因为社会生活都在他的腹稿里,我们生长在旧时代的人同鲁迅是莫逆于心,读起来自然有趣,对新时代的青年读者则确实要费一些解释。就是这里"无聊职务"的"无聊"二字我们读着也有生命,不是无意义的词汇,因为在旧社会里,凡属"职务",都是坏人做的,咸亨小伙计只好专管温酒了。所以这里的"无聊"二字,也是鲁迅的讽刺,呆着做无聊的事情倒还是有出息的人。

第三段,"虽然没有什么失职,但总觉有些单调,有些无聊",也是鲁迅的讽刺的风格,很可能像鲁迅自己这样正直的人,当时干的就是衙门里的"无聊职务",终日就处于这种心理状况之下。"掌柜是一副凶脸孔",是主要的一句。"主顾也没有好声气",是随带着写的。"教人活泼不得",这六个字我们认为是鲁迅替旧时代的儿童诉苦,也是鲁迅自己儿童时精神的挣扎,要活泼,而教人活泼不得。反而只有像孔乙己这样的人可以与儿童为友,(其余都是凶脸孔!)儿童见了他才可以笑几声,感觉到生活的活泼!这说明旧时代、旧社会的生活是什么生活呵,而实际情况确实如此。我们在旧社会里长大的人都有"只有孔乙己到店,才可以笑几声,所以至今还记得"一类的事情。实际鲁迅的《孔乙己》正是鲁迅写他自己儿时的闻见,打扮一个小伙计来说话罢了,所说的小伙计的心理,都是鲁迅自己做小孩时的心理。周遐寿在《鲁迅小说里的人物》里面说,"在小时候几乎每日都去咸亨,闲立呆看",是可以供我们的参考的。总之在第一段、第二段作了一些关于酒店的细节的描写之后,到这第三段便把孔乙己引到店里来了,往下才是孔乙己的形象。

我们已经介绍过鲁迅叙述阿Q的故事的方法,鲁迅对孔乙己的叙述也是一样,先是总的叙述,把人物的生活、性格说得很有一些眉目了,然后再把故事限在一个具体的时间里说下去。《阿Q正传》在第三章里交代了"阿Q此后倒得意了许多年"之后,往下便是"有一年的春天"的事情,直写到这一年的秋天。在《孔乙己》里,四段到八段,已经很巧妙地写了孔乙己,第九段乃以一句作一个总结:"孔乙己是这样的使人快活,可是没有他,别人也便这么过。"这一句就相当于《阿Q正传》里"阿Q此后倒得意了许多年。"从第十段起乃从"大约是中年〔秋〕前的两三天"写到第二年的端午,"再到年关也没有看见他"。最后乃这么结束故事:"我到现在终于没有见——大约孔乙己的确死了。"在这里我们顺便提一提《孔乙己》的结构,《孔乙己》这篇小故事之所以写得很成功,与它的结构的自然也是分不开的。

第四段到第八段的层次也是我们应该注意的,因为描写得非常自然的东西每每令读者忘记它的层次,实在是它的层次好。第四段从喝酒人对话中写出了孔乙己偷书,第五段写他为什么做偷窃的事,而第五段是插叙的方式,第四段的故事还只刚刚看见孔乙己排出九文大钱买酒,所以第六段便接着写"孔乙己喝过半碗酒,涨红的脸色渐渐复了原",又把第四段里"孔乙己原来也读过书,但终于没有进学"的叙述作了必要的形象的刻划。第四段的结句是:"店内外充满了快活的空气。"第六段的结句也便重复着这么一句:"店内外充满了快活的空气。"这样能把小说的讽刺的空气紧紧包围读者,不是为叙述而叙述。(鲁迅在他的小说里作叙述时常常这样用重复的句了,如《阿Q正传》里写酒店里的人看阿Q拧尼姑而大笑,两处都是"酒店里的人大笑了"八个字,一字不换。)第七段才写孔乙己与小伙计的直接的关系。第八段又把孔乙己与一个小孩的关系推广到一般小孩,至此孔乙己的形象可说已完全刻划出来了,而孔乙己的故事没有完。

在第四段里,有孔乙己同人争辩的话:"窃书不能算偷……窃书!……读书人的事,能算偷么?"这当然是刻划孔乙己的形象,这些争辩的话恰恰是孔乙己的声口,而鲁迅在这里也是讽刺读书人的精神胜利法的。明明是偷东西,而要用一个"窃"字,因为偷的是读书人的"书",所以依然是读书人的事,——能算偷么?鲁迅对孔乙己的偷书似乎没有什么讽刺,反而有些同情,所以第五段里有"孔乙己没有法,便不免偶然做些偷窃的事"的话,而同时确是通过刻划孔乙己的形象(不是借孔乙己的口!)讽刺读书人。孔乙己的形象实在是好。鲁迅的讽刺也实在是好。"接连便是难懂的话,什么'君子固穷',什么'者乎'之类,引得众人都哄笑起来",确乎是酒店的空气,确乎是孔乙己的形象,也确乎是鲁迅的讽刺。鲁迅是讽刺"君子固穷"的。这四个字出之于孔夫子之口,鲁迅是不相信的。这里的孔乙己的形象把这句话讽刺得极有风趣,所以引得众人都哄笑起来。众人虽然觉得"难懂",确实好笑。

我们注意第五段里这样的叙述:"但他在我们店里,品行却比别人都好,就是从不拖欠;虽然间或没有现钱,暂时记在粉板上,但不出一月,定然还清,从粉板上拭去了孔乙己的名字。"现在的青年人恐怕不懂得粉板是个什么东西,大家都看惯了黑板。在旧社会里长大的人,他们在小孩时上了学,到酒店或小杂货店里去玩,就注意店里挂着的粉板,在这光光的小白板儿上面写字,可以抹得掉,比起自己在学房里写字要活泼得多。其实也只是羡慕别人写,因为知道这是掌柜记帐乱用不得的东西。(学校制度兴起后,由私塾而进学校的小孩子又注意黑板,又羡慕这只有老师能写。)我们推想这个粉板对鲁迅的印象很深,所以在孔乙己的故事里它起了很好的作用。"从粉板上拭去了孔乙己的名字",今日青年读着不知道怎么样,在五四当时确实替许多人开了写作的窍门,无论从表现方法上说,无论从观察生活的角度说。在旧小说里写还帐就写"还了帐",对细节很少有能够描写的,而细节的描写有时确很有必要,正像戏剧的动作一样,"从粉板上拭去了孔乙己的名字"是一个好例子,是鲁迅从外国文学里学来的。

到了第七段、第八段才见小说家写人物的本领,没有这个本领则任何好结构,好层次,好叙述,都是不能打动人的。可以说这个本领最难,就是要给读者一个人物的形象,永远不忘记。第七段,写孔乙己,也写了小伙计。在旧社会里,做小伙计的都是不能笑的,(其实不但做小伙计,做小学生的也不能笑!)只有孔乙己来了,"我可以附和着笑,掌柜是决不责备的。"所以这个"附和着笑"确实表现着"附和着笑"的渴望,不是一句闲话。下面写孔乙己同小伙计说话真是写得好:"有一回对我说道,'你读过书么?'我略略点一点头。他说,'读过书,……我便考你一考。茴香豆的茴字,怎么写的?'我想,讨饭一样的人,也配考过〔我〕么?便回过脸去,不再理会。"在封建时代,读书和过考这两件事支配了一切人的意识,所以孔乙己便这样问一个小孩子,而他拿一个"草头底下一个来回的回字"来问这个小孩子,又正显得孔乙己懂得酒店小伙计的心理,善于考试,善于打破沉闷的空气,极见孔乙己有可爱之处。当最初孔乙己问他读过书么,小伙计"略略点一点头",这几个字的动作真是当时的小伙计,因为他不敢多说话,更不敢大声说话。接着孔乙己考他,就写出他当时的思想,而他的动作是"便回过脸去,不再理会",是写他不敢多有所动作,就是小孩子不敢活泼。而孔乙己在这个时候活泼极了,真是一幅畸形的社会的写照。罪恶分明不在这两个人物身上,是这个社会。下面指出孔乙己热心,高兴,叹气,惋惜,毫不虚伪,真是小孩子的好朋友、好教师似的,但这样的生活太滑稽,小孩子没有别的好朋友、好教师了。小伙计"努着嘴走远",这几个字的动作又真是当时的小伙计,他不能有别的表情,实在他同孔乙己是很亲热的,他的生活太无活动的余地了。接着第八段就写孔乙己招来了许多小孩,鲁迅是同情孔乙己的,在封建社会里没有人能够像孔乙己这样爱小孩。小孩们"围住了孔乙己","他便给他们茴香豆吃,一人一颗。孩子吃完豆,仍然不散,眼睛都望着碟子。孔乙己着了慌,伸开五指(这里有他的两个指头的长指甲!)将碟子罩住,弯腰下去(他身材高!)说道,'不多了,我已经不多了。'直起身又看一看豆,自己摇头说,'不多不多!多乎哉?不多也。'"这是满口之乎者也的具体的形象。在这里并不显得是讽刺孔夫子(因为孔子曾说了"君子多乎哉?不多也"的话),只是把孔乙己的形象刻划得真实、生动,小孩子们也懂得之乎者也的可笑。

　　孔乙己的形象在七段和八段里确实可以说完全写给读者了,第九段乃有力量以一句话总结前文。

　　从第十段起,当然还是孔乙己的形象,但作者在这里不是写孔乙己的性格,而是写他的命运。"有一天,大约是中秋前的两三天,掌柜正在慢慢的结帐,取下粉板,忽然说,'孔乙己长久没有来了。还欠十九个钱呢?'"这里的掌柜的形象非常真实,他是到了中秋节慢慢地在那里结帐,而他忽然看见粉板上孔乙己的名下还欠十九个钱,乃不觉失声地说着孔乙己长久没有来。这时小伙计当然在场,掌柜的形象正是通过小伙计的口中写出来的,所以小伙计也忽然记起孔乙己,"我才也觉得他的确长久没有来了。"写小说,在故事的转折的时候,最不容易写,鲁迅在这种地方最会用一枝奇兵,来得出乎读者的意外,就是所谓语不惊人死不休,如《阿Q正传》里读者本来以为是要写阿Q进城,而鲁迅的笔下乃是"人们都惊异,说是阿Q回来了,于是又回上去想道,他先前那里去了呢?"我们在讲《阿Q正传》的时候已经讲过。《孔乙己》的第十段是同样的巧妙。故事写到这里,本来是要说明孔乙己打折了腿,以及为什么打折了腿,如果就这样平铺直叙地告诉读者,那就不能叫做引人入胜。鲁迅在这里利用掌柜中秋结帐,尤其是把记帐的粉板利用得好,因为孔乙己的名字记在这上面,从而把掌柜的形象也刻划给我们,我们不以为鲁迅是要告诉我们孔乙己打折了腿了,我们的面前是艺术的形象。于一副掌柜的面孔之外,也有寂寞的小伙计的形象,他看见——看见掌柜结帐,他听见——听见掌柜说孔乙己长久没有来,他又记起——记起孔乙己的确长久没有来。更有一个喝酒的人的形象,是他说孔乙己打折了腿了。更有丁举人的形象,孔乙己是偷了他家的东西了,"他家的东西,偷得的么?""后来怎么样?""怎么样? 先写服辩,后来是打,打了大半夜,再打折了腿。""后来呢?"这三个字,一个问号,掌柜的形象突出,他是在那里算帐,他的语言无意义。"后来打折了腿了。"这一句重复的答话又真真是那一个喝酒的人的形象,在那个社会里有许多话就是重复着,没有别的法子可说。"打折了怎样呢?"又是掌柜问,他的语言无意义,他在那里算帐。"怎样?……谁晓得?许是死了。"喝酒人的这一句话确是有点意义,孔乙己死了,或者没有死,本来不在话下的。所以鲁迅接着写一句:"掌柜也不再问,仍然慢慢的算他的帐。"我们分析了这么多,就故事的结构说这一段只是叙明孔乙己打折了腿。

第十一段写一个折了腿用手走路再进咸亨喝酒的孔乙己,显得新小说的刻划作用比起旧小说来要用力得多,旧小说有时嫌笼统。这一段又格外显得小说的长处,小说不像戏剧依靠表演,它依靠语言,而语言所描写的范围有时还超过舞台上的动作。《孔乙己》的第十一段真是证明。我们没有别的法子,只有抄鲁迅的原文:

中秋过后,秋风是一天凉比一天,看看将近初冬;我整天的靠着火,也须穿上棉袄了。一天的下午,没有一个顾客,我正合了眼坐着。忽然间听得一个声音,"温一碗酒。"这声音极低,却很耳熟。(像这种靠语言的描写所给读者的效果,恐不是舞台上的表演所能给观众的。)站起来向外一望。(这正是舞台上的动作。)那孔乙己便在柜台下对了门槛坐着。(孔乙己在小说里这样出现给读者,恐怕比舞台上的人物出现给观众要显得作用大得多。)他脸上黑而且瘦,已经不成样子;(已经不成样子,是极平常的语言,在这里是最好的语言,表现了极重的感情!)穿一件破夹袄,盘着两腿,下面垫一个蒲包,用草绳在肩上挂住;见了我,又说道,"温一碗酒。"掌柜也伸出头去,一面说,"孔乙己么?你还欠十九个钱呢！"……

这个伸出头说话的形象真是掌柜，在舞台上也可以把他表演得出来的。如以前所写的，当他听见人说孔乙己许是死了，他还欠他十九个钱，"掌柜也不再问，仍然慢慢的算他的帐。"读者以为他丢了这一笔帐吧，实在他的动作总是慢慢的，他的经验大得很，到这时，他伸出头去，一见面就说："孔乙己么？你还欠十九个钱呢！"

我们还是接着读十一段最后的描写：

> ……我温了酒，端出去，放在门槛上。他从破衣袋里摸出四文大钱，放在我手里，见他满手是泥，原来他便用这手走来的。不一会，他喝完酒，便又在旁人的说笑声中，坐着用这手慢慢走去了。

小说的描写常常比戏剧的动作反而显得直接，像这里"原来他便用这手走来的"，"坐着用这手慢慢走去了"，给读者多么深刻的感性认识呵！

第十二段又是多么美丽的语言，亲切的叙述，生动的形象（掌柜的），我们舍不得不抄下来：

> 自此以后，又长久没有看见孔乙己。到了年关，掌柜取下粉板说，"孔乙己还欠十几个钱呢！"到第二年的端午，又说"孔乙己还欠十九个钱呢！"到中秋可是没有说，再到年关也没有看见他。

到第二年中秋掌柜已从粉板上将孔乙己的名字拭去了，所以他不再说话。小说写到这里本来就是结束孔乙己的故事，孔乙己的故事孔乙己自己结束了，就是他在这个没落的社会里死亡了，但从小说的技巧上说无须多此一举，只从小伙计口里说一句"再到年关也没有看见他"便可以。但这样到底不像小说写完了，所以最后加一段：

我到现在终于没有见——大约孔乙己的确死了。

这一段非常之见鲁迅的艺术风格，也见他的语言特点。鲁迅的艺术风格每每表现于他对事实的逻辑要求，即如这里，如果说"我到现在终于没有见孔乙己"，那么孔乙己死了你怎么用一个"见"字呢？所以连忙用一个破折号，表示此字不能用，同时就表现说这话人的心理作用，再加上破折号后面的句子就成功一个好风格。本来是说孔乙己的确死了，而又加"大约"二字，鲁迅的语言每每如此，也极合乎逻辑，又表现鲁迅的讽刺。

读"论阿 Q"[①]

当何其芳同志的《论阿 Q》在报上刊出的时候,我是先睹为快。因为对阿 Q 这个典型问题我也颇费了一些思考,很想得到同志们的互相印证。读完了《论阿 Q》之后,却令我感得困惑,仿佛这个问题不容易一下子解决似的,——果真是这么一件难事吗?我又觉得不如此。然而我的求得问题解决的兴致确实给打断了。今天我的思想又开朗了一些,关于阿 Q 这个典型问题。因为自己的思想开朗的原故,乃认识到何其芳同志的论阿 Q,用一句老话,是"大道以多歧亡羊"。

何其芳同志这篇文章的最大的缺点是把鲁迅的小说神圣化了,虽然文章里也说到鲁迅把阿 Q 精神当作国民性"这自然是不妥当的",对小说的某些叙述也说"我们觉得小有不安而已",实在他不是从这些地方去分析鲁迅当时的局限性,只是面面俱到,说说而已。把《阿 Q 正传》当作百效药,随时有教育意义,收到客观效果,到今天还可以同我们的批评与自我批评联系起来,这倒是何其芳同志《论阿 Q》的主要倾向。这就有些同旧日窗下作课题一样,老师的题目永远是正确的,只是作文章的人不容易

[①] 手稿,署名冯文炳。

达到圆满,也就是对题目的解释难得正确罢了。鲁迅的《阿Q正传》是一篇文艺作品,不能那样神秘地看待。我们现在是运用马克思主义的文艺理论来分析、研究一切的文艺作品,分析、研究鲁迅的杰作《阿Q正传》正是对我们最好的训练,也正是伟大的鲁迅的考验,因为如列宁说的,"如果站在我们面前的是一位真正的伟大艺术家,那么他至少应当在自己的作品里反映出革命的某些本质的方面来。"

鲁迅不但是伟大的作家,他又是思想家,他又是革命战士,而他最初不是马克思主义者。作家鲁迅所创造的阿Q这一个典型,把作者本人具有的这些特点都反映出来了,我们如果不学习马克思主义就不能说出所以然来。所以《阿Q正传》的研究也是对我们自己的考验。在过去,我们就不懂得阿Q为什么要做起革命党来;在过去,《阿Q正传》的客观效果是使得一般读者由阿Q的形象而认识阿Q主义是可耻的东西。现在我们懂得阿Q要做革命党是中国农民要参加革命,是客观的反映;《阿Q正传》的一般读者当中不包括劳动人民,作者本来就告诉了我们,"我的方法是在使读者摸不着写自己以外的谁",——从这句话里,鲁迅想到不识字的农民吗？当然没想到,可见可耻的阿Q主义确乎是作者本阶级的东西。何其芳同志在《论阿Q》里也引证了历史说明清朝的统治阶级和民初的知识分子的阿Q主义。农民的阿Q主义,何其芳同志却举不出例证来,只好依据小说里阿Q的形象说农民也讳"癞",其实这是不尽然的,农民没有这么多的忌讳,他可以当面向你抓他头上的痒处。他最懂得物质胜利,你给他"精神胜利"他知道你是骗他。鲁迅本来是不要读者"变成旁观者","由此开出反省的道路",既然是"读者",当然不包括不识字的农民,应是作者的本阶级,换句话说从观点上鲁迅对本阶级还是存有希望的,而在实践当中,在《阿Q正传》里,是"憎恶这熟识的本阶级,毫不可惜它的溃灭"!——鲁迅对赵太爷、赵秀才、假洋鬼子的形象不是如此吗?这就表现鲁迅立场的伟大!所以鲁迅于现实主义的胜利(这一点是恩格斯称赞巴尔扎克的)之外,又表现了他的人民的立场;因为是现实主义,所以他反映了农民要参加革命。我的这些话虽然说得极其简单,但我体会到马克思主义是生动的,是具体的,我们运用它分析文学作品能给我们以亲切的教育,我们还等待什么呢?恩格斯之于巴尔扎克,列宁之于托尔斯泰,是我们的榜样。何其芳同志的《论阿Q》,有些学究气,也有些道德家的道貌岸然,不够生动活泼,从这里也就不能给人以教育。

"阿 Q 正传"[①]

一、鲁迅是在什么思想情况之下写"阿 Q 正传"的?

要分析《阿 Q 正传》,我们认为首先要研究这一个问题,就是,鲁迅是在什么思想情况之下写《阿 Q 正传》的?研究这一个问题,鲁迅自己的话可以做我们的钥匙。当《戏》周刊编《阿 Q》剧本的时候,鲁迅有《答〈戏〉周刊编者信》,其中说:"果戈里作《巡按使》,使演员直接对看客道:'你们笑自己!'(奇怪的是中国的译本,却将这极要紧的一句删去了。)我的方法是在使读者摸不着在写自己以外的谁,一下子就推诿掉,变成旁观者,而疑心到象是写自己,又象是写一切人,由此开出反省的道路。但我看历来的批评家,是没有一个注意到这一点的。"我们应该注意这一点,这一点说明鲁迅写《阿 Q 正传》是要求读者反省。既然是"读者",在那时当然不包括劳动人民在内,那时的劳动人民大都不识字,谈不上读《阿 Q 正传》这样的小说的。反省又当然是反省《阿 Q 正传》里面所写的读者称之为阿 Q 主义的东西,首先是

[①] 载《东北人民大学人文科学学报》1957 年 10 月第 2、3 期合刊,署名冯文炳。另有"东北人民大学人文科学委员会 1957 年 6 月 20 日印"打印本,署名冯文炳。据刊本排印。

有名的精神胜利法。那么很明显，鲁迅写《阿Q正传》，是针对他的本阶级的读者写的，他向他的本阶级的人讽刺阿Q主义，他的思想里并没有什么农民不农民的问题。正因为这个原故，阿Q主义在他前前后后写的杂文里反映得也不少，不是旧日的统治者一流人的表现，就是旧知识分子的表现。总的说来，鲁迅写《阿Q正传》时的思想情况就是如此。在《且介亭杂文二集》里有一篇《几乎无事的悲剧》，是关于果戈里的《死魂灵》写的，最后一段云："听说果戈里的那些所谓'含泪的微笑'，在他本土，现在已经无用了，来替代它的有了健康的笑。但在别地方，也依然有用，因为其中还藏着许多活人的影子。况且健康的笑，在被笑的一方面是悲哀的，所以果戈里的'含泪的微笑'，倘传到了和作者地位不同的读者的脸上，也就成为健康：这是《死魂灵》的伟大处，也正是作者的悲哀处。"鲁迅同果戈里不完全一样，把鲁迅分析得最正确的还是他自己后来的话，"原先是憎恶这熟识的本阶级，毫不可惜它的溃灭"，(《二心集》序言)这就表示鲁迅不同乎果戈里"含泪的微笑"，然而两位作家的小说的目的是一样，都是针对着本阶级说话，所以鲁迅在这里对于《死魂灵》的评语，到了新中国今天，恰可以用在鲁迅的杰作《阿Q正传》上面："这是《阿Q正传》的伟大处，也正是作者的悲哀处。"我们认为我们这样说，是能够道出鲁迅写《阿Q正传》时的思想感情的。我们已是"和作者地位不同的读者"，阿Q时代的中国社会已经彻底地推翻了，正同鲁迅对果戈里的话是在苏联的存在和成功时说的。总之从我们今天新时代的读者说，鲁迅写《阿Q正传》时的思想感情，是属于旧时代的，然而是健康的。

鲁迅所写的阿Q却是一个雇农。虽然如此，鲁迅对士大夫阶级的讽刺从他笔下的阿Q的身上还是可以找出显明的痕迹来。这真有些象故事上的孙悟空变化土地庙,把旗竿竖在后面,旁人还是看得出的。我们且把《阿Q正传》上面这些痕迹指出来。如第四章开首一段：

> 有人说：有些胜利者,愿意敌手如虎,如鹰,他才感得胜利的欢喜；假使如羊,如小鸡,他便反觉得胜利的无聊。又有些胜利者,当克服一切之后,看见死的死了,降的降了,"臣诚惶诚恐死罪死罪",他于是没有了敌人,没有了对手,没有了朋友,只有自己在上,一个,孤另另,凄凉,寂寞,便反而感到了胜利的悲哀。然而我们的阿Q却没有这样乏,他是永远得意的：这或者也是中国精神文明冠于全球的一个证据了。

这是讽刺当时某些知识分子总是自夸中国的"精神文明"。又如第四章里因了小尼姑的"断子绝孙的阿Q"这一句话,写了这么一段：

> 阿Q的耳朵里又听到这句话。他想：不错,应该有一个女人,断子绝孙便没有人供一碗饭,……应该有一个女人。夫"不孝有三无后为大",而"若敖之鬼馁而",也是一件人生的大哀,所以他那思想,其实是样样合于圣经贤传的,只可惜后来有些"不能收其放心"了。

这分明是讽刺圣经贤传。又如第四章里下面的三段：

中国的男人,本来大半都可以做圣贤,可惜全被女人毁掉了。商是妲己闹亡的;周是褒姒弄坏的;秦……虽然史无明文,我们也假定他因为女人,大约未必十分错;而董卓可是的确给貂蝉害死了。

阿Q本来也是正人,我们虽然不知道他曾蒙什么明师指授过,但他对于"男女之大防"却历来非常严;也很有排斥异端——如小尼姑及假洋鬼子之类——的正气。……

谁知道他将到"而立"之年,竟被小尼姑害得飘飘然了。这飘飘然的精神,在礼教上是不应该有的,……

所有这里面的圣贤,商周,男女之大防,排斥异端,"而立"之年等等,都是士大夫阶级的玩意儿,鲁迅明明是假阿Q之名加以讽刺。其他如"也如孔庙里的太牢一般,虽然与猪羊一样,同是畜生,但既经圣人下箸,先儒们便不敢妄动了",又如村人对于阿Q,"谁料他不过是一个不敢再偷的偷儿呢?这实在是'斯亦不足畏也矣'。"都很象是孔乙己传里的话,而现在都见之于贫雇农阿Q的传。

以上是说明鲁迅写《阿Q正传》是存心讽刺他的本阶级因而在小说里留下了许多痕迹。

还有一个痕迹,鲁迅心目中常常有"中国人"的形象,其突出之点是爱看死刑的执行,所以《阿Q正传》里最后也写阿Q赴刑场有蚂蚁似的人跟着看,——不过阿Q主义的这一项表现不能表现在阿Q身上,因为是阿Q自己被枪毙,但鲁迅也一定要把它放在《阿Q正传》里面，仿佛是阿Q做的事似的！我们说痕迹，是说鲁迅写《阿Q正传》时的思想感情在《阿Q正传》里我们还可以寻得一些痕迹出来。从最后的这个痕迹看，鲁迅是写城市里的市民，是他的人道主义思想的表现，在《阿Q正传》里是附带写的。

　　根据上面所说，鲁迅写《阿Q正传》时的思想感情，主要是写给本阶级的人看的，"由此开出反省的道路"。鲁迅当时并没有想到农民不农民的问题，虽然他写的阿Q是一个雇农。现在有许多研究《阿Q正传》的人，总是说《阿Q正传》所表现的阿Q主义是旧日中国各阶级的人都有的，好比精神胜利法，农民也有，所以鲁迅才把它那么突出，我们认为这是一种不正确的说法，——鲁迅如果真正想到农民也有，为什么他能不想到工人也有呢？难道他那时惟独懂得工人阶级的进步性了吗？我们的研究者为什么也不那样说呢？可见他们是表面地看见鲁迅所写的阿Q这个小说人物是一个农民的原故。这样就不能认识鲁迅当时真正的思想感情。鲁迅当然也不是说他写的阿Q不足以代表农民，要说代表，因为他当时没有阶级观点的原故，他是写阿Q来代表一般的中国人，就是所谓"国民性"，最主要的还是士人，即作者的本阶级。鲁迅的思想比果戈里深远得多，鲁迅是革命战士，但鲁迅说给《死魂灵》的话，"这是《死魂灵》的伟大处，也正是作者的悲哀处"，也是我们今天说《阿Q正传》最恰当的话。伟大因为这篇小说足以为旧中国的典型，鲁迅当时有悲哀，而在新中国人民看起来仍应该是健康的讽刺。

　　照我们的意思，《阿Q正传》主要是讽刺士人，即作者的本阶级，那么鲁迅为什么不直接了当写这么一个士人呢？这是一个极其复杂的问题,我们将逐步解决。目下我们只简单地提出一点来说,鲁迅是想把他的小说人物写得生动,他心目中有阿Q这么一个影象,他认为足以写出他的主题思想,所以他就写他。小说是1921年写的,到1926年写《〈阿Q正传〉的成因》他说,"阿Q的影象,在我心目中似乎确已有了好几年"。在《寄〈戏〉周刊编者信》里答复别人"小D大约是小董罢?"他说,"并不是的。他叫'小同',大起来,和阿Q一样。"可见鲁迅心目中阿Q的影象是有一个真阿Q给他产生的。真阿Q,当然同《阿Q正传》里面的阿Q不完全一样,没有这个必要,但基本上同《寄〈戏〉周刊编者信》里面说的,"我的意见,以为阿Q该是三十岁左右,样子平平常常,有农民式的质朴,(愚蠢,)但也沾了些游手之徒的狡猾。在上海,从洋车夫和小车夫里面,恐怕可以找出他的影子来的,不过没有流氓样,也不象瘪三样",应该是相去不远的。鲁迅就根据这个阿Q的影象,"加以改造,或生发开去,到足以几乎完全发表我的意思为止",(《我怎么做起小说来》)结果就是《阿Q正传》。真阿Q虽然不是士人,但鲁迅取为模特儿,写一篇主要是讽刺作者本阶级的小说,是可能的,我们只看《热风》里"随感录"三十八讽刺"戊派的爱国论"(就是阿Q的精神胜利法)云:"戊云'中国便是野蛮的好,'又云:你说中国思想昏乱,那正是我民族所造成的事业的结晶。从祖先昏乱起,直要昏乱到子孙;从过去昏乱起,直要昏乱到未来。……(我们是四万(万)人,)你能把我们灭绝么?'这比'丁'更进一层,不去拖人下水,反以自己的丑恶骄人;至于口气的强硬,却很有《水浒传》中牛二的态度。"阿Q也无非等于牛二,所以《阿Q正传》主要是讽刺什么,作者是在什么思想感情下写的,我们认为是很明显的事情。

二、"阿Q正传"所反映的作者的人民的立场

我们说《阿Q正传》主要是作者讽刺他的本阶级,"由此开出反省的道路",又因为他心目中有阿Q这一个影象,他觉得把这个人物写出来足以说明他的意思,于是作者就为我们写了《阿Q正传》。我们现在就来开始分析《阿Q正传》罢。

我们的第一句话是:《阿Q正传》反映了鲁迅的伟大的人民的立场。难怪作者后来分析他自己说"原先是憎恶这熟识的本阶级,毫不可惜它的溃灭"!这话是鲁迅有了阶级觉悟以后对他自己的最正确的评语。但我们还应该插进来说一句,这话与让读者开反省的路的话究竟是否矛盾呢?不矛盾。中国的旧知识分子的彻底的反省就是知道中国封建社会一定要灭亡。所以《阿Q正传》就写辛亥革命。而辛亥革命后,"知县大老爷还是原官,不过改称了什么,而且举人老爷也做了什么——这些名目,未庄人都说不明白——官,带兵的也还是先前的老把总。"这就是说辛亥革命失败了,地主阶级继续当权。从《阿Q正传》人物的形象看,《阿Q正传》是绝无而仅有的辛亥革命时代中国社会的阶级斗争史,作者的立场是站在被压迫被剥削者阿Q这一方面的。每当描写阿Q遭受压迫和剥削时真是难得的同情文字。如果死记着鲁迅的小说《阿Q正传》是讽刺文学,究竟讽刺什么呢?我们认为这是我们读者自己的立场的考验。我们现在来看作者的立场是怎样站在阿Q这一方面。如小说第一章阿Q说他和赵太爷原来是本家,"那是赵太爷的儿子进了秀才的时

候,锣声镗镗的报到村里来,阿Q正喝了两碗黄酒,便手舞足蹈的说,这于他也很光采,因为他和赵太爷原来是本家,细细的排起来他还比秀才长三辈呢。其时几个旁听人倒也肃然的有些起敬了。那知道第二天,地保便叫阿Q到赵太爷家里去;太爷一见,满脸溅朱,喝道:

'阿Q,你这浑小子!你说我是你的本家么?'

阿Q不开口。

赵太爷愈看愈生气了,抢进几步说:'你敢胡说!我怎么会有你这样的本家?你姓赵么?'

阿Q不开口,想往后退了;赵太爷跳过去,给了他一个嘴巴。

'你怎么会姓赵——你那里配姓赵!'

阿Q并没有抗辩他确凿姓赵,只用手摸着左颊,和地保退出去了;外面又被地保训斥了一番,谢了地保二百文酒钱。"这写的是地主当权派及其爪牙压迫人民的历史。又如第二章写阿Q的"行状","阿Q没有家,住在未庄的土谷祠里;也没有固定的职业,只给人家做短工,割麦便割麦,舂米便舂米,撑船便撑船。工作略长久时,他也会住在临时主人的家里,但一完就走了。所以,人们忙碌的时候,也还记起阿Q来,然而记起的是做工,并不是'行状';一闲空,连阿Q都早忘却,更不必说'行状'了。只是有一回,有一个老头子颂扬说:'阿Q真能做!'这时阿Q赤着膊,懒洋洋的瘦伶仃的正在他面前,别人也摸不着这话是真心还是讥笑,然而阿Q很喜欢。"鲁迅对瘦伶仃的赤着膊的阿Q是真心的同情,"然而阿Q很喜欢",又是不应该的,——那么应该怎样呢?应该反抗!鲁迅明明是站在被剥削者的立场作叙述的。

我们再读第四章,阿Q在赵太爷家舂米,同赵太爷的女仆

发生"恋爱的悲剧",下面的叙述都是极精采的文章:

　　这一天,阿Q在赵太爷家里舂了一天米,吃过晚饭,便坐在厨房里吸旱烟。倘在别家,吃过晚饭本可以回去的了,但赵府上晚饭早,虽说定倒〔例〕不准掌灯,一吃完便睡觉,然而偶然也有一些例外:其一,是赵太〔大〕爷未进秀才的时候,准其点灯读文章;第二,便是阿Q来做短工的时候,准其点灯舂米。因为这一条例外,所以阿Q在动手舂米之前,还坐在厨房里吸旱烟。

　　吴妈,是赵太爷家里唯一的女仆,洗完了碗碟,也就在长凳上坐下了,而且和阿Q谈闲天:

　　"太太两天没有吃饭哩,因为老爷要买一个小的……"

　　"女人……吴妈……这小孤孀……"阿Q想。

　　"我们的少奶奶是八月里要生孩子了……"

　　"女人……"阿Q想。

　　阿Q放下烟管,站了起来。

　　"我们的少奶奶……"吴妈还唠叨说。

　　"我和你困觉,我和你困觉!"阿Q忽然抢上去,对伊跪下了。

　　一刹时中很寂然。

　　"阿呀!"吴妈楞了一息,突然发抖,大叫着往外跑,(且跑且嚷,)似乎后来带哭了。

　　阿Q对了墙壁跪着也发楞,于是两手扶着空板凳,慢慢的站起来,仿佛觉得有些糟。他这时确也有些忐忑了,慌张的将烟管插在裤带上,就想去舂米。蓬的一声,头上着了很粗的一下,他急忙回转身去,那秀才便拿了一支大竹杠站在他面前。

"你反了,……你这……"

大竹杠又向他劈下来了。阿Q两手去抱头,拍的正打在指节上,这可很有一些痛。他冲出厨房门,仿佛背上又着了一下似的。

"忘八蛋!"秀才在后面用了官话这样骂。

阿Q奔入舂米场,一个人站着,还觉得指头痛,还记得'忘八蛋',因为这话是未庄的乡下人从来不用,专是见过官府的阔人用的,所以格外怕,而印象也格外深。……

乡下人确乎是怕官话的,我们只看《离婚》那篇小说里所写的那么有强烈个性的爱姑只因七大人表演了一下子官态就吓坏了便可知道。阿Q又舂了一会米,"他热起来了,又歇了手脱衣服。"后来又出了事,他赤着膊逃回土谷祠,我们再读下面的极精采的文章:

阿Q坐了一会,皮肤有些起粟,他觉得冷了,因为虽在春季,而夜间颇有余寒,尚不宜于赤膊。他也记得布衫留在赵家,但倘若去取,又深怕秀才的竹杠。然而地保进来了。

"阿Q,你的妈妈的!你连赵家的用人都调戏起来,简直是造反。害得我晚上没有睡觉〔觉睡〕,你的妈妈的!"

如是云云的教训了一通,阿Q自然没有话。临末,因为在晚上,应该送地保加倍酒钱四百文,阿Q正没有现钱,便用一顶毡帽做抵押,并且订定了五条件:

一 明天用红烛——要一斤重的——一对,香一封,到赵府上去赔罪。

二 赵府上请道士袚除缢鬼,费用由阿Q负担。

三 阿Q从此不准踏进赵府的门槛。

四 吴妈此后倘有不测,惟阿Q是问。

五 阿Q不准再去索取工钱和布衫。

阿Q自然都答应了,可惜没有钱,辛〔幸〕而已经春天,棉被可以无用,便质了二千大钱,履行条约。赤膊磕头之后,居然还剩几文,他也不再赎毡〔毡〕帽,统统喝了酒了。但赵家也并不烧香点烛,因为太太拜佛的时候可以用,留着了。那破布衫是多〔大〕半做了少奶奶八月间生下来的孩子的衬尿布,那小半破烂的便都做了吴妈的鞋底。

所有这些文章,鲁迅都是站在阿Q的立场上来刻划地主阶级的,对阿Q只有同情,没有讽刺。这些文章都在第四章"恋爱的悲剧"里,这一章除了我们在这里引出来的篇幅之外,其余的也将近占篇幅的一半,那一半的篇幅都不是描写被压迫被剥削者阿Q同地主阶级对立的场面,因之对阿Q就有讽刺。所以鲁迅的立场是非常鲜明的。

在"大团圆"那一章里,写阿Q在大堂上下跪,好象对阿Q

有些讽刺,其实不是的,鲁迅对这个细节的描写真是深刻极了,历史上难得留下这样的好文章,老百姓就是怕官!而这个官的形象刚好是辛亥革命那年革命在县衙门里胜利了的官的形象!鲁迅前面写了阿Q格外怕专是见过官府的阔人用的"忘八蛋"这句官话,现在就写阿Q在大堂上见官,讽刺是讽刺当时的"民主",在官治之下老百姓是要下跪的,而新起的"民主"之下,老百姓又"站不住",又添了一层害怕。我们读鲁迅的文章:

> 他下半天便又被抓出栅栏门去了,到得大堂,上面坐着一个满头剃得精光的老头子。阿Q疑心他是和尚,但看见下面站着一排兵,两旁又站着十几个长衫人物,也有满头剃得精光象这老头子的,也有将一尺来长的头发披在背后象那假洋鬼子的,都是一脸横肉,怒目而视的看他;他便知道这人一定有些来历,膝关节立刻自然而然的宽松,便跪了下去了。
>
> "站着说!不要跪!"长衫人物都吆喝说。
>
> 阿Q虽然似乎懂得,但总觉得站不住,身不由己的蹲了下去,而且终于趁势改为跪下了。
>
> "奴隶性!……"长衫人物又鄙夷似的说,但也没有叫他起来。

阿Q的"趁势改为跪下",鲁迅写得多么悲愤呵!如果说鲁迅在这里对阿Q有讽刺,我们认为是不可容忍的说话。

鲁迅有时简直是当场怂恿阿Q似的,从这些地方我们真是感动于他的伟大的人民的立场,好比阿Q在"恋爱的悲剧"之后

没有工做,鲁迅写了下面的两段:

> 有一日很温和,微风拂拂的颇有些夏意了,阿 Q 却觉得寒冷起来,但这还可担当,第一倒是肚子饿。棉裤〔被〕,毡帽,布衫,早已没有了,其次就卖了棉袄;现在有裤子,却万不可脱的;有破夹袄,又除了送人做鞋底之外,决定卖不出钱。他早想在路上拾得一注钱,但至今还没有见;他想在自己的破屋里忽然寻到一注钱,慌张的四顾,但屋内是空虚而且了然。于是他决计出门求食去了。
>
> 他在路上走着要"求食",看见熟识的酒店,看见熟识的馒头,但他都走过了,不但没有暂停,而且并不想要。他所求的不是这类东西了;他求的是什么东西,他自己不知道。

伟大的鲁迅,他在这里是拿"熟识的馒头"来引诱阿 Q,阿 Q 应该求这类东西!

三、论阿 Q 这一个社会人

我们现在提出一个问题,从《阿 Q 正传》所写的未庄看,未庄是不是真象一个农村?阿 Q 是不是真象住在农村里的农民?实际研究起来,恐怕都不是的,未庄不真是一个农村,阿 Q 也不是道地的农民。这个问题,从鲁迅当时看来,本不成问题,他本不以为他是在这里写农民,他只是写阿 Q 这样一个人物罢了。

他把阿Q放在未庄里,是为得故事的方便计,好比写阿Q因失业而进城作偷儿,写赵家的遭抢,写阿Q的"大团圆",凡这些,把阿Q当着未庄的一个乡下人,都有好处。在《阿Q正传》里,因为布置了一个未庄与县城,写起来就自由得多,某些事情可以在未庄详写,某些事情可以在县城里详写。若就所写的事情说,凡属出现在未庄的,都可以出现在辛亥革命时代的县城里,简直可以说是县城里的事情的成分多,是乡村里的事情的成分少。在鲁迅的小说里,明明是城里的事情故意写作乡村,在别处也还有,如《狂人日记》里狼子村把人的心肝用油煎炒了吃,是指徐锡麟被吃的事,而徐锡麟被杀不是在乡村。总之《阿Q正传》里的未庄,是作者对他所熟悉的地方(当然就是绍兴城)取的一个代名词,同别的小说用鲁镇是一样的,只区别于不是写大都市的生活就是了,到底是乡村还是城镇,鲁迅认为是不必注意的。阿Q也就是他所熟悉的地方的一个阿Q,到底算不算得农民,有没有主要劳动,鲁迅也认为不必注意。

本来我们上面所说的话,如果根据周遐寿《鲁迅小说里的人物》,或乔峰《略讲关于鲁迅的事情》里面的一篇《阿Q时候的风俗人物一斑》,是没有再费言辞的必要的,连阿Q所住的土谷祠在旧日绍兴城内都有了着落。那些很好的材料,对我们极其有用,然而我们究不能把它作为原料来判断鲁迅的制造物,它只能是作者当时用的模型。我们要研究未庄是否真是农村,阿Q是否真是农民,还要看《阿Q正传》里面的描写,我们应该来作一番考察。

我们先看所写的未庄。在未庄里面有下面的几个特点,都不是农村所有的而是旧日一般城市里有的:

一、未庄闲人多。如阿Q在打骂敌不过人之后,就采用怒目主义,小说里面就有这一句:"未庄的闲人们便愈喜欢玩笑他。"又如坐在墙跟〔根〕日光下捉虱的王胡当然是一个闲人,阿Q与他并排坐下去,小说就这么写:"倘是别的闲人们,阿Q本不敢大意坐下去。"也无非表示这样的闲人多。其他如看打架就写"看的人们",听闲话就写"听的人都赧然了","听的人又都悚然而且欣然了"。

二、赌摊在未庄似乎是很普通的事,如写阿Q,"假使有钱,他便去押牌宝,一堆人蹲在地面上",仿佛随时可以有这一堆人似的,这却是城里的事,乡村里不大有。

三、典质在未庄似乎也是很普通的事。在发生"恋爱的悲剧"的晚上,"应该送地保加倍酒钱四百文,阿Q正没有现钱,便用一顶毡帽做抵押",这当然是向地保抵押,在乡村里也是可能的。但下面履行五项条约,阿Q没有钱,"幸而已经春天,棉被可以无用,便质了二千大钱,履行条约",这便不是乡村的生活情况,城市里才如此。

四、未庄有"逛街"的事。作者本来声明过,"未庄本不是大村镇,不多时便走尽了",但实际上阿Q常逛街,如"有一年的春天,他醉醺醺的在街上走"。又如"生计问题"那一章,"他起来之后,也仍旧在街上逛"。又如辛亥革命"他用一支竹筷将辫子盘在头顶上,迟疑多时,这才放胆的走去","他在街上走,人也看他",都是在城市里街上走路的形象。

其实就象这样的描写:"未庄本不是大村镇,不多时便走尽了。村外多是水田,满眼是新秧的嫩绿,夹着几个圆形的活动的黑点,便是耕田的农夫。"我们认为也只是字面上是"村外",所写的仍是城里人出城忽然看见水田满眼新秧的感觉。总之我们认为未庄就是绍兴城,所以鲁迅关于它的描写具有那时的府或县的城街的特点而不具有农村的特点。

再看阿Q是否真是农民。未庄既然不是农村,阿Q当然也就不是农民,虽然他是被剥削被压迫的。根据第二章里作者介绍阿Q的话:"阿Q没有家,住在未庄的土谷祠里;也没有固定的职业,只给人家做短工,割麦便割麦,舂米便舂米,撑船便撑船。"实际上《阿Q正传》里所写的是给人家舂米,割麦撑船只是作者写来做个陪衬而已。而给人家舂米,是那时象绍兴这种城街里做短工的唯一有得做的工作。即此一件事,就足以说明阿Q是城街里的雇工。鲁迅把割麦和撑船来作陪衬,是有分寸的,因为这都不是主要的事情,附带说说无妨,如果写出农村里一项主要劳动来,好比插秧,那就不能一笔带过,在《阿Q正传》里对这件事就应该有一定的篇幅。现在《阿Q正传》的主要的时间是从"有一年的春天"开始,第一件屈辱,第二件屈辱,对小尼姑的胜利,接着就是舂米,接着"生计问题",而接着就是阿Q从未庄奔赴静修庵,"未庄本不是大村镇,不多时便走尽了。村外多是水田,满眼是新秧的嫩绿,夹着几个圆形的活动的黑点,便是耕田的农夫。阿Q并不赏鉴这田家乐,却只是走,……"我们想,如果阿Q真是农民,鲁迅有意把他当作农民来描写,在这春夏之交农村里的重要时间,对插秧的事情他一点也没有关系吗?难道地主如赵太爷家在农村一点也没有雇工种田的事吗?地主家庭只雇工舂米,正是城街里的地主。所以阿Q也正是城街里的雇工。

还有,没有家而住在土谷祠里,也正是城街流浪人的特色。

四、论阿Q这一个小说典型

大家公认,阿Q是五四以来中国新文学所创造的最成功的典型,阿Q这个人物写得最生动,最有个性,他能活在每个读者的心中,这是一。同时我们还应该说,从阿Q这个典型最能看得出作者的形象思维,这是二。我们现在就来研究这两点。

先说阿Q这个典型为什么最能看得出作者的形象思维。我们已经说过,鲁迅是企图写出阿Q这么一个人物来让读者反省,主要是针对与作者同一阶级出身的人。这也就是说,从逻辑思维看,鲁迅是教育与自己同一阶级的知识分子。然而鲁迅在创造这样一篇有教育意义的艺术品时,他没有想到取本阶级的人物的形象,如果戈里的小说所取的形象那样,这就表示鲁迅的极其深刻的思想感情!他所处的社会是要变革的。他想教育本阶级的人,而结果鞭策了被压迫被剥削的小人物,作者的立场只有站在被压迫被剥削者这一方面。因此,这样一个小人物的形象,在鲁迅的笔下生动起来了。法捷耶夫有过这样的话:"这篇小说是描写一个中国小人物的。但是果戈里的《外套》的主人翁是小官吏,而《阿Q正传》的主人翁是小雇农,这一点足以表示出鲁迅的优点,说明鲁迅的人民性。"这话说得极有意义。在《呐喊》里,是有以作者本阶级的人物为主人翁的,如《孔乙己》,如《白光》,那都是灭亡的形象,也有《端午节》,那里面的知识分子倒是当时的活人,然而作者是解剖他,并没有教育他的意思,因为希望分明不在这上面。从小说的形象看,鲁迅确乎只有对阿Q是取着教育他的态度的,哪些事情他应该做,哪些事情他不应该做。鲁迅是教育本阶级的读者,而鲁迅小说的形象是"憎恶这熟识的本阶级",被压迫被剥削者是他教育的对象,——这难道还不明白吗?在《俄译〈阿Q正传〉序》里鲁迅自己曾说过:"我虽然竭力想摸索人们的魂灵,但时时总自憾有些隔膜。在将来,围在高墙里面的一切人众,该会自己觉醒,走出,都来开口的罢,而现在还少见,所以我也只得依了自己的观察,孤寂地姑且将这些写出,作为在我的眼里所经过的中国的人生。"他在这里所谓"人们的魂灵",也就是《我怎么做起小说来》那篇文章里说的"不幸的人们","在将来"是"一切人众"的将来。他对他的本阶级,即士大夫阶级,是无所谓"将来"的,是"毫不可惜它的溃灭"。因此,他所摸索的"中国的人生"是阿Q的传记,不用说不是灭亡的东西如《孔乙己》、《白光》里面所写的,也不是他在这同一篇序里说的"几个圣人之徒的意见和道理",那是"为了他们自己"。将来是被压迫被剥削人们的将来,只要他们觉醒,——鲁迅小说的形象所表示的不是如此吗?

鲁迅自己也说了,"我也只得依了自己的觉察,孤寂地姑且将这些写出",他那时还没有能够用无产阶级的宇宙观作为观察国家命运的工具。他于"中国的人生"当中同情不幸者,站在他们的立场希望他们觉醒,但他并不是掌握了阶级观点,他写阿Q并不是把阿Q真正当作农民来考虑问题。根据他所认识的某一个阿Q,应该是城市里的"不幸的人物"之一,"有农民式的质朴,愚蠢,但也很沾了些游手之徒的狡猾",他觉得把这个人物写出来可以表达自己的思想,也就是"揭出病苦,引起疗救的注意。"(《我怎么做起小说来》)现在在我们眼前的阿Q这个小说典型,这个典型人物的形象,除了某些地方露了士大夫阶级的马脚而外,能说不是旧日城市里一个流浪的雇工吗?

把上面两段话总括起来说,阿Q是一般被压迫被剥削者的典型,他的性格是城市里的一个流浪雇工,不是农民,鲁迅因为他当时还不是马克思主义者,他摸索"中国的人生"而写出阿Q的形象,就充分表示他的思想的人民性,站在被压迫被剥削者的立场指出应该怎样,不应该怎样。

再从阿Q的形象看,鲁迅认为阿Q应该怎样,不应该怎样呢?这一层大家都很清楚的,在小说里鲁迅也替阿Q指出两个毛病的名目来了,一个是"他有这一种精神上的胜利法",一个是"忘却"。精神胜利法是自己失败了而不肯承认失败,被人打了,而想"我总算被儿子打了,"也就心满意足,自以为得了胜利。"忘却"就是善于把仇恨忘记了,也就是不敢反抗。因为有了这两个毛病,也就容易有第三个毛病,就是欺负比自己力量小的人。说实话,鲁迅经历了清朝末年,处在民国初年,认为这三个毛病是中国的致命伤,确实是他的本阶级的事情。而鲁迅的最伟大的地方又在于他确切地认识到"现在我们所能听到的不过是几个圣人之徒的意见和道理,为了他们自己",他对统治阶级完全不存有希望,要揭露他们的毛病反而以一个城市里的流浪雇工为代表,从艺术观点说这样人物可以写得生动些,从爱国立场说这样他也可以同他的小说的主人翁一致了。《阿Q正传》就是如此,鲁迅站在阿Q的立场上,痛斥精神胜利法,应该反抗,不应该"忘却",不应该欺负人。如果象果戈里的小说一样,鲁迅也把阿Q取一个本阶级的人物,假设是赵秀才或假洋鬼子罢,那鲁迅小说的人民性就不知是什么了,这个阿Q我们也就不知道他应该反抗什么!所以从鲁迅的《阿Q正传》所取的被压迫被剥削者的阿Q的形象,鲁迅的思想我们是可以分析得明明白白的。然而阿Q不是农民,是城市里的流浪雇工的典型。

鲁迅把他所取的这个典型人物写得生动,令人如见其人,如闻其语,那是从《阿Q正传》出世以来打动了全中国的读者的。到现在还是我们学习描绘形象,避免小说人物抽象化的最好的范例。例如阿Q被人打了,"心里想,'我总算被儿子打了,现在的世界真不象样……'于是也心满意足的得胜的走了。

阿Q想在心里的,后来每每说出口来,所以凡有和阿Q玩笑的人们,几乎全知道他有这一种精神上的胜利法,此后每逢揪住他黄辫子的时候,人就先一着对他说:

'阿Q,这不是儿子打老子,是人打畜生。自己说:人打畜生!'

阿Q两只手都捏住了自己的辫根,歪着头,说道:

'打虫豸,好不好?我是虫豸——还不放么?'"读了这样的文章,我们真是难过极了,阿Q为什么这样子!鲁迅却真是会写,阿Q主义的阿Q是这个样子!在旧戏上面也表演过这种阿Q,有一出戏有某一个阿Q给人揪住了,他央求人家放他,说道:"把我当个屁放了罢!"这样当然也是杰作,然而鲁迅的"我是虫豸——还不放么?"写得真是痛苦,他是痛苦地想"写出一个现代的我们国人的魂灵来"!在这种地方很容易写得抽象,鲁迅则写得深刻,通过简单的话写出活的人物来。这是因为鲁迅熟悉生活,而且在生活当中受了教训,考虑到国家民族的命运。鲁迅所熟悉的是城市里的生活,熟悉城市里的"闲人",熟识象阿Q这样的人,——阿Q这样的人不是农村的农民。

又如写赌钱的事:

这是未庄赛神的晚上。这晚上照例有一台戏,戏台左近也照例有许多的赌摊。做戏的锣鼓,在阿Q的耳朵里仿佛在十里之外;他只听得桩家的歌唱了。他赢而又赢,铜钱变成角洋,角洋变成大洋,大洋又成了迭〔叠〕。他兴高彩〔采〕烈得非常:

"天们〔门〕两块!"

他不知道谁和谁为什么打起架来了。骂声打声脚步声,昏头昏脑的一大阵,他才爬起来,赌摊不见了,人们也不见了,身上有几处很似乎有些痛,似乎也挨了几拳几脚似的,几个人诧异的对他看。他如有所失的走进土谷祠,定一定神,知道他的一堆洋钱不见了。赶赛会的赌摊多不是本村人,还到那里去寻根柢呢?

很白很亮的一堆洋钱!而且是他的——现在不见了!说是算被儿子拿去了罢,总还是忽忽不乐;说自己是虫豸罢,也还是忽忽不乐;他这回才有些感到失败的苦痛了。

但他立刻转败为胜了。他擎起右手,用力的在自己脸上连打了两个嘴巴,热剌剌的有些痛;打完了之后,便心平气和起来,似乎打的是自己,被打的是别一个自己,不久也就仿佛是自己打了别个一般,——虽然还有些热剌剌,——心满意足的得胜的躺下了。

——他睡着了。

这真是写得痛苦,写得深刻,这个形象谁都不能忘掉,谁也不应该忘掉,鲁迅对当时的教育意义太大了。这样的赌摊,是城里(或者热闹的市镇)戏台底下有的,乡村里不大有,——乡村的人倒可以到城里戏台底下去上当。鲁迅也知道把这样的赌摊放在未庄恐有破绽,故写一句"赶赛会的赌摊多不是本村人,还到那里去寻根柢呢?"

写阿 Q 和王胡打骂的场面,是旧日城市里"不幸的人们"最生动的描写,如果因为未庄这个名字是农村的地名就把鲁迅描写城市的绝妙文章认为是农村的环境和人物,那无论如何是不能解决问题的。我们把这个场面完全抄下来:

> 有一年的春天,他醉醺醺的在街上走,在墙根的日光下,看见王胡在那里赤着膊捉虱子,他忽然觉得身上也痒起来了。这王胡,又癞又胡,别人都叫他王癞胡,阿 Q 却删去了一个癞字,然而非常渺视他。阿 Q 的意思,以为癞是不足为奇的,只有这一部络腮胡子,实在太新奇,令人看不上眼。他于是并排坐下去了。倘是别的闲人们,阿 Q 本不敢大意坐下去。但这王胡旁边,他有什么怕呢?老实说:他肯坐下去,简直还是抬举他。
>
> 阿 Q 也脱下破夹袄来,翻检了一回,不知道因为新洗呢还是因为粗心,许多工夫,只捉到三四个。他看那王胡,却是一个又一个,两个又三个,只放在嘴里毕毕剥剥的响。
>
> 阿 Q 最初是失望,后来却不平了:看不上眼的王胡尚且那么多,自己倒反这样少,这是怎样的大失体统

的事呵!他很想寻一两个大的,然而竟没有,好容易才捉到一个中的,恨恨的塞在厚嘴唇里,很〔狠〕命一咬,劈的一声,又不及王胡响。

他癞疮疤块块通红了,将衣服摔在地上,吐一口唾沫,说:

"这毛虫!"

"癞皮狗,你骂谁?"王胡轻蔑的抬起眼来说。

鲁迅的小说,每每是在一番叙述之后,就插进人物说话,而"对话也决不说到一大篇",(《我怎么做起小说来》)真真做了画龙点睛的作用,这里阿Q和王胡的一人一句就是好例子。对于说话时的动作也真是描写得无以复加。我们再抄下面的话:

"谁认便骂谁!"他站起来,两手叉在腰间说。

"你的骨头痒了么?"王胡也站起来,披上衣服说。

阿Q以为他要逃了,抢进去就是一拳。这拳头还未达到身上,已经被他抓住了,只一拉,阿Q跄跄踉踉的跌进去,立刻又被王胡扭住了辫子,要拉到墙上照例去碰头。

"'君子动口不动手'!"阿Q歪着头说。

这句话是孔乙己式的话,而确是阿Q所能说的。说出来最能表现他的人格,一个城市里的不中用的流浪人,爱惹人,及至挨人家的打又说什么"君子动口不动手"。

阿Q同假洋鬼子的一场也真是取得好,是辛亥革命前某种城市里（好比绍兴）的典型形象，从东洋回来带假辫子的人，出来时手拿手杖，一群孩子（所以阿Q说假洋鬼子时也指着近旁的孩子）跟着他看，闲人就在旁边指点他。这种人当然也可以家住乡村，但阿Q挨了他的棍子的假洋鬼子应该是城里的，人们在街上遇见的情形。关于这一场的描写颇有些复杂，"忘却"这一件宝贝是在这里提出来的，那么阿Q不应该忘却仇恨了，然而作者对于阿Q的"排斥异端的正气"似乎也有讽刺。最后作者集中在"忘却"这一件宝贝，是沉痛的文字。我们读：

这"假洋鬼子"近来了。

"秃儿。驴……"阿Q历来本只在肚子里骂，没有出过声，这回因为正气忿，因为要报仇，（按，指被王胡碰头之事）便不由的轻轻的说出来了。

不料这秃儿却拿着一支黄漆的棍子——就是阿Q所谓哭丧棒——大踏步走了过来。阿Q在这刹那，便知道大约要打了，赶紧抽紧筋骨，耸了肩膀等候着，果然，拍的一声，似乎确凿打在自己头上了。

"我说他！"阿Q指着近旁的一个孩子，分辩说。

拍！拍拍！

在阿Q的记忆上，这大约要算是生平第二件的屈辱。（按，第一件的屈辱指被王胡碰头）幸而拍拍的响了之后，于他倒似乎完结了一件事，反而觉得轻松些，而且"忘却"这一件祖传的宝贝也发生了效力，他慢慢的走，将到酒店门口，早已有些高兴了。

鲁迅在这里对阿Q的讽刺是非常利害的,阿Q为什么简直不想到反抗,耸了肩膀等候着打,打了反而觉得轻松些,接着就是"忘却"。《华盖集》里面有一篇《忽然想到》,在那里鲁迅写道:"康圣人主张跪拜,以为'否则要此膝何用。'走时的腿的动作,固然不易于看得分明,但忘记了坐在椅上时候的膝的曲直,则不可谓非圣人之疏于格物也。"这是鲁迅的杂文,这是讽刺跪拜,不,是讽刺士大夫以跪拜为天职。这种材料便不能写到小说里去,这完全是奴才。我们附带说这一点,是表明鲁迅对阿Q的讽刺是希望阿Q反抗的,作者同他的小说的主人翁是站在一个立场上。

捉虱挨打,骂假辫子挨打,接着又来了一个小尼姑,阿Q便去拧她,——这一连串的事情在一个春天里在一条街上发生,当然不是"本不是大村镇"的农村里所可能的,如果写一个衰落的城市,那里面闲人特别多,那这些事情就非常之有典型意义。鲁迅如果在今天看了我们这些话,一方面他当然认为我们应该争论,因为未庄是不是农村,阿Q是不是农民,在主题思想上是一个重要的问题,另一方面他恐怕不免苦笑,未庄是他随便取的一个名字罢了,同鲁镇一样,多少是当时的绍兴城给他的印象罢。我们今天辨明这件事,确是表明我们的进步,我们都掌握了阶级观点,典型人物首先要看他的典型环境,分析一个典型人物又能决定他的典型环境。鲁迅当时所取的阿Q,是一个城市里的流浪汉。即如阿Q欺侮静修庵的小尼姑这个场面,也充分表示阿Q的城市性,如果是农村的农民,他的迷信成分应该重些,对庙里出来的人是不大欺侮的。《阿Q正传》的这个场面,却是形象生动,我们把它抄下来:

但对面走来了静修庵的小尼姑。阿Q便在平时，看见伊也一定要唾骂，而况在屈辱之后呢？他于是发生了回忆，又发生了敌忾了。

"我不知道我今天为什么这样晦气，原来就因为见了你！"他想。

他迎上去，大声的吐一口唾沫：

"咳，呸！"

小尼姑全不睬，低了头只是走。阿Q走近伊身旁，突然伸出手去摩着伊新剃的头皮，呆笑着，说：

"秃儿！快回去，和尚等着你……"

"你怎么动手动脚……"尼姑满脸通红的说，一面赶快走。

酒店里的人大笑了。阿Q看见自己的勋业得了赏识，便愈加兴高采烈起来：

"和尚动得，我动不得？"他扭住伊的面颊。

酒店里的人大笑了。阿Q更得意，而且为满足那些赏鉴家起见，再用力的一拧，才放手。

他这一战，早忘却了王胡，也忘却了假洋鬼子，似乎对于今天的一切"晦气"都报了仇；而且奇怪，又仿佛全身比拍拍的响了之后更轻松，飘飘然的似乎要飞去了。

"这断子绝孙的阿Q！"远远的听得小尼姑的带哭的声音。

"哈哈哈！"阿Q十分得意的笑。

"哈哈哈！"酒店里的人也九分得意的笑。

鲁迅在这里是痛斥阿 Q，当然也斥了九分得意的笑的人。鲁迅痛斥阿 Q，还是同阿 Q 站在一个立场，痛斥他不应该如此，同写地主阶级的赵太爷就不同，那是当作人民的敌人的形象来描写了，对敌人没有应该不应该的意思，只有憎恶。所以说到形象思维，是可以分析得清清楚楚的。我们更把这一连串的场面联系起来，鲁迅为什么取阿 Q 这个典型又非常之明白，在小说里是第二章和第三章，即"优胜记略"和"续优胜记略"，说穿了无非是鲁迅对中国地主阶级当权的愤慨，遭遇强敌，失败了还要摆失败者的架子，还要欺负弱小民族，以大民族自居，大国自居。是的，《阿 Q 正传》第二章，第三章鲁迅写得踌躇满志，他认为阿 Q 的形象足以说明这些问题了。而阿 Q 是一个城市里的雇工，他的社会地位是被压迫被剥削的，他应该受教育，他应该被同情，作者对他的感情同面对着地主阶级又绝然不同，这是一篇艺术品的产生比产生它的思想更复杂的原因。这也表现着形象思维，是形象思维的又一意义。

以上是我们论阿 Q 这个小说典型的话。在这个题目之下还有一件重要的事，就是阿 Q 终于要做起革命党来，人格是不是两个？曾有人这样发生疑问。鲁迅曾经答复过，他的阿 Q 要做革命党，人格并不是两个。我们同意作者的话，阿 Q 要做革命党，是合乎阿 Q 这个典型性格的，我们将在另一节里专门谈这件事。

最后还有画圆圈同临刑唱戏的描写，也是鲁迅写他的典型的最沉痛的文章，最好的文章，我们应该指出来。先是画圆圈：

于是一个长衫人物拿了一张纸,并一支笔送到阿Q的面前,要将笔塞在他手里。阿Q这时很吃惊,几乎"魂飞魄散"了:因为他的手和笔相关,这回是初次。他正不知怎样拿;那人却又指着一处地方教他画花押。

"我……我……不认得字。"阿Q一把抓住了笔,惶恐而且惭愧的说。

"那么,便宜你,画一个圆圈!"

阿Q要画圆圈了,那手捏着笔却只是抖。于是那人替他将纸铺在地上,阿Q伏下去,使尽了平生的力画圆圈。他生怕被人笑话,立志要画得圆,但这可恶的笔不但很沉重,并且不听话,刚刚一抖一抖的几乎要合缝,却又向外一耸,画成瓜子模样了。

阿Q正羞愧自己画得不圆,那人却不计较,早已掣了纸笔去,许多人又将他第二次抓进栅栏门。

他第二次进了栅栏,倒也并不十分懊恼。他以为人生天地之间,大约本来有时要抓进抓出,有时要在纸上画圆圈的,惟有圈而不圆,却是他"行状"上的一个污点。但不多时也就释然了,他想:孙子才画得很圆的圆圈呢。于是他睡着了。

这也是阿Q的精神胜利!我们看,在"优胜记略"章的最后一句也是"他睡着了。"鲁迅是极力要写出"沉默的国民的魂灵来"!然而这个魂灵属于城市里的"不幸的人们",不是农村的农民。虽然如此,作者的思想感情一样地表现在这句话里面:"现在我们所能听到的不过是几个圣人之徒的意见和道理,为了他们自己;至于百姓,却就默默的生长,萎黄,枯死了,象压在大石底下的草一样,已经有四千年!"

我们再看鲁迅怎样写刑场唱戏。"阿Q忽然很羞愧自己没志气:竟没有唱几句戏。他的思想仿佛旋风似的在脑里一回旋:《小孤孀上坟》欠堂皇,《龙虎斗》里的'悔不该……'也太乏,还是'手执钢鞭将你打'罢。他同时想将手一扬,才记得这两手原来都捆着,于是'手执钢鞭'也不唱了。

'过了二十年又是一个……'阿Q在百忙中,'无师自通'的说出半句从来不说的话。"

我们认为这还是精神胜利!

五、鲁迅对阿Q要做革命党的态度

当时有人认为象阿Q那样的一个人终于要做起革命党来,人格上似乎是两个,鲁迅在《〈阿Q正传〉的成因》里答复这个问题道:"据我的意思,中国倘不革命,阿Q便不做,既然革命,就会做的。我的阿Q的运命,也只能如此,人格也恐怕并不是两个。民国元年已经过去,无可追踪了,但此后倘再有改革,我相信还会有阿Q似的革命党出现。我也很愿意如人们所说,我只写出了现在以前的或一时期,但我还恐怕我所看见的并非现代的前身,而是其后,或者竟是二三十年之后。其实这也不算辱没了革命党,阿Q究竟已经用竹筷盘上他的辫子了;此后十五年,长虹'走到出版界',不也就成为(一个)中国的'绥惠略夫'了么?"这话很明白地表示作者对阿Q要做革命党的态度,并没有什么可疑惑的地方,而有许多研究者把鲁迅这段话割裂开了,不引用鲁迅的全文,因之误会了他的本来的意思。他的本来的意思是借阿Q来讽刺某些假革命。他当时本没有建立起阶级观点来,阿Q不是用来代表农民,只是用来比喻某些假革命家罢了,正如《热风》里说戊派爱国大家象《水浒传》中的牛二是一样。在这里我们所引的他的话里面不也正以知识分子高长虹与阿Q相提并论吗?我们在我们的研究里首先就说过《阿Q正传》作者的本意是用来讽刺他的本阶级,从这段话里也可以得到证明。鲁迅的心目中不是用阿Q来代表农民,是城市里的流浪人的形象,这种人很有投机革命的可能,所以鲁迅说他"人格也恐怕并不是两个"。但小说人物阿Q到底不是知识分子,不是赵秀才、假洋鬼子一类的投机,是社会上一般被压迫被剥削的不幸的人,鲁迅又不能不同情他,所以说"我的阿Q的命运,也只能如此"。总之鲁迅对阿Q做革命党的态度是讽刺的。

我们再从小说的形象来看,读阿Q到静修庵去革命的文章:

> 第二天他起得很迟,走出街上看时,样样都照旧。他也仍然肚饿,他想着,想不起什么来;但他忽而似乎有了主意了,慢慢的跨开步,有意无意的走到静修庵。
>
> 庵和春天时节一样静,白的墙壁和漆黑的门。他想了一想(,)前去打门,一只狗在里面叫。他急急拾了几块断砖,再上去较为用力的打,打到黑门上生出许多麻点的时候,才听得有人来开门。
>
> 阿Q连忙捏好砖头,摆开马步,准备和黑狗来开

战。但庵门只开了一条缝,并无黑狗从中冲出,望进去只有一个老尼姑。

"你又来什么事?"伊大吃一惊的说。

"革命了……你知道?……"阿Q说得很含胡。

"革命革命,革过一革的,……你们要革得我们怎么样呢?"老尼姑两眼通红的说。

"什么?……"阿Q诧异了。

"你不知道,他们已经来革过了!"

"谁?……"阿Q更其诧异了。

"那秀才和洋鬼子!"

阿Q很出意外,不由的一错愕;老尼姑见他失了锐气,便飞速的关了门,阿Q再推时,牢不可开,再打时,没有回答了。

那还是上午的事。赵秀才消息灵,一知道革命党已在夜间进城,便将辫子盘在顶上,一早去拜访那历来也不相能的钱洋鬼子。这是"咸与维新"的时候了,所以他们便谈得很投机,立刻成了情投意合的同志,也相约去革命。他们想而又想,才想出静修庵里有一块"皇帝万岁万万岁"的龙牌,是应该赶紧革掉的,于是又立刻同到庵里去革命。因为老尼姑来阻当,说了三句话,他们便将伊当作满政府,在头上很给了不少的棍子和栗凿。尼姑待他们走后,定了神来检点,龙牌固然已经碎在地上了,而且又不见了观音娘娘座前的一个宣德炉。

这事阿Q后来才知道。他颇悔自己睡着,但也深怪他们不来招呼他。他又退一步想道：

"难道他们还没有知道我已经投降了革命党么？"

这是绅士和二流子迎接辛亥革命的形象！这种绅士乡下同城里是一样有的，这里的阿Q却不能不说是表现着城里的游手之徒的性格。在农村里，除了绅士外，一般的人，那怕是阿Q这样的人，是不大想到庙里去革命的。鲁迅的静修庵革命这个场面却是写得多么生动，我们能说作者在这里不是讽刺阿Q吗？只是他比绅士愚蠢些，他起得很迟，他也未必将老尼姑当作满政府，给她棍子和栗凿，也未必能想到龙牌，拿不拿宣德炉固然不敢说，——想来是不拿的，因为他肚饿，急于要充饥。老尼姑第一句问他"你又来什么事？"在阿Q当然以为是她记得他春天来了，其实她不是的，她是"两眼通红"，她以为"革命革命，革过一革的"，所以"你又来什么事？"所以"你们要革得我们怎么样呢？"在这里"你们"这个多数代名词，分明是包括秀才和洋鬼子和阿Q了，也就表示鲁迅讽刺辛亥革命，讽刺投机的革命家。

六、"阿Q正传"反映了辛亥革命和批判辛亥革命

列宁在论托尔斯泰的时候曾说："如果站在我们面前的是一位真正的伟大艺术家，那么他至少应当在自己的作品里反映出革命的某些本质的方面来。"是的，鲁迅的《阿Q正传》把辛亥革命的本质方面反映出来了，我们现在就来研究这件事。

因为中国共产党所领导的中国新民主主义革命的伟大胜利，我们大家现在都知道农民运动是中国革命的本质问题。辛

亥革命农民没有参加,结果辛亥革命失败了。那么我们真不能不佩服《阿Q正传》的伟大的记载!鲁迅这时并没有马克思主义的思想,而艺术乃超过当时的任何历史,中国当时的历史家写不出来的东西,鲁迅的小说里有了!《阿Q正传》里记载,宣统三年九月十四日,城里举人老爷把箱子运来未庄赵太爷家寄存,因为革命党要进城。而革命党进了城,知县大老爷还是原官,举人老爷也做了什么官。而赵家遭抢。而四天之后阿Q在半夜里忽被抓进县城里去了。这时阿Q在小说里是道道地地的一个乡下人,鲁迅还另外描写了两个乡下人,在监狱里。我们读:

  到进城,已经是正午,阿Q见自己被挈进一所破衙门,转了五六个弯,便推在一间小屋里。他刚刚一跄踉,那用整株的木料做成的栅栏门便跟着他的脚跟阖上了,其余的三面都是墙壁,仔细看时,屋角上还有两个人。

  阿Q虽然有些忐忑,却并不很苦闷,因为他那土谷祠里的卧室,也并没有比这间屋子更高明。那两个也仿佛是乡下人,渐渐和他兜搭起来了,一个说是举人老爷要追他祖父欠下来的陈租,一个不知道为了什么事。他们问阿Q,阿Q爽利的答道,"因为我想造反。"

鲁迅在这里显然不是讽刺阿Q。鲁迅这时如果已经是一个马克思主义者,他也不能比这两段更好地反映辛亥革命的失败!革命了,而举人老爷也做了什么官,而一个乡下人因举人老爷要追他祖父欠下来的陈租而入狱,而阿Q,(鲁迅把他当作一个未庄的乡下人抓来的!)说他入狱的原因是"因为我想造反。"鲁迅的小说写到这里,多么生动,多么自然呵! 这是鲁迅写被压迫被剥削的人。辛亥革命时代,中国社会,在农村里,在政权集中的县衙门,压迫与被压迫,剥削与被剥削,是地主与农民两个阶级,所以《阿Q正传》里面的监狱是如此! 所以中国革命还要等待中国共产党起来领导中国农民运动! 鲁迅小说的伟大成就,不是作者观点的绝对正确,是作者立场的胜利,是现实主义的胜利,每逢写到两个阶级的冲突的时候,作者的立场总是站在被压迫被剥削者方面,而在描写阶级斗争最尖锐的场合,好比辛亥革命的县衙门的监狱里,把革命的本质方面写出来了。从这里,不难看出,我们学习鲁迅,我们也学习了马克思主义,是生动的课题。

鲁迅当时的观点是从个人出发,以为革命有真革命党有假革命党,象"城里的一个早已'嚓'的杀掉了",那大约是《药》里的夏瑜之类是真革命党,象赵秀才、假洋鬼子便是投机分子,是假革命党,小说里给以批判。"阿Q似的革命党",——鲁迅也分明是讽刺的。他不能从革命的阶级这一伟大的观点出发去考虑问题。《阿Q正传》是现实主义的杰作,从阿Q的形象看起来,在未庄里,独有这个流浪的雇工是欢迎革命的,他对革命的态度,足以代表被压迫被剥削阶级对革命的态度。尽管作者没有意思把他来代表农民,但阿Q是受地主阶级的压迫和剥削则毫无疑问,何况作者最后把他当作一个乡下人同另外两个乡下人在监狱里一起了,何况明明提出了地租问题。我们分析一下阿Q对革命的态度,从而看出辛亥革命之下中国的革命的阶级有怎样的反映,地主阶级又是怎样的反映,革命乃是两个阶级的斗争,那就如恩格斯所说的,"我所提到的现实主义,甚至不管作者的观点怎样,也会显露出来的。"下面我们就本着这个意思分析。

当城里的举人老爷害怕革命党进城,把箱子运到未庄赵家寄存,阿Q有这样的反映:

> 阿Q的耳朵里,本来早听到过革命党这一句话,今年又亲眼见过杀掉革命党。但他有一种不知从那里来的意见,以为革命党便是造反,造反便是与他为难,所以一向是"深恶而痛绝之"的。殊不料这却使百里闻名的举人老爷有这样怕,于是他未免也有些"神往"了,况且未庄的一群鸟男女的慌张的神情,也使阿Q更快意。
>
> "革命也好罢,"阿Q想,"革这伙妈妈的命,太可恶!太可恨!……便是我,也要投降革命党了。"

鲁迅在这里把阿Q写得太可爱,太真实,没有一句话不能代表阿Q的性格,代表被压迫被剥削者的心理,他好容易说出"革这伙妈妈的命,太可恶!太可恨!"可惜在辛亥革命时代这种声音都淹没了,这种声音在地主阶级压迫之下真是亲切。阿Q说,"便是我,也要投降革命党了。"这里的"投降"二字一点没有讽刺,只显得阿Q可爱,显得他真实,他没有法子表达他对革命的向往,(其实"向往"也是作家的词汇!)只好说"投降"了。他不知道象他这样对革命的认识是阶级觉悟。他是很荒唐的人,当然谈不上什么叫做警惕性,所以,"不知怎么一来,忽而似乎革命党便是自己,未庄人却都是他的俘虏了。他得意之余,禁不住大声的嚷道：

'造反了！造反了！'

未庄人都用了惊惧的眼光对他看。这一种可怜的眼光，是阿Q从来没有见过的，一见之下，又使他舒服得如六月里喝了雪水。"我们推想，这"一群鸟男女"，"这一种可怜的眼光"，不但使阿Q舒服得如六月里喝了雪水，便是作者鲁迅也是的，中国的地主阶级确是太可恶，太可恨。阿Q在革命的高潮之下没有警惕，嚷"造反了！造反了！"然而在革命完了之后他是有感觉的，他可能因此很有危险，所以"赵家遭抢之后，……阿Q也很快意而且恐慌。"如果他没有危险的预感，他为什么"而且恐慌"呢？所以鲁迅的小说反映的辛亥革命，表示地主阶级继续压迫人民。

阿Q嚷着"造反了！造反了！"他走过赵家的门口，"赵府上的两位男人和两个真本家，也正在大门口论革命。阿Q没有见，昂了头直唱过去。

'得得，……'

'老Q，'赵太爷怯怯的迎着低声的叫。

'锵锵，'阿Q料不到他的名字会和'老'字联结起来，以为是一句别的话，与己无干，只是唱。'得，锵，锵令锵，锵！'

'老Q。'

'悔不该……'

'阿Q！'秀才只得直呼其名了。

阿Q这才站住，歪着头问道，'什么？'"阿Q临着革命的激昂的感情，（他的感情代表被压迫被剥削的阶级！）地主阶级临着革命的恐惧的感情，在当时社会里是真正地有，鲁迅的小说也真正地写得出。不管作者是有意的无意的,总之把真实反映出来了。如果作者是无意的,那他的小说的历史意义更大。

及至"未庄的人心日见其安静了。据传来的消息,知道革命党虽然进了城,倒还没有什么大异样。知县大老爷还是原官,不过改称了什么,而且举人老爷也做了什么——这些名目,未庄人都说不明白——官,带兵的也还是先前的老把总。""这几日里,进城去的只有一个假洋鬼子。赵秀才本也想靠着寄存箱子的渊源,亲身去拜访举人老爷的,但因为有剪辫的危险,所以也就中止了。他写了一封'黄伞格'的信,托假洋鬼子带上城,而且托他给自己绍介绍介,去进自由党。假洋鬼子回来时,向秀才讨还了四块洋钱;秀才便有一块银桃子挂在大襟上了;未庄人都惊服,说这是柿油党的顶子,抵得一个〈洋〉翰林,赵太爷因此也骤然大阔,远过于他儿子初进〔隽〕秀才的时候,所以目空一切,见了阿Q,也就很有些不放在眼里了。"鲁迅在这里通过未庄人的意见把辛亥革命的情状极其扼要地绘画出来了,秀才通过假洋鬼子以四块洋钱买得"柿油党的顶子,抵得一个〈洋〉翰林,"——这就是鲁迅批判辛亥革命。前面我们已经指出了赵太爷——地主阶级临着革命的恐惧,现在他的儿子进了"自由党",因此他"骤然大阔,远过于他儿子初进秀才的时候",这是他心里一块石头已经落了地,天下太平了,革命是假的。原来他害怕革命,他害怕革命就是害怕阿Q这样的人嚷造反,他简直怕阿Q在街上走路,——这表现着革命是阶级斗争。鲁迅现在写他"目空一切,见了阿Q,也就很有些不放在眼里了",这是多么真实地表现了社会面貌!所以此后赵家遭抢,阿Q快意——而且恐慌!四天之后阿Q被抓进县城里去了。

我们认为《阿Q正传》写出了阿Q真正地遭受压迫,首先是赵家的压迫,他的精神确是一个受伤的人。辛亥革命使得他高兴,辛亥革命的结果又使得他害怕,在"恋爱的悲剧"里他吃饭发生问题,在革命的悲剧里他性命发生问题。鲁迅把他的阿Q的人格发展得极其真实,主要是从阿Q所处的环境来的。这个环境却不是典型的农民的环境,非常明显是一个城市的流浪人,被压迫被剥削者所处的。通过他,到后来,即是在辛亥革命当中,他的精神状态有些不正常,然而也足以把辛亥革命的本质方面表现出来了。被压迫被剥削者要求革命,表现了革命的阶级的力量。当阿Q自认为他"投降革命党"之后——就是他承认革命,"第二天他起得很迟,走出街上看时,样样都照旧。他也仍然肚饿,他想着,想不起什么来;……"这就表示他对革命的认识,革命了不应该"样样都照旧",他不应该"仍然肚饿"。他是正确的。既然"样样都照旧",既然"他也仍然肚饿",他想着想着就没有主意,"但他忽而似乎有了主意了,慢慢的跨开步,有意无意的走到静修庵。"这就是说没有办法只好同今年春天一样到静修庵去弄点什么充充饥。但春天是从后园进,"阿Q迟疑了一会,四面一看,并没有人。他便爬上这矮墙去,……阿Q的脚也索索的抖;终于攀着桑树枝,跳到里面了。"现在是,"他想了一想,前去打门,一只狗在里面叫。他急急拾了几块断砖,再上去较为用力的打,……"这表示他懂得无视旧秩序了。我们认为他也是正确的。鲁迅当时当然不同我们今天分析他的《阿Q正传》一样分析阿Q,但他是真实地反映现实总是的确的。艺术的价值就在这里。到了辛亥革命之后,地主阶级赵太爷"目空一切,见了阿Q,也就很有些不放在眼里了",往下阿Q的形象真正表现着精神失常,然而这个阿Q的性格极其真实,也就是典型环境典型性格,如果阿Q是一个普通的农民,那他的投奔假洋鬼子,他在大堂上公然说"假洋鬼子不准我!""他们没有来叫我。他们自己搬走了。"等等,就显得有些滑稽了。现在我们读着不显得滑稽,只觉得真实逼人,令我们非常之同情阿Q,就因为他精神失常,他遭受了压迫。他在这个环境里所说的话,虽然精神失常,一样地表现着被压迫被剥削阶级的思想感情。他认为革命应该是代表他的利益的。倘若不准他"投降革命党",他知道在这个太可恶,太可恨的社会里他就活不下去。我们读:

  阿Q正在不平,又时时刻刻感着冷落,一听得这银桃子的传说,他立即悟出自己之所以冷落的原因了:要革命,单说投降,是不行的;盘上辫子,也不行的;第一着仍然要和革命党去结识。他生平所知道的革命党只有两个,城里的一个早已"嚓"的杀掉了,现在只剩了一个假洋鬼子。他除却赶紧去和假洋鬼子商量之外,再没有别的道路了。

  钱府的大门正开着,阿Q便怯怯的蹩进去。他一到里面,很吃了惊,只见假洋鬼子正站在院子的中央,一身乌黑的大约是洋衣,身上也挂着一块银桃子,手里是阿Q曾经领教过的棍子,已经留到一尺多长的辫子都拆开了披在肩背上,蓬头散发的象一个刘海仙。对面挺直的站着赵白眼和三个闲人,正在必恭必敬的听说话。

  ……

听着说话的四个人都吃惊的回顾他。洋先生也才看见：

"什么？"

"我……"

"出去！"

"我要投……"

"滚出去！"洋先生扬起哭丧棒来了。

赵白眼和闲人们便都吆喝道："先生叫你滚出去，你还不听么？"

阿Q将手向头上一遮，不自觉的逃出门外；洋先生倒也没有追。他快跑了六十多步，这才慢慢的走，于是心里便涌起了忧愁：洋先生不准他革命，他再没有别的路；从此决不能望有白盔白甲的人来叫他，他所有的抱负，志向，希望，前程，全被一笔勾销了。至于闲人们传扬开去，给小D王胡等辈笑话，倒是还在其次的事。

这里说阿Q"心里便涌起了忧愁"，是写得非常深刻的。阿Q的精神已经有些失常，但精神失常的原因是铁一般的社会存在反映在他的脑里迫之使然，他嚷过造反，连赵太爷都怕他，而现在洋先生不准他革命，他还有路可走吗？接着赵家遭抢，于是阿Q只有死路一条了。

在衙门里，在大堂上，在官和衙役要他"招罢！"的声势之下，他说着"我本来要……来投……"的胡涂话。"那么，为什么不来的呢？""假洋鬼子不准我！""胡说！此刻说，也迟了。现在你的同党在哪里？""什么？……""那一晚打劫赵家的一伙人。""他们没有来叫我。他们自己搬走了。"鲁迅还写了一句"阿Q提起来便愤愤。"可见这个精神失常的人不能满足于精神胜利法。这是鲁迅给我们写的被压迫被剥削者的悲剧。这是辛亥革命时代中国社会的阶级斗争史。

七、从"阿Q正传"论作家的世界观与创作方法

恩格斯说:"现实主义是除了细节的真实之外,还要正确地表现出典型环境中的典型性格。"阿Q的性格是典型的,其所以然就因为阿Q是处在一个典型的环境之中。至于细节的真实那当然是不成问题的,然而有一个小小的问题,据周遐寿《鲁迅小说里的人物》所说,"偷萝卜"这件事在《阿Q正传》所写的时间里不能有,因为那时没有萝卜。作者也意识到这一点,勉强说是"一畦老萝卜"。我们认为这些地方仍然合乎细节的真实,在现代现实主义的作品里只不能写"花和尚倒拔垂杨柳"那样的细节。

重要的问题在于典型环境。典型环境的选择取决于作家的世界观。

我们已经说过,《阿Q正传》的环境是辛亥革命时代的一个县城(即是鲁迅的故乡绍兴县城),所有在这里发生的事情都足以为当时县城的代表,只是不能代表农村,——这是当然的,作者本不是把它作为农村的典型。小说一共是九章,我们现在把九章里的故事作一概述。

第一章,就是所谓"序",鲁迅自己已说过,那是为当时报纸副刊的"开心话"栏而写的,"因为要切'开心话'这题目,就胡乱

加上些不必要的滑稽,其实在全篇里也是不相称的。"(《〈阿Q正传〉的成因》)与全篇不相称的不必要的滑稽,当然还与作者讽刺他的本阶级有关系。就阿Q的传记说,在第一章里只有赵太爷不认阿Q为本家,打阿Q的嘴巴,是真正的阿Q的传记。这一段就表现着阿Q的性格,从环境里表现出来了。这个环境应该是城市的,如果是在农村里就不会发生姓赵不姓赵的问题,在农村里住的总是一姓,阿Q用不着说他和赵太爷原来是本家,地主当权派也决不能向他的穷本家说"你说我是你的本家么?"

第二章主要是讳癞同赌钱,表现着典型环境的典型性格,只有城里的生活是这样以"闲人"多为特点。

第三章是阿Q同王胡扭打,阿Q挨钱洋鬼子的打,以及阿Q在酒店门口拧小尼姑,这里所写的环境气氛和人物性格都是很分明的,是属于城市的。

第四章"恋爱的悲剧",阿Q在乡村里也可以有,在城市里也可以有,要和其他的环节联系起来作决定。

第五章阿Q同小D扭打,闲人们围着看,依然是城里的环境。再是阿Q到静修庵偷萝卜,我们认为完全是城里的阿Q做的事情,而从走出未庄的描写看来,所谓"村外"明明是城外。

第六章写阿Q在外面"发财"回来。阿Q如果是农村的人,他当然可以到城里去作偷儿,如果是城里的人,他也可以从这个城到那一个城去干,所以不能从这一章的环境去决定阿Q的性格。

第七章"革命"是足以写出辛亥革命时代的典型环境典型性格,即是绍兴这样的县城的环境,阿Q这样的流浪雇工的性格。如果是农民,阿Q这样的性格就不足以为典型了,首先农民要有警惕性得多。未庄之为"农村"的作用，是小说结构上的方便，这样城里举人老爷的箱子可以寄存到赵家来，因而赵家遭抢，因而阿Q很自然地有"大团圆"的结局了。

第八章"不准革命"主要地还是阿Q的性格的发展，他的环境、他的性格在小说里已经决定了，就是辛亥革命时代一个县城里一个流浪雇工的不幸的命运，现在快要达到结局。至于有些细节，如赵秀才不敢进城，怕有剪辫的危险，托假洋鬼子去给他绍介进自由党，当然是乡村里的事，但这是表面的，不能决定赵秀才之为乡村人，也就是不能决定未庄是乡村。假定赵秀才是城里人，他也可以躲在家里不出来，怕有剪辫的危险，另一面又托人去给他绍介进自由党。只有赵家遭抢，最是乡村里合式，我们已经说过，这是为下章"大团圆"的方便，属于小说结构上的事。

第九章"大团圆"，写的是监狱、大堂、游街、示众的事，当然是城里的环境，倒不论阿Q是城里人或者乡下人。但这一章里的阿Q的事迹都是阿Q的性格的表现，合乎他城市流浪人的情况。好比在大堂上衙役拿了纸笔要他画花押的时候，如果阿Q是一个农民，他说一句"我……我……不认得字。"那就够了，不认得字的农民第一次拿笔是大堂上要他画花押！现在鲁迅因为是写他的阿Q，乃加一句"阿Q一把抓住了笔，惶恐而且惭愧的说。"又写"于是那人替他将纸铺在地上，阿Q伏下去，使尽了平生的力画圆圈。他生怕被人笑话，立志要画得圆，但这可恶的笔不但很沉重，并且不听话，刚刚一抖一抖的几乎要合缝，却又向外一耸，画成瓜子模样了。"阿Q的性格如在纸上，他确是"病态社会的不幸的人"，是城市中人，不是农民。

所以把《阿Q正传》九章的故事联系起来看,《阿Q正传》是表现了辛亥革命时代一个典型环境中的典型性格,阿Q那么成功地成为一个有名的典型人物不是偶然的。未庄的环境农村其名而县城其实,也不是偶然的,鲁迅本不是本着阶级观点来写农民,他是写一个《水浒传》中牛二式的人物借以讽刺他心目中认为是现代中国人的坏脾气罢了,尤其是针对着作者本阶级的人物。鲁迅是从"国民性"这一观点出发。把他的"国民性"观点具体化,就是小说人物阿Q的性格,要写这样一个人物,无须乎选择农村为环境的。如果选择某一时代某一农村作为典型环境,不包括土地剥削的主要问题进去行吗?(《阿Q正传》中地租问题的提出与未庄这个环境无关,不是阿Q本身的事。)典型环境不取之于农村,典型性格当然也就不是农民。如果鲁迅真是写农民,从阶级上认识农民是革命的力量,那么《阿Q正传》里面的许多场面鲁迅就不写,如阿Q之于王胡,阿Q之于小D,阿Q之欺侮小尼姑等,因为从阶级观点说,这些都不能构成典型环境,也就不能表现典型环境的典型性格,简直可以说是"不必要的滑稽",如鲁迅说他的《阿Q正传》第一章的话。现在这些场面都充分地表现了阿Q这个典型人物的性格,由这个性格发展下去,乃有阿Q的要做革命党,从而把辛亥革命的本质方面表现出来了,《阿Q正传》的思想价值我们可以说它是唯一的辛亥革命时代中国社会的阶级斗争史!而它的艺术价值还是因为它表现了典型环境典型性格,这个性格不是农民,这个环境不是农村。从鲁迅的世界观出发,也就是从"国民性"论出发,他不能选择农村——作为典型环境,选农民——作为典型性格。他是写出一种人物来作为"国民性"的形象化。

如果有了阶级观点,也就是说有了无产阶级的世界观,那将怎么写呢？那就选择辛亥革命时代一个典型的农村作为环境,表现出农民的典型性格来。好比写阿Q在革命的高潮之中,"吴妈长久不见了,不知道在那里,——可惜脚太大。"——这种性格就可以不表现,因为就表现农民说,从阶级观点说,不是典型性格。鲁迅在这些地方正是他讽刺"国民性"。然而他的人物的性格是统一的,是生动的,是典型性格。所有这些地方都有助于阿Q故事的发展。

我们上面的话想说明的是：典型环境的选择决定于作家的世界观,现实主义的创作方法则都是要表现典型环境中的典型性格。

八、"阿Q正传"的语言和小说技巧

无论小说和杂文,鲁迅的表现方法一概是白描。然而在鲁迅杂文的语言里常常夹些成语进去,如他讽刺当时自以为识路的"导师",他写着："凡自以为识路者,总过了'而立'之年,灰色可掬了,老态可掬了,圆稳而已,自己却误以为识路。"这里面用了"而立"这个成语代替"三十"。又如他不屑于作某些事情的研究,他写着："但这都听凭学者们去干去,我不想来加入这一类高尚事业了,怕的是毫无结果之前,已经'寿终正寝'。"这里面用了"寿终正寝"代替"死"。很显明,这种用法加强了他的杂文的讽刺作用和战斗作用。小说的语言主要是表现形象,表现形象就完全以白描为能事,不需要象杂文那样说反话,所以鲁迅小说的语言是道地的规范化的白话,简直同杂文相反,以不夹用成语为原则。独有《阿Q正传》是例外。《阿Q正传》里写未庄人对阿Q做偷儿,先是"敬而远之",后来是"斯亦不足畏也矣",写阿Q的年龄也是"他将到'而立'之年"。这是从杂文带来的空气。因为《阿Q正传》最初是为报纸的"开心话"栏写的,作者不是真正地在那里写小说。连忙乃把它当作小说来写。我们现在论《阿Q正传》的语言,是从小说语言的角度来看,其同杂文夹用成语一事,先在这里把它指明一下。

我们认为《阿Q正传》的小说语言有三件事我们应该学习,一是形象写得生动正确,二是词汇用得亲切自然,三是充分发挥了汉语的长处。现在把这三件事分别说明之。

首先看鲁迅笔下的形象。如写阿Q赌钱输了,"他终于只好挤出堆外,站在后面看,替别人着急,一直到散场,然后恋恋的回到土谷祠,第二天,肿着眼睛去工作。"又如戏台底下他赢了又给人抢去了,这样写:"他赢而又赢,铜钱变成角洋,角洋变成大洋,大洋又成了迭〔叠〕。他兴高彩〔采〕烈得非常:

'天门两块!'

他不知道谁和谁为什么打起架来了。骂声打声脚步声,昏头昏脑的一大阵,他才爬起来,赌摊不见了,人们也不见了,身上有几处很似乎有些痛,似乎也挨了几拳几脚似的,几个人诧异的对他看。"这种形象就叫做生动,就叫做正确。生动不容易,生动而正确就真不容易。生动尚容易夸大,生动而正确就是不夸大。

又如阿Q向吴妈下跪说着"我和你困觉,我和你困觉!"之后,他找不着工作做了,肚子饿了,只好到老主顾的家里去探问,这家里"一定走出一个男人来,现了十分烦厌的相貌,象回复乞丐一般的摇手道——

'没有没有！你出去！'"这是在"生计问题"章里。在恋爱的悲剧之后，在生计问题之下，阿Q真是狼狈不堪，鲁迅小说所描绘的这个形象再好没有了，就是生动，就是正确。到了阿Q从城里回来，"中兴"以后，"这阿Q的大名忽又传遍了未庄的闺中"，"于是伊们都眼巴巴的想见阿Q，缺绸裙的想问他买绸裙，要洋纱衫的想问他买洋纱衫，不但见了不逃避，有时阿Q已经走过了，也还要走上去叫住他，问道：

'阿Q，你还有绸裙么？没有？纱衫也要的，有罢？'"这个形象比起前面男人十分烦厌的相貌来，不能算第一，也算第二了。

又如写阿Q和小D互相拔辫子，"阿Q进三步，小D便退三步，都站着；小D进三步，阿Q便退三步，又都站着。大约半点钟，——未庄少有自鸣钟，所以很难说，或者二十分，——他们的头发里便都冒烟，额上便都流汗，阿Q的手放松了，在同一瞬间，小D的手也正放松了，同时直起，同时退开，都挤出人丛去。

'记着罢，妈妈的……'阿Q回过头去说。

'妈妈的，记着罢……'小D也回过头去说。"是生动正确的描写。在"同时直起，同时退开"的形象之后连忙接一句"都挤出人丛去"，把许多人围着看的情形都写出来了，同在赌摊挨打爬起来连忙接一句"几个人诧异的对他看"一样地不容易写，然而鲁迅写得极容易。还有，阿Q，小D挤出人丛彼此回头说了一句话，同阿Q骂王胡，王胡回骂阿Q一样地是鲁迅会写对话，即是在一番叙述之后再由人物的极简单的对话把形象表现得生动，如闻其语，如见其人。

又如写阿Q逾墙走进静修庵的菜园，发现一畦老萝卜，"他于是蹲下便拔，而门口突然伸出一个很圆的头来，(又即缩回去了，)

这分明是小尼姑。"把不久前受了阿Q的欺侮的小尼姑的形象该写得多么好！小尼姑不敢近前，老尼姑出来了，责备阿Q不该偷萝卜，阿Q胡乱回答她，"阿Q没有说完话，拔步便跑；追来的是一匹很肥大的黑狗。这本来在前门的，不知怎的到后园来了。"鲁迅的语言不多，而来得极快，黑狗的神速如在纸上！"黑狗哼而且追，已经要咬着阿Q的腿，幸而从衣兜里落下一个萝卜来，那狗给一吓，略略一停，阿Q已经爬上桑树，跨到土墙，连人和萝卜都滚出墙外面了。只剩着黑狗还在对着桑树嗥，老尼姑念着佛。"多么生动而正确的形象！

在第二次，即在革命的消息传到未庄的时候，阿Q再到静修庵去，"庵和春天时节一样静，白的墙壁和漆黑的门。他想了一想，前去打门，一只狗在里面叫。他急急拾几块断砖，再上去较为用力的打，打到黑门上生出许多麻点的时候，才听得有人来开门。"这种描写，把里面的人，把外面的人，把庙，都写出来了。里面的老尼姑，知道她的庙门再不能打，就出来了。接着一段又真写得好，出乎阿Q的意外，也出乎读者的意外，也就是作者"语不惊人死不休"！一句话，就是形象真实。"阿Q连忙捏好砖头，摆开马步，准备和黑狗来开战。但庵门只开了一条缝，并无黑狗从中冲出，望进去只有一个老尼姑。"当老尼姑从门缝里告诉阿Q赵秀才和钱洋鬼子已经来"革过一革的"之后，"阿Q很出意外，不由的一错愕；老尼姑见他失了锐气，便飞速的关了门，阿Q再推时，牢不可开，再打时，没有回答了。"从这些地方，我们可以看出语言的表达作用，什么都能表达，只怕作者自己的脑子里没有生动的东西要表达。阿Q这时关在静修庵的大门外，该写得多么好！

我们再看阿Q关在监狱里的形象。"到进城,已经是正午,阿Q见自己被掼进一所破衙门,转了五六个弯,便推在一间小屋里。他刚刚一跄踉,那用整株的木料做成的栅栏门便跟着他的脚跟阖上了,其余的三面都是墙壁,仔细看时,屋角上还有两个人。"根据阿Q自己之所见,他"被掼",他被"推",他"跄踉",那间屋子小,栅栏门是整株树的编织品,他的身子刚推进去,这个门就阖上了,所以跟着他的脚跟!屋里面没有窗户,一面是栅栏,三面是墙,乍进去眼前是黑的,"仔细看时,屋角上还有两个人。"我们读了这种文章,真感得文学是语言的艺术,这种艺术能够无微不入,什么东西都写得下来!

二是鲁迅用的词汇亲切自然。如写阿Q在戏台底下一心赌钱,这样写:"做戏的锣鼓(,)在阿Q的耳朵里仿佛在十里之外;他只听得春〔桩〕家的歌唱了。"这里"在耳朵里"与"在十里之外"读起来多么妥贴,真令人感得语言之可爱。又如在"生计问题"章里,"他早想在路上拾得一注钱,但至今还没有见;他想在自己的破屋里忽然寻到一注钱,慌张的四顾,但屋内是空虚而且了然。"这里面的"拾得","没有见","寻到","四顾","空虚而且了然",真把意思都包括尽了,干净极了,亲切极了。又如写阿Q在那监狱的屋里了,"阿Q虽然有些忐忑,却并不很苦闷,因为他那土谷祠里的卧室,也并没有比这间屋子更高明。"这里面的"忐忑","不很苦闷"的"苦闷",以及"比这间屋子更高明"的"高明",都是经过很好的选择的形容词。又如写阿Q画花押,"于是一个长衫人物拿了一张纸,并一枝〔支〕笔送到阿Q的面前,要将笔塞在他手里。阿Q这时很吃惊,几乎'魂飞魄散'了;因为他的手和笔相关,这回是初次。"这里面的"送到"面前,"塞"在手里,以及阿Q"吃惊","魂飞魄散",写起来极容易,语言的力量有千钧之重!还有,"他的手和笔相关"的"相关",用得多么自然,在意义上真是亲切。

写赵家遭抢之夜,遭抢之后,"这一夜没有月,未庄在黑暗里很寂静,寂静到象羲皇时候一般太平。"这里把寂静真写得有趣。这里的"象羲皇时候一般太平",以及笔在手里阿Q"魂飞魄散",真显得鲁迅会利用成语,没有比这更好的词汇了,亲切而自然。

鲁迅对状词的运用极有分寸,也值得我们注意。他每每通过状词把某一种环境同人物的心理都刻划出来了。好比阿Q欺得小尼姑哭,阿Q就"哈哈哈!"在这个"哈哈哈"之下鲁迅写着:"阿Q十分得意的笑。"酒店里的赏鉴家们也"哈哈哈。"在这个"哈哈哈"之下鲁迅写着:"酒店里的人也九分得意的笑。"后者的笑为什么要少一分呢?应该要少一分的,这一分表示他们赏识阿Q去了,他们也就是"十分得意的笑"。总之这两个"哈哈哈"不雷同。又如在"恋爱的悲剧"里,"大竹杠又向他劈下来了。阿Q两手去抱头,拍的正打在指节上,这可很有一些痛。他冲出厨房门,仿佛背上又着了一下似的。"这里面指节很有一些痛的"很"字,仿佛背上又着了一下的"仿佛",都用得极真实,阿Q因为是冲着要出去,而背上之痛又确不如指节之痛不可当,故仿佛背上又着了一下了。又如:"赵家遭抢之后,未庄人大抵很快意而且恐慌,阿Q也很快意而且恐慌。"这里两个"快意而且恐慌",其程度与性质并不同,作者都给我们表现出来了,只是因为分别用了两个状词,一个"大抵",一个"也"字。

第三件事我们说鲁迅的语言充分发挥了汉语的长处。这本应该是不成问题的事,岂有汉语作家而不发挥汉语的长处的?

实际上这个问题确实存在,一般作品上的语言,因为表面上讲"语法"的原故,读起来乃不顺口,——不顺口就是不合乎汉语的习惯,也就是我们还没有真正地建立起汉语语法来。回头我们读鲁迅的文章,乃发现鲁迅的语言,如他自己说的,"一定要它读得顺口"!(《我怎么做起小说来》)《阿Q正传》就是令我们读得顺口,也就是鲁迅充分发挥了汉语的长处。我们举几个显著的例子。鲁迅是很考虑到语法的,好比他写有这一句:"他不知道谁和谁为什么打起架来了。"就照欧化语法讲起来,这句话是完完全全地有规则的句子,同时鲁迅的这句文章读起来最顺口,也就是合乎汉语语法,也就是鲁迅造句要发挥汉语的长处。到了这样的句子:"庵和春天时节一样静,白的墙壁和漆黑的门。"我们读着就有些感慨了,鲁迅的这种好语言,也就是汉语的好处,我们现在的作家的作品里日见其少了。大家一见认为合乎语法的句子我们不举例,我们举几句读起来最顺口的句子,最生动的句子,如:"很白很亮的一堆洋钱!而且是他的——现在不见了!"这里面因为加标点符号的原故,好象是新式句子,其实是道地的汉语。又如:"他看那王胡,却是一个又一个,两个又三个,只放在嘴里毕毕剥剥的响。"这是写王胡捉虱,在旧小说里可能不说"两个又三个",而说"两个又一双",总之都是好语言。又如赵家遭抢,阿Q可能是听得枪声,鲁迅这样写:"他忽而听得一种异样的声音,又不是爆竹。"这表现汉语的长处。我们再举下面的一段:

他下半天便又被抓出栅栏门去了,到得大堂,上面坐着一个满头剃得精光的老头子。阿Q疑心他是和尚,但看见下面站着一排兵,两旁又站着十几个长衫人物,也有满头剃得精光象〔像〕这老头子的,也有将一尺来长的头发披在背后象〔像〕那假洋鬼子的,都是一脸横肉,怒目而视的看他;他便知道这人一定有些来历,膝关节立刻自然而然的宽松,便跪了下去了。

象这样的叙述的语言,生动不用说,也不会有意义不明白的顾虑,——意义是非常明白的!简单地说是读起来顺口,读起来顺口就是听起来入耳,听起来入耳就是合乎汉语的规律。象这一段话里面,是有许多汉语的规律可寻的,我们不能多说。我们只想指出一点,在现在作家的作品里,反而少有鲁迅这样顺口的语言,原因仿佛是受了欧化语法家之累!

以上是关于《阿 Q 正传》的语言我们要说的话。其次,我们从《阿 Q 正传》来看看鲁迅写小说的技巧。我们想提出两件事,一是刻划人物,一是结构。

关于刻划人物,我们只谈次要的人物,主要的阿 Q 我们就用不着再谈。把这些次要人物刻划的方法指明出来,鲁迅写人物的本领我们就差不多懂得了。先看吴妈。我们读"恋爱的悲剧"章里下面的四段:

"我们的少奶奶……"吴妈还唠叨说。

"我和你困觉,我和你困觉!"阿 Q 忽然抢上去对伊跪下了。

一刹时中很寂然。

"阿呀!"吴妈楞了一息,突然发抖,大叫着往外跑,

(且跑且嚷,)似乎后来带哭了。

这里面的"一刹时中很寂然",该多么地传神,吴妈听了万万听不到的话,简直在那里思索其意义!突然"阿呀!",突然发抖,突然往外跑,后来听得哭了。后来又由阿Q眼中写出:

少奶奶在拖着吴妈走出下房来,一面说:
"你到外面来,……不要躲在自己房里想……"
"谁不知道你正经,……短见是万万寻不得的。"邹七嫂也从旁说。
吴妈只是哭,夹些话,却不甚听得分明。

这里把少奶奶也刻划出来了,她怕吴妈在房里寻短见,那么就连累了她赵家。把专门替赵家办事的隔壁的邹七嫂也刻划出来了。而对吴妈更有补充,她哭不用说,其中"夹些话,却不甚听得分明",是真会刻划,可怜她是要替自己辩白,针对着邹七嫂的"谁不知道你正经"的话。

关于邹七嫂后面还有补充,就是,"未庄的女人们忽然都怕了羞,伊们一见阿Q走来,便个个躲进门里去。甚而至于将近五十岁的邹七嫂,也跟着别人乱钻,而且将十一岁的女儿都叫进去了。"

关于少奶奶即秀才娘子后面也有补充,阿Q从城里回来以后,赵太爷要向他买便宜东西,"'阿Q,你以后有什么东西的时候,你尽先送来给我们看,……'

'价钱决不会比别家出得少!'秀才说。秀才娘子忙一瞥阿

Q 的脸,看他感动了没有。

'我要一件皮背心。'赵太太说。"

这里当然刻划了好几个人物,我们提请注意的是少奶奶即秀才娘子。能够有几许的文字?人物太清楚了。鲁迅刻划人物的方法,都是少少的叙述,再加上人物的声口,如他自己说的,"对话也决不说到一大篇"。

关于吴妈,最后还有,就是阿 Q 在枪毙以前,在游街示众的车上,"而在无意中,却在路旁的人丛中发现了一个吴妈。很久违,伊原来在城里做工了。""车子不住的前行,阿 Q 在喝采声中,轮转眼睛去看吴妈,似乎伊一向并没有见他,却只是出神的看着兵们背上的洋炮。"少少的叙述把在城里作工的乡下的吴妈完全刻划出来了。

关于静修庵的小尼姑和老尼姑,也都是用同样的刻划方法,少少的叙述,短短的插话。如阿 Q 望见小尼姑来了,"他迎上去,大声的吐一口唾沫:

'咳,呸!'

小尼姑全不睬,低了头只是走。"这真是小尼姑,一句话把她就写出来了。及至阿 Q 走近去,摩她,笑她,鲁迅又用他的惯用的刻划方法"'你怎么动手动脚……'尼姑满脸通红的说,一面赶快走。"阿 Q 又拧她的脸,旁边酒店的人又大笑,"'这断子绝孙的阿 Q!'远远地听得小尼姑的带哭的声音。"这真是乡下小尼姑的话(她们恭维人的时候是"多子多孙!"恨人的时候是"断子绝孙!"),受了欺侮只有远远地哭着说。前面的话是"满脸通红的说","赶快走"。老尼姑则是老于世故,当阿 Q 爬进她的菜园的时候,小尼姑不敢出来,"然而老尼姑已经出来了。"一句话就刻划了老尼姑的出来。"阿弥陀佛,阿Q,你怎么跳进园里来偷萝卜。……阿呀,罪过呵,阿唷,阿弥陀佛!……"就是老尼姑出来的话。当秋天阿Q来革命的时候,"'革命革命,革过一革的,……你们要革得我们怎么样呢?'老尼姑两眼通红的说。"这话"两眼通红的说",真是老尼姑,她已经挨了赵秀才和假洋鬼子的栗凿,她的观音娘娘座前的宣德炉已经拿去了,所以她两眼通红。所以鲁迅的叙述,鲁迅小说人物的说话,合起来是鲁迅刻划人物。

鲁迅笔下的小D,分明同王胡是两样的性格,小D一出场就给我们认识了,然而只有极少的叙述,极简单的插话。阿Q正愤慨于小D夺去了他的饭碗,"几天(之)后,他竟在钱府的照壁前遇见了小D。'仇人相见分外眼明',阿Q便迎上去,小D也站住了。

'畜生!'阿Q怒目而视的说,嘴角上飞出唾沫来。

'我是虫豸,好么?……'小D说。"阿Q我们当然都是熟悉的,然而我们实在是佩服小D的神气,即是说鲁迅把他刻划得好。

便是地保,鲁迅也把他刻划出来了,首先他来得快,当阿Q正在感觉得赤膊冷,布衫留在赵家,"然而地保进来了。""阿Q,你的妈妈的!你连赵家的用人都调戏起来,简直是造反。害得我晚上没有睡觉〔觉睡〕,你的妈妈的!……"他能够使得阿Q没有话说,要送他加倍的酒钱。

便是不留姓名的酒店里的掌柜也刻划出来了,"掌柜既先之以点头,又继之以谈话:

'嘤〔嗄〕,阿Q,你回来了!'

'回来了。'

'发财发财,你是——在……'

'上城去了!'"阿Q在这里固然是善于回答,其所以善于回答是因为掌柜的妙问。所以鲁迅善于刻划掌柜。"掌柜既先之以点头,又继之以谈话",多么合乎掌柜的叙述。

其他如赵司晨、赵白眼等,都是以极少极少的文字刻划出不同的人物来。

再说小说的结构。结构最难的是自然,因为既然是结构,总不免有些做作,做作的东西就令读者感到不自然。《阿Q正传》的结构却是自然,读者知道某些地方是作者在那里结构,然而这结构的本身给人以艺术的欣赏了。大凡写故事总要把这故事所发生的时间和地点指明出来,《阿Q正传》的故事发生于未庄和县城,这两个地方的联系取得非常之巧妙,不令读者感到读到未庄又跳到县城去了,这是结构自然之一;就时间说,故事发生在宣统三年,特于第七章标明"宣统三年九月十四日——即阿Q将搭连卖给赵白眼的这一天——三更四点",这一标明就不枯燥,即是说辛亥革命了,而第七章以前的故事就从这一年的春天写起,在第三章第五段标明了,"有一年的春天",即是宣统三年的春天。而在宣统三年的春天以前倒也有了不少的故事,在第三章第四段作了一个总结,说是阿Q"得意了许多年"。所以故事的头绪是很清楚的,从未庄到城里,从春天到秋天,读者读着忘记作者的结构了,就是结构自然。

我们举出几个特别值得我们学习的地方,关于结构。如第五章"生计问题"写阿Q在未庄生存不下去,要到城里去,写得多么有趣:

阿 Q 怕尼姑又放出黑狗来，拾起萝卜便走，沿路又检了几块小石头，但黑狗却并不再出现。阿 Q 于是抛了石块，一面走一面吃，而且想道，这里也没有什么东西寻，不如进城去……

待三个萝卜吃完时，他已经打定了进城的主意了。

这哪里是"结构"？这是刻划人物！（多么地象阿 Q！）然而作者明明是为得故事作一转折，是结构作用。总之在大家的笔下，不为结构而结构，总要写得有趣。

第五章的末尾已经说明阿 Q 要进城了，而在第六章的开始又来一枝奇兵，阿 Q 忽然从城里回来了，这真是出乎读者的不意，而读者读起来非常之满意："在未庄再看见阿 Q 出现的时候，是刚过了这年的中秋。人们都惊异，说是阿 Q 回来了，于是又回上去想道，他先前那里去了呢？阿 Q 前几回的上城，大抵早就兴高采烈的对人说，但这一回却并不，所以也没有一个人留心到。……"这是鲁迅的结构，这叫做"语不惊人死不休！"

写阿 Q 的"进城"就是为得写赵家的遭抢，写赵家的遭抢就是为得写阿 Q 的被抓进城，这些都是结构的自然。而在故事中叙出赵家的遭抢来又是多么写得自然，"有一天，他照例的混到夜深，待酒店要关门，才踱回土谷祠去。

拍，吧……！

他忽而听得一种异样的声音，……他正听，猛然间一个人从对面逃来了。……看那人便是小 D。

'什么？'阿 Q 不平起来了。

'赵……赵家遭抢了!'小D气喘吁吁的说。

阿Q的心怦怦的跳了。……"这些地方都表示鲁迅不是为结构而结构,本来是小说的结构作用,而写起来是刻划人物。

关于"阿 Q 正传"研究[①]

刘忠恕、庐湘二位同志在 1959 年第 2 期吉林大学《人文科学学报》上发表的批评我的《阿 Q 正传》的研究的文章,我读了几遍,想从中得到益处。如果发现我自己有错误,我就修正错误。我现在只能写这一篇反批评的文章,表示我坚持真理,我对鲁迅的《阿 Q 正传》的研究应该说是没有错误的。

一

首先我应该对庐湘同志说我"否认了进步世界观,马克思主义世界观对作家创作的指导意义"的话表示意见。庐湘同志这样的话是很令我吃惊的,我认为近乎深文周纳。鲁迅在创作《阿 Q 正传》时,本不是马克思主义者,是鲁迅自己所谓"国民性"论者。我在我的《阿 Q 正传》的研究的文章里,一开始就交待清楚,说:"鲁迅写《阿 Q 正传》时的思想感情,是属于旧时代的,然而是健康的。"稍后又说:"他那时还没有能够用无产阶级的宇宙观作为观察国家命运的工具。"又说:"他不能从革命的阶级这一

[①] 载《吉林大学人文科学学报》1959 年 12 月第 4 期,署名冯文炳。

伟大的观点出发去考虑问题。"最后我又特别提出作家的世界观对其创作时选择典型环境的作用,说:"典型环境的选择取决于作家的世界观。"又说:"从鲁迅的世界观出发,也就是从'国民性'论出发,他不能选择农村——作为典型环境,选择农民——作为典型性格。他是写出一种人物来作为'国民性'的形象化。"接着就说:"如果有了阶级观点,也就是说有了无产阶级的世界观,那将怎么写呢?那就选择辛亥革命时代一个典型的农村作为环境,表现出农民的典型性格来。好比写阿Q在革命的高潮之中,'吴妈长久不见了,不知道在那里,——可惜脚太大。'这种性格就可以不表现,因为就表现农民说,从阶级观点说,不是典型性格。鲁迅在这些地方正是他讽刺'国民性'。"(这里是讽刺在旧中国里男人爱女人的小脚。)我又说过:"如果鲁迅真是写农民,从阶级上认识农民是革命的力量,那么《阿Q正传》里面的许多场面鲁迅就不写,如阿Q之于王胡,阿Q之于小D,阿Q之欺侮小尼姑等,因为从阶级观点说,这些都不能构成典型环境,也就不能表现典型环境的典型性格,简直可以说是'不必要的滑稽',如鲁迅说他的《阿Q正传》第一章的话。"鲁迅的"国民性"论虽然不是正确的,他写的《阿Q正传》虽然不是进步的世界观——马克思主义世界观指导下的产物,然而《阿Q正传》把中国革命的本质方面反映出来了,列宁在论托尔斯泰的时候说的"如果站在我们面前的是一位真正的伟大艺术家,那么他至少应当在自己的作品里反映出革命的某些本质的方面来",我认为可以指导我们作鲁迅《阿Q正传》的研究。我特别重视《阿Q正传》里面的这两段:

到进城,已经是正午,阿 Q 见自己被挟进一所破衙门,转了五六个弯,便推在一间小屋里。他刚刚一踉跄〔跄跄〕,那用整株的木料做成的栅栏门便跟着他的脚跟阖上了,其余的三面都是墙壁,仔细看时,屋角上还有两个人。

　　阿 Q 虽然有些忐忑,却并不很苦闷,因为他那土谷祠里的卧室,也并没有比这间屋子更高明。那两个也仿佛是乡下人,渐渐和他兜搭起来了,一个说是举人老爷要追他祖父欠下来的陈租,一个不知道为了什么事。他们问阿 Q,阿 Q 爽利的答道,"因为我想造反。"

　　在我的《阿 Q 正传》的研究里,引了鲁迅小说这两段之后,有下面一段话:"鲁迅在这里显然不是讽刺阿 Q。鲁迅这时如果已经是一个马克思主义者,他也不能比这两段更好地反映辛亥革命的失败! 革命了,而举人老爷也做了什么官,而一个乡下人因举人老爷要追他祖父欠下来的陈租而入狱,而阿 Q,(鲁迅把他当作一个未庄的乡下人抓来的!)说他入狱的原因是'因为我想造反。'鲁迅的小说写到这里,多么生动,多么自然呵! 这是鲁迅写被压迫被剥削的人。辛亥革命时代,中国社会,在农村里,在政权集中的县衙门,压迫与被压迫,剥削与被剥削,是地主与农民两个阶级,所以《阿 Q 正传》里面的监狱是如此! 所以中国革命还要等待中国共产党起来领导中国农民运动! 鲁迅小说的伟大成就,不是作者观点的绝对正确,是作者立场的胜利,是现实主义的胜利,每逢写到两个阶级的冲突的时候,作者的立场总是站在被压迫被剥削者方面,而在描写阶级斗争最尖锐的场合,好比辛亥革命的县衙门的监狱里,把革命的本质方面写出来了。从这里,不难看出,我们学习鲁迅,我们也学习了马克思主义,是生动的课题。"这段话,在我对《阿Q正传》的整个研究里,是十分明白,鲁迅的世界观(也就是"国民性"论)虽然不是正确的,本着他的世界观他不能反映辛亥革命时代中国社会的阶级斗争,但由于他的立场的胜利,(他总是站在人民的立场上面!)又由于他的现实主义的胜利,他描写县城的监狱就写因地主追租农民入狱,这样通过阿Q的故事,通过两段的文章,就把中国革命的本质问题,即农民问题,反映出来了。所以在我的《阿Q正传》的研究里,在引鲁迅的这两段之前,就说:"因为中国共产党所领导的中国新民主主义革命的伟大胜利,我们大家现在都知道农民运动是中国革命的本质问题。辛亥革命农民没有参加,结果辛亥革命失败了。那么我们真不能不佩服《阿Q正传》的伟大的记载!鲁迅这时并没有马克思主义思想,而艺术乃超过当时的任何历史,中国当时的历史家写不出来的东西,鲁迅的小说里有了!"我认为我的论点丝毫没有可以引起疑问的地方,一方面指出鲁迅因为世界观的局限性他不能选择农民作为典型性格来写,《阿Q正传》只是"国民性"论者的产物,阿Q不是农民的典型,一方面又指出《阿Q正传》里极其宝贵的两段描写,通过这两段描写反映出农民没有起来所以辛亥革命失败了,——这有什么不可以呢?我为什么是"否认了进步世界观,马克思主义世界观对作家创作的指导意义"如庐湘同志所批评我的呢?在庐湘同志的文章里,他也说"鲁迅有过写'国民性'之说",那么鲁迅的《阿Q正传》庐湘同志也承认不是在马克思主义世界观指导之下写的了,突如其来又把"马克思主义世界观对作家创作的指导"放在对《阿Q正传》的研究上说,有什么意义呢?我对《阿Q正传》的研究倒是极其亲切地以马克思主义为指导思想,而且受了列宁论托尔斯泰、恩格斯论现实主义等的直接启示。

我说《阿Q正传》的伟大成就,不是作者观点的绝对正确,是作者立场的胜利,是现实主义的胜利,庐湘同志认为我"这一段话是大有加以分析的必要的"。于是庐湘同志就分析:"首先冯先生是说鲁迅的伟大成就不能归功于他进步的世界观,所谓'不是作者观点的绝对正确'。其次是'作者立场的胜利',其实,观点不正确,就很难谈立场,这两者本是互不可分的。另外,'立场'只能表示基本社会政治倾向,不能代替艺术领域全部具体问题。就世界观与创作方法,逻辑思维与形象思维等看来,重点是在后面一句'现实主义的胜利'。如果能把下面另外两段引文放在一块思考,冯先生贬低世界观,过分强调现实主义创作方法的作用的论点,就更加明显了。他说:'不管作者是有意的无意的,总之把真实反映出来了。如果作者是无意的,那他的小说的历史意义更大。'又说,'鲁迅这时如果已经是一个马克思主义者,他也不能比这两段更好地反映辛亥革命的失败!'"我必须把庐湘同志这段话分析一下。首先鲁迅《阿Q正传》的伟大成就"不能归功于他进步的世界观",这是庐湘同志也不能不承认的,因为他说"鲁迅有过写'国民性'之说",那么庐湘同志在现在这一段话里是说鲁迅当时的世界观是进步的世界观呢,还是不是的?令人不懂。其次分析庐湘同志分析我的"作者立场的胜利"的话,其实我的这个判断是十分正确的,鲁迅在转变以前,在他还不是马克思主义者的时候,他的观点即使不是正确的,而他的小说和杂文,分析起来都是站在人民的立场上写的,所以他在转变之后自己说了极其亲切的话："原先是憎恶这熟识的本阶级，毫不可惜它的溃灭"。为什么"观点不正确，就很难谈立场，这两者本是互不可分的"呢？庐湘同志对于这个问题，并没有经过思考，他说话的本意也并不在此，他说话的本意是说我"重点是在后面一句'现实主义的胜利'"，——这是庐湘同志说话的重点，说来说去他的意思是要说我同胡风一样强调现实主义贬低世界观。我不能不说庐湘同志是深文周纳。庐湘同志接着说"如果能把下面另外两段引文放在一块思考，冯先生贬低世界观、过分强调现实主义创作方法作用的论点，就更加明显了。"这是庐湘同志说我的意思就更加明显了，同时他就更明显地歪曲了我研究鲁迅《阿Q正传》的立场、观点和方法。他说"另外两段引文"，可能是信笔用了"两段"两个字，其实所引的我的话都是从我的整段话里割裂来的，我的"鲁迅这时如果已经是一个马克思主义者，他也不能比这两段更好地反映辛亥革命的失败"的话是一大段（前面已引过）里的一句，同"不是作者观点的绝对正确，是作者立场的胜利，是现实主义的胜利"是在一段里，不是"另外"一段的话。"不管作者是有意的无意的……"两句，是另外一段里的话，在那一段里，我是分析小说里阿Q在赵太爷门口嚷造反的情节，被压迫被剥削的阿Q临着革命而激昂，地主阶级临着革命而恐怖，我说"在当时社会里是真正地有，鲁迅的小说也真正地写得出。不管作者是有意的无意的，总之把真实反映出来了。如果作者是无意的，那他的小说的历史意义更大。"我的话有什么错误呢？我所说的历史意义是指历史书上没有的记载小说里有了，这个小说作家又不是马克思主义者，他替辛亥革命所作的阶级斗争的记录，总不能说是马克思主义者的宣传吧,——这就是我说话的本意,有什么错误呢?我对恩格斯所说的"我所提到的现实主义,甚至不管作者的观点怎样,也会显露出来的"确有体会。好比我们研究杜甫,杜甫在他的诗里说:"彤庭所分帛,本自寒女出,鞭挞其夫家,聚敛贡城阙!"这是现实主义。然而从杜甫的观点看,他的现实主义是无意中显露出来的,因为在同一首诗里他的观点是:"圣人筐篚恩,实欲邦国活,臣如忽至理,君岂弃此物?"我们研究现代鲁迅的现实主义,恩格斯的话确乎是同样地适用。从观点上说,鲁迅对阿Q的革命是取讽刺的态度的,不认识他是被压迫被剥削的人的觉悟,所以鲁迅借了老尼姑的口对阿Q说着"革命革命,革过一革的,你们要革得我们怎么样呢?"这里的"你们"包括赵秀才,假洋鬼子和阿Q三种人。然而鲁迅关于辛亥革命时的监狱的描写,反映了中国新民主主义革命的本质问题即农民问题。恩格斯论现实主义的话本来是明显的,没有丝毫可以歪曲的地方,胡风利用来贬低马克思主义世界观,那就是小人如见其肺肝然了。我们不能因为胡风的罪恶就回避学习恩格斯分析作品的方法。对恩格斯的话另外加些引伸,我曾仔细思考过,认为也是不必要的。我有什么错误呢?而庐湘同志说我是"公然宣扬有无马克思主义对作家都是无所谓。甚至认为没有马克思主义倒能更好的反映社会生活本质真实了?!"直截了当地说,庐湘同志是说我同胡风持的是一种论调,所以他生怕他的这一句话显不出力量来把一个句子加了两个标点符号。我如果没有坚持真理的勇气,庐湘同志的话是足以叫人不敢开口的。

二

其次,我反对庐湘同志"更严重的是冯先生的论点,表示了资产阶级'人性论'的观念"的话。

庐湘同志在他的论文里引了高尔基的一句话,高尔基的这句话我也要引了来:"不要把'阶级特征'从外面贴到一个人的脸上去,象我们这里所做的一样;阶级特征不是黑痣,而是一种非常内在的、深入神经和脑髓的,生物学的东西。"我就曾经仔细地研究了鲁迅所创造的阿Q这个典型人物的阶级特征,从阶级特征我确定阿Q是城市里的流浪雇工,换句话说,阿Q是市民不是农民。阿Q有阿Q的个性,也就是城市里受压迫受剥削的人的个性,阿Q不是王胡,不是小D。但阿Q同王胡、小D又同是市民,我们读了《阿Q正传》,感觉到阿Q、王胡、小D之间有着共性。阿Q就是一点也不象农民,他没有农民的共性,更谈不上某个农民的个性了。要象刘忠恕同志在他的论文里所说的:"阿Q是一个流浪雇农的典型,而且是一个落后的流浪雇农的典型。在他身上集中地表现了当时的农民自轻自贱、自我安慰的精神胜利法,对屈辱和伤痛的健忘,欺(?)强凌弱,向弱小者发泄受辱后的愤愤情绪等精神弱点。"我认为太是主观随意,说什么在阿Q身上"集中地表现了当时农民的自轻自贱"等等。庐刘二位同志在他们的论文里都说典型要从现实生活中产生,在现实生活中没有刘忠恕同志所说的如此这般的雇农。不得已而要说这是"一个落后的流浪雇农的典型",这就是把象阿Q这样的市民的特征贴到贫雇农脸上去,本来不象,只好再加一个"落后的"黑痣。本来阿Q的籍贯和他是不是农民,《阿Q正传》的作者鲁迅实在并没有替我们决定的,(我们今天本着辩证唯物主义的观点确定人物的环境和阶级成分是很严格的,但鲁迅当时用的是旧的方法,他后来在《英译本〈短篇小说选集〉自序》里就说过他自己原来是邯郸旧步的话)他说阿Q的"籍贯有些决不定","也没有固定的职业",虽然他说阿Q是乡下人。"乡下"是作者的一个广义的说法,绍兴他也是说乡下。许多研究者认为阿Q是农民,我在我第一次的研究里(《跟青年谈鲁迅》)也这样说。后来我认为这不能解决全部问题,乃再费一番工夫,对阿Q的形象作了完完全全的分析,确定阿Q是城市里的流浪雇工。这至少证明我没有"资产阶级'人性论'的观念"。同样是被剥削与被压迫的人,我认为贫雇农与城市里做零工的人的性格应该分别。

我这篇反批评的文章很难做,就庐湘同志的论文说吧,他对我无的放矢的矢放得太乱,——招架起来确实令我难得做顺理成章的文章。他说我有"人性论"的观念,我认为我上面的一段话足以答复他了,但又令我很不满意,因为庐湘同志指我为"掉进人性论泥沼"的话不一而足,我的简单明了的答复反而不合适似的。我也还不得不杂乱的回答一些。我在我对《阿Q正传》的研究里,认为阿Q主义主要是半封建半殖民地中国统治阶级的东西,爱国主义者的鲁迅要揭露它,而又因为他当时世界观的局限,把它当作"国民性",他是写出阿Q这一种人物来作为"国民性"的形象化。庐湘同志在他的论文里质问道:"请问!这是什么人物?阶级社会里有抽象存在的人物吗?"我回答曰:阶级社会里没有抽象存在的人物。阿Q这种人物,是城市里的流浪雇工,但不是农民。庐湘同志的论文里又写道:"冯先生又讲:'从鲁迅的世界观出发,也就是从"国民性"论出发,他是写出一种人物来作为"国民性"的形象化。'这更明显的露出人性论的马脚。"我回答曰:这与人性论是凤〔风〕马牛不相及。"国民性"是鲁迅的观点,"国民性"的形象化是鲁迅之所以写他的小说的,与我们本着马克思主义的立场、观点、方法来研究《阿Q正传》是两回事。我在我对《阿Q正传》的研究里,在分析《阿Q正传》第二章、第三章的形象之后我总结着说:"我们更把这一连串的场面联系起来,鲁迅为什么取阿Q这个典型又非常之明白,在小说是第二章和第三章,即'优胜记略'和'续优胜记略',说穿了无非是鲁迅对中国地主阶级当权的愤慨,遭遇强敌,失败了还要摆失败者的架子,还要欺负弱小民族,以大民族自居,大国自居。是的,《阿Q正传》第二章第三章鲁迅写得踌躇满志,他认为阿Q的形象足以说明这些问题了。"所谓"国民性"的形象化就是这个意思。鲁迅在《我怎么做起小说来》的文章里自述他的小说所写事迹以及人物的模特儿都是"到足以几乎完全发表我的意思为止",也就是作者把自己的"意思"形象化的意思。鲁迅虽说有"国民性"的意思,但他没有"人性论"的意思。请问!我在这里研究鲁迅,与"人性论"又有什么相关呢?

三

我在我对《阿Q正传》的研究里一开始说:"鲁迅写《阿Q正传》,是针对他的本阶级的读者写的,他向他的本阶级的人讽刺阿Q主义,他的思想里并没有什么农民不农民的问题。"刘忠恕同志与我处于对立面,他说鲁迅当时的思想里有农民问题,"正是在这种思想支配下,鲁迅才塑造了流浪雇农阿Q这个形象,揭露了农民的精神弱点,客观上教育了农民。"照刘忠恕同志的意思,这里应该是"主观上"教育农民,而他为什么说"客观上"三个字,我不想深论。我倒因此想提出一件事实来问一问,自从1921年鲁迅的《阿Q正传》出世以来,到底是教育了本阶级的人,还是教育了哪一个农民? 我想任何人都可以回答是教育了作者本阶级的人。到现在我们还说台湾蒋介石是一个最糟糕的阿Q。鲁迅当时思想里有没有农民问题,我留到下文再谈。现在我因刘忠恕同志的反对意见,我把我所主张的鲁迅"是针对本阶级的读者写的"这个意思再申述一下。我认为不但《阿Q正传》鲁迅是针对本阶级的读者写的,鲁迅其他有战斗意义的文章,包括小说和杂文,都是针对本阶级的读者写的,用来教育本阶级的他认为有希望的人。鲁迅的战斗意义就在此。当然,说着"本阶级",是鲁迅自己成为马克思主义者以后的话,他最初是不可能有阶级分析的观点的。他最初叫做"启蒙主义",也叫做"思想革命"。在《华盖集》里有一篇《通讯》,是1925年写的,还在写《阿Q正传》三四年之后,他说:"我想,现在的办法,首先还得用那几年以前《新青年》上已经说过的'思想革命'。还是这一句话,虽然未免可悲,但我以为除此没有别的法。而且还是准备'思想革命'的战士,和目下的社会无关。待到战士养成了,于是再决胜负。"同一题目的另一信里他的意思更明白:"我想,现在没奈何,也只好从智识阶级——其实中国并没有俄国之所谓智识阶级,此事说起来话太长,姑且从众这样说——一面先行设法,民众俟将来再谈。"鲁迅在这里所说的"中国并没有俄国之所谓智识阶级"是什么意义,我不很清楚,但他在这里告诉我们他写的文章不是写给群众看的,是写给知识分子看的,我认为一点疑问没有。他这一篇《通讯》里的这一番话是答复别人主张办一种通俗的小报而说的。总之我认为鲁迅的文章,包括小说和杂文,都是为了教育本阶级的读者而写的。鲁迅的战斗意义就在此。就是他转变后的杂文,从《二心集》起,目的是为无产阶级革命服务,其读者对象也还是知识分子,鲁迅没有想到他要教育农民,人民也还没有给他提出这个任务来。

四

最后关于鲁迅当时思想里有没有农民问题。刘忠恕同志认为象鲁迅这样的人"思想里会没有农民问题是不可想象的"。我认为是可以想象的,而且是可以证明的。首先我们必须说清楚,什么叫做农民问题?如果指生活上曾经接近农民,在小说里又同情农民,如《故乡》里同情闰土,这不能作为鲁迅思想里有农民问题的根据。如果这样便叫做思想里有农民问题,那中国古代作家里面有不少的人都可以说是思想里有农民问题,把"农民问题"理解得太简单了,不是马克思主义社会科学所提出的农民问题。毛主席在《新民主主义论》里曾经引斯大林的话指示过我们:"所谓民族问题,实质上就是农民问题。"毛主席又说:"因此农民问题,就成了中国革命的基本问题,农民的力量,是中国革命的主要力量。"很明白,小资产阶级知识分子鲁迅在他未成为马克思主义者的时候思想里不可能有农民问题。上节我们所引的《华盖集》里面《通讯》这篇文章中"民众俟将来再谈"的话便是证明。就拿小说《故乡》来说,鲁迅是这样总结农民闰土的景况的:"多子,饥荒,苛税,兵,匪,官,绅,都苦得他象一个木偶人了。"这只能表明鲁迅同情农民,不能证明鲁迅当时思想里有农民问题。相反地,从鲁迅的这句话也可以证明鲁迅当时的思想里没有农民问题,因为农民问题主要是地租问题,是农民与地主阶级的直接矛盾,鲁迅没有指明出来。所以刘忠恕同志在他的论文里举出《故乡》来证明鲁迅思想里有农民问题,是不能说明问题的。刘忠恕同志并说:"同样是在《故乡》里,鲁迅表示了自己对农民未来的新生活的希望。"其实鲁迅《故乡》的原文是这样的:"我想:我竟与闰土隔绝到这地步了,但我们的后辈还是一气,宏儿不是正在想念水生么。我希望他们不再象我,又大家隔膜起来……然而我又不愿意他们因为要一气,都如我的辛苦展转而生活,也不愿意他们都如闰土的辛苦麻木而生活,也不愿意都如别人的辛苦恣睢而生活。他们应该有新的生活,为我们所未经生活过的。"鲁迅在这里是指出自己这一辈的人的三种生活,一种是作者鲁迅,一种是闰土,还有一种辛苦恣睢指杨二嫂,希望这三种生活将来都改变,这正是鲁迅在别处所说的"改良人生"的意思。所以刘忠恕同志"同样是在《故乡》里,鲁迅表示了自己对农民未来的新生活的希望"的话,是片面的,夸大了的,不足以为鲁迅当时思想里有农民问题的证明。刘忠恕同志在他的论文里又举了鲁迅的小说《祝福》来证明,其实《祝福》也只能证明鲁迅当时思想里没有农民问题,鲁迅有的只是"妇女问题"。鲁迅所最痛恨的是封建社会的上层建筑,就是"礼教",他不可能认识中国的根本问题是农民问题,要农民问题解决了,妇女问题才跟着解决。如果他思想里有农民问题,他反而可能不写《祝福》这样的小说,写而故事也一定有所不同,因为我们分析《彷徨》里的《祝福》,祥林嫂前后两次的夫家都是农民,最后一次"大伯来收屋,又赶她",是当时农村里可能有的事情,但这不属于中国社会的本质方面,写了来反而显得祥林嫂的死由与她的夫家更有直接关系,也就是与劳动人民有直接关系。所以我说鲁迅的《祝福》,只能证明鲁迅当时思想里没有农民问题。要证明鲁迅当时思想里没有农民问题,材料尚多,没有都举出来的必要。我只想再说一点,如我已经指出过,在《阿Q正传》里,鲁迅对阿Q革命是取讽刺的态度的,即此一点就足以说明鲁迅思想里没有农民问题,因为作者的思想里有农民问题在他的小说里就不会讽刺农民(如好心的读者所认为的)要革命。

鲁迅的伟大价值在于他的文艺创作,包括小说和杂文,都是他同半封建半殖民地旧中国社会作殊死战斗的武器,在战斗中他总打了胜仗,他是为新民主主义革命服务的光辉的榜样。在同敌人作战中,他自己也总是提高了,最后成为马克思主义者。他最初的思想里没有农民问题,在同反动知识分子作战中他偏认识了农民问题。在《华盖集续篇》里有一篇《学界的三魂》,因为当时北京的反动知识分子说他是"学匪",他写了这一篇文章,我把下面的话全引了来:

> 但这也足见去年学界之糟了,竟破天荒的有了学匪。以大点的国事来比罢,太平盛世,是没有匪的;待到群盗如毛时,看旧史,一定是外戚、宦官、奸臣、小人当国,即使大打一通官话,那结果也还是"呜呼哀哉"。当这"呜呼哀哉"之前,小民便大抵相率而为盗,所以我

相信源增先生的话:"表面上看只是些土匪与强盗,其实是些农民革命军。"那么,社会不是改进了么?并不,我虽然也是被谥为"七匪"之一,却并不想为老前辈们饰非掩过。农民是不来夺取政权的,源增先生又道:"任三五热心家乘势将皇帝推倒,自己过皇帝瘾去。"……

这是鲁迅在1926年写的。在这个基础之上鲁迅思想里确实开始有农民问题。可见认识农民问题不容易呀!